福岡市竹下、生まれた家で両親と。

小学４年生、弟と湘南海岸にて。

大田区立貝塚中学校、バスケットボール部、メンバーたったの５人。

福岡の高校時代、母と。なぜか庭にコンガが。

初レコーディング、エルザ（右）のアルバムで川原伸司氏（左）とコーラス。

デビュー時、レッド・ストライプスのメンバー＆友達とビクタースタジオの前で。
後列左から、高島正博、青山純、笹瀬一人、新井田耕造、塚原恵一、安部恭弘
中列左から　竹内まりや、杉真理、宮悦子
前列左から　内田竜男、羽部恒雄

【上】1981年5月1日ソニー信濃町スタジオ、五十嵐浩晃「想い出のサマー・ソング」で大瀧さんとコーラス。

【中】1982年3月、ナイアガラトライアングル、ハワイ取材旅行。

【下】1982年8月、ユーミン、須藤薫とWonderful Moon。

1996 年、ジョージ・マーティンとレセプション・パーティーで。

2022 年、新宿文化センター楽屋、終演後のギルバート・オサリバンと。

1992 年、「4way Music Street」にゲスト出演した 10cc のエリックとグレアム。

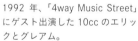

1988 年、BOX デビューアルバムの曲を松尾氏と作曲中。

1990 年、日清パワーステーションの楽屋にて BOX。

1996 年、ピカデリーサーカス結成時のライブ。
右から　安部俊幸、橋本哲、松尾清憲、杉真理、風祭東、伊豆田洋之。
上田雅利、嶋田陽一は立ち位置が後列なので写っていない。

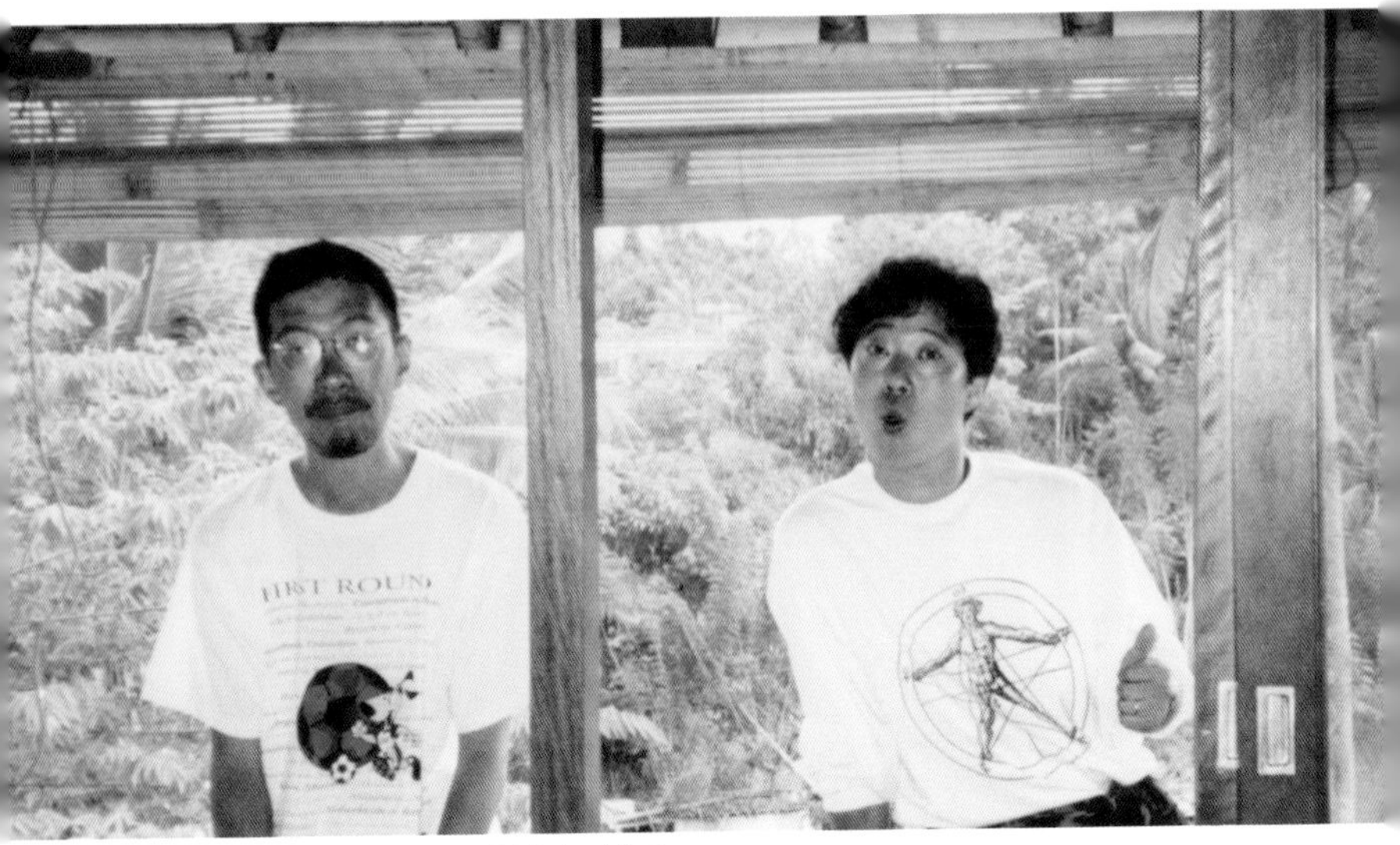

1994年、写真家HABUとバリ島ウブドで。

1997年、ファンクラブツアー。バリのビーチで。

1994年、バリ島での友人の結婚パーティー珍道中。

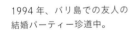

2014年、村田和人と感謝還暦ツアー。小樽にて。

2015年、ずっと還暦ツアーの南浦和。最終日だったのでお客さん全員がサプライズでサイリウム点灯。

2007年、須藤薫「Forever Young」のヴォーカル・レコーディング。

2016 年 1 月 2 日、第 5 回杉まつり。村田最後の出演。

2020 年 1 月 3 日、第 9 回杉まつり怒涛のフィナーレ。この後コロナにより自粛中。

魔法を信じるかい
ミスターメロディ・杉真理の全軌跡

杉真理 著
佐々木美夏 構成

DU BOOKS

はじめに

人生には目に見えない「縁」という糸が張り巡らされていて、
時々「偶然」という風が吹いたりすると、
一瞬その糸が光線の加減で見えた気がする。

物質が基本、と教えるこの世界に生まれた僕は、
「自分はなんの変哲もない人間だ」と思っていた。
曲なんか作れるわけないとも。

それでもありえない偶然や面白いエピソードが多発しだすと
「世に中に特別じゃない人などいないんじゃないのか」と思えて来た。
気が付けば６００曲以上作ってるし、歌ってるし！

この本で今までを振り返ってみて、さらに確信した。

「人生は魔法と奇跡に満ち溢れてる、やった〜」

そして魔法は伝染していく、音楽のように。

杉真理

目次

装画　和代人平

第1章
Boy's Life
きかん坊のラジオ少年、ビートルズと出会う

福岡生まれ、東京育ちです

福岡で生まれました。竹下っていうすごい田舎で、アサヒビールの工場に隣接している、明治時代からあるような古い社宅。そこで僕は生まれたらしい。親父、お袋、5つ下の弟の4人家族。

お袋と親父はお見合い。お袋は東京の人で大岡山に住んでたんだけど、福岡に疎開をしていた。親父は久留米生まれで小さい頃に両親を亡くしてみなしごなんだけど、まわりが育ててくれたっていうか。もともと染物屋さんを久留米でやっていて、親父の父親が特許を取っていたらしくて、それでお金が入ってきて、うちの親父は助けられていたらしい。で、アサヒビールに就職したあと「真面目そうな青年だから」ってお見合い話が来て。

親父は兵隊に行って半年で終戦になって帰ってきた。クラシックが好きでSP盤を集めていたんだけど、僕はそれを社宅の庭にガンガン投げて遊んでいた（笑）。

親父の性格は僕と全然違う。真面目でチャラチャラしてなくて、計画性がある。2007年に亡くなったんだけど、自分の葬式の段取りも全部決めてあった。「長男が司会をします」ってメッセージまで書いてあって、「本日はお忙しい中、私の葬儀に〜」とか司会の僕の台詞まで決めてある台本を残していた。締めに「お忘れ物などないように、お気をつけて」まで。連絡するところや死後のお袋のフォローまで全部。この無計画で行き当たりばったりな僕とはまったく違う。

真理って名前は親父が付けました。理科系に進ませて科学者かエンジニアにしたかったらしくて。だから工学部に行ったところまではよかったんだけど（笑）。男の子の名前としては変わってるけど、全然イヤじゃない。友達になにか言われてイヤな思いをしたこともない。

いや、ひとつだけあった。小学校の卒業式、担任の新井愛子先生が言った「校長から卒業証書をもらう時、私が名前を呼ぶけど、万一間違っても『ハイ』と答えるように」。3年間も担任で毎日出席を取ってた新井先生が俺の名前を忘れるはずがないと思って順番が来たら「杉……」で止まってしまった。先生、あがって「真理」の読み方がわからなくなったんだろうね。「杉……ミチサト」「誰だよそいつ！」。でも仕方ないから「ハイ」。納得いかなかったなぁ。

5歳くらいのときに福岡の高宮っていうところの社宅に引っ越した。カトリックのマリア幼稚園に行って、西高宮小学校に行ったんだけど、タモリさんの後輩。タモリさんと初めて会ったとき「高宮に住んでました」って言ったら「俺、西高宮小学校。じゃあ幼稚園はマリア幼稚園？」って。僕の人生は本当に縁がある人と遭遇する。

そこに1年いてまた元の社宅に戻って、2年の3学期に東京に転勤になるんですよ。弟ももう生まれていて家族みんなで大田区に引っ越すことになるんです。

入ったのは池雪《ちせつ》小学校3年3組。「杉くんです」って紹介されて、なんかやらなきゃいけないなぁと思って、ハンカチの手品をしたの。親父の影響で好きだったから。結ぶんだけどほどけちゃうっていう大したことない手品。でもみんな「へえ〜！」って驚いてくれて人気者になっちゃって。だから調子こいちゃった。美代子ちゃんっていう可愛い子がいたんですよ。「僕はあの子が好き、僕はあの子が好き」ってずっと言ってたら嫌われて、口きいてくれなくなっちゃった。中学でもたまたま同じクラスになったんだけど、そのときも口きいてくれない。

勉強は普通よりちょっと上くらいかなぁ。でも塾に入ったんですよ。みんな行ってたから。それが超スパルタの塾で、寺子屋みたいに正座させられて、ガリ版刷りの問題集をもらって。覚えてるのはその手作りの問題集、ミスプリとかもよくあって「川の速度は時速30キロメートル、A地点からB地点までは15キロメートル、川を下るCの速度は時速10キロメートルでございます」。子ども相手に「ございます」かよ！　その塾、夏休みと冬休みは1日に2回行く。午前中と夜と。確かにそれやったら勉強はあまり嫌いではなくなったかな。地理は先生がイヤで嫌いになったけど、物理とか数学とか英語とかは好きになった。

小学校4年生ぐらいの頃、放課後に理科室の窓際でシャーレとか顕微鏡が置いてある高さ60センチくらいの石でできた棚にカエル跳びで飛び乗ろうとした。見事に失敗して両脛を負傷、血だらけの脛から骨が見えてる。慌てて飛んできた新井先生に「何やってんだ！」って叱られた。痛がってる子に叱らなくても、と思ったけど、その日は月曜日で朝礼で校長が「危ない遊びはしないように」って注意した日だった。今でも両脛の骨は少し凹んでます。もし僕が焼死体で見つかったらそこで確認できる。脛に傷もつ身です。

ビートルズとの出会い

小学校5年のときに親父が青いトランジスタラジオを買ってくれたんですよ。文化放送の『電話リクエスト　ハロー・ポップス』とかニッポン放送でビルボードのヒット・チャートを毎日15分くらい報告する番組とかがあった。そんなのが面白くてラジオ・マニアになった。ビートルズを初めて聴いたのもその頃。アルバムで言うと『フォー・セール』の頃。大森のレコード屋さんに行って買ったのが「のっぽのサリー」と「ロックンロール・ミュージック」のシングル盤2枚。今でも覚えてるんだけど、ビートルズのコーナーのところに大学生くらいのお姉さんが2人いて、ジャケットを見ながら彼らのマッシュルームカットに笑ってる。「それ、俺が買おうと思ってるやつなんだけどなぁ」と思いながら買った。「半ズボンの子どもが買ってった」って驚かれたけど。シングルの値段は330円。その2枚のAB面をしつこく聴いていた。

そういえば氷川丸を家族4人で見に行ったときに「アイ・フィール・ファイン」が欲しくて

「買って買って」って言ってるのに「また今度」って言われて癇癪を起こして、氷川丸で行方不明になる事件があった（笑）。結局買ってもらったけど、どうするつもりだったんだろうね、帰れなくなって困るのは俺なのに。で、「アイ・フィール・ファイン」「ア・ハード・デイズ・ナイト」ってシングルが増えていって、初めてアルバムを買ったのが『ヘルプ！』。出たばっかりのとき。映画も有楽町で親父に付き合ってもらって観た。覚えてるのは当時「ミスター・ムーン・ライト」を聴いた親父が「これはいい声だ」ってジョンをほめていた。「でもどうせただの流行りだろう。おまえが高校入るまで人気だったら認めてやるよ」。はい、今も人気あります。

あとは家でゴーゴー大会を何か月かに1度開いて、みんなでレコードをかけて踊って1位を決める。ゴーゴーっていうかモンキー・ダンスみたいな。たいてい俺が1位になる出来レースだけど（笑）。ギターも弾きたかったんだけど、手が小さくてダメだからベニヤ板を削ってリッケンバッカーの形にして、理科実験室からピアノ線をもらってきて、それを張って恰好だけビートルズってのをやってました。

小学校6年の3学期に（横浜の）こどもの国へ行く遠足があって、その日に『ラバーソウル』が発売だったのね。だからお袋に「買っといてね」って言ったのに、帰ったら「売ってなかったわよ」。売ってないわけないのよねえ？　それでもう荒れて荒れて。小さな頃から癇癪起こすと物は壊すわカーテン切るわ、手に負えない子どもだったみたい。押し入れに「入ってなさい」って言われると襖を破って出てきたり、「出さないとおしっこしちゃうぞ」「してみろ」。で、本当にしちゃうとかね。

お袋なりに対処法を見つけたみたいで、食事のときに僕がまたゴネだしたら、そこにあったキンチョールを「お母さん、このキンチョールをごはんにかけて食べて死にます」「やめて、お母さん！」（笑）。昔からお袋には騙されてた。小学校低学年の頃、お医者さんで注射されて、痛いから「このクソジジイ」的な暴言を吐いて。そしたら帰りにあぜ道みたいなところを歩きながら「あんなこと言われたらもう生きていけない。お母さんこの川に飛び込んで死にます」「やめて、お母さん」。10センチくらいの深さの川なのに。いちばんひどいのは、食事どきに僕が「こんなの食べらんない！」って言ったら「（胸を押さえて）み、水…」。そんな持病あったかなと思いながら「どうしたの？」って水持ってきて。仮病ですよ。今から考えるとコントみたいなんだけど、お袋もかなりの役者だった。94歳で今も元気です。

中学は大田区立貝塚中学。僕らが8期生とかでまだ新しい。バスケ部に入った。その当時僕のまわりではバスケが流行っていて、楽しそうだなって。でも我が中学のバスケ部は1回も勝ったことがなかった。だから俺らよりもっと弱いチームがいるんじゃないかと思ってリサーチしたら大森六中ってのが弱そうだぞってことで、先輩が試合を申し込んで、うちの学校に呼んで、めちゃ勝ちした。僕は背が低いからトップ（バスケットボールのポジション名）だったんだけど、その日はロング・ショットがどんどん入って、一躍人気者となったわけですよ。「あれ？　スポーツってこんな急に人気出ちゃうんだ！」って調子づいちゃうわけですよ。あと謝恩会でギター弾くと注目されたりして、これはモテるかもしれない。

でも僕はモテ期とモテない期が激しいんです。モテ期は短い！　僕の悪い癖なんだけど、モテ期なんて一生続かないってわかってるから、「今のうちに」と思ってがっついて、下手をこいてモテ期を短くする。ずっとその繰り返しです。

ギターは、小学校のとき買おうと思ったら手が小さい。で、ウクレレを買ってもらったんです。そして「お嫁においで」とか「あゝやんなっちゃった」とかでコードを覚えて。そうか、コードってのがあるんだ。これが役に立った。中学に入って手に入れたのがガット・ギター。ネックが太い。うわー、こんなの弾けない。そうしたらフォーク・ギターがあるじゃん。早く言ってよ。弾いてみたら楽。

そういうのは買ってもらえる環境でしたね。他に欲しいものはなかったし、あまりにもビートルズ、ビートルズ言ってるから黙らせたかったんじゃない？

そしたら来日したんですよ。中1の6月に、ビートルズが突然。観たいですよ。アルバム買って応募券をハガキに貼って。あとスポンサーだったライオン歯磨きを買いまくって家中歯磨きだらけになって、送ったけど全部はずれて。でもビートルズ・トランプが当たった。とっておけばよかったなぁ。「ペイパーバック・ライター」のジャケットだった。

あとで知ったんだけどクラスの村田くんって人のお父さんが東芝に勤めていて、悔しい思いをした。彼は観に行ったんですよ。でも村田くんのお父さんに頼めばレコードが社販で安く買えるってわかって、『リボルバー』を頼んだ。それを村田くんの家まで取りに行ったんだけど、当時の友達はみんなドロップ・ハンドルの自転車を持っていて、でも僕はまだ買ってもらえてなくて、みんな村田くんの家まで自転車で行くのに俺は走って行く。大田区は坂が多くて、下り坂は離されちゃうんだけど上り坂は追いつける。で、お金を払って持って帰って家で聴いたのをはっきり覚えてる。『リボルバー』で衝撃的なのは「トゥモロー・ネバー・ノウズ」でしょ？ 現実感がない。僕の中学時代の異次元へのワームホール。聴いてると違う次元に行けちゃいそうな気がしてた。実際行ってたかも。

ビートルズの武道館はテレビで観ました。オープン・リールのテープ・レコーダーを置いて。演奏するビートルズを観たのはその前の「エド・サリバン・ショー」が初めてだったけど、女の子がキャーキャー言うのはまったく理解できなかった。映画の「ア・ハード・デイズ・ナイト」でも叫んだり泣いたりするじゃない。悲しいときに泣くもんだと思ってたから、感極まって泣くっていうのはわからなかった。「嬉しいはずなのになんで泣き叫ぶの？」って。でも1990年のポール・マッカートニー初来日のときはぐわ〜って来て、「これか」って思った。今頃わかったわ！

あとはカレッジ・フォークも流行ってて、ラジオっ子だからよく聞いていたのは『バイタリス・フォーク・ビレッジ』とかラジオ関東の『杏林フォーク・カプセル』。森山良子さんとかが当時まだアマチュアで出ていて、番組内でオリジナルを作っている。そのライヴに何回か行って、日比谷野音でやったとき飛び入りしたんですよ。番組で「飛び入りしていいよ」って言ってたから。それは中3のときかな、中川くんって友達とギター持って「飛び入りしていいですか？」って言ったら「いいよ」。で、2人で野音のステージに立ってオリジナルを歌ったんだけど、どんな曲だったかは覚えていない。

でも人前で歌うのは苦手だった。シンガーってフランク・シナトラみたいな人のことを言うのかと思っていたから。僕は音域が狭いし、声量もないし、コーラスをやるのは好きだけど、って感じで。人前で歌うことに自信なんてない。

その中川くん。話は飛んで、1984年に「いとしのテラ」を出したとき「プレイボーイ」誌の取材で、大自然の中で撮影しようってことでアリゾナに行ったのね。スタッフとの打ち合わせのため、信濃町ソニーのスタジオで待っていたらコーディネーターが来た。中川だったんだよ。英語の成績は悪かったのに留学して英語が喋れるようになってて、「なんだよ、おまえ」「今こういう仕事してるんだよ」。そのあと、アリゾナの壮大な岩場で写真を撮ったりしながら、ふと「俺たちなんでここにいるの?」。僕はそういうのが多いんですよ。

小学校5年のときかな、青山くんっていう仲の良い友達がいた。僕がビートルズを聴いてると毎回一緒に聴いてて、でも「涙の乗車券」を「変な曲」って言われたのを覚えてる。その青山くんが弟をよく連れてきてた。それが青山純って名前で、よく兄弟喧嘩をしてた。そしたらアマチュア時代にドラマーとして知り合って「青山純……聞いたことあるなぁ。でも他人の空似か」と思っていたら、青山純がお母さんに「真理って書いてまさみちって読む知り合いがいるんだけど」「お兄ちゃんの友達にいたわよ」。写真を探したらみんなで肩組んでるのが出てきて、「あの杉くん!」ってなった。そう、グラタンを初めてごちそうになったのも青山純の家。「兄貴はどうしてる?」って聞いたら「あれ以来ビートルズ狂」って言われた。本当に妙なところで妙なつながりがある人生なんです。

最初に作った曲は覚えてる。人と違うことをやりたいから難しいコードで、似非ジャズっぽい曲。タイトルは「嫌な奴」。好きだった子がいたんだけど、冷たくされて腹いせに作った。もう1人いいなと思う子がいて、セイコちゃんっていうんだけど、「優しいセイコに比べたらキミは嫌な奴」って最低の歌。今考えてもひどい（笑）。

中3になると受験なんだけど、親父の転勤で再び福岡に引越すことになり、県立の修猷館ってところを受けたら落ちました。滑り止めで受けた西南学院は共学じゃなく男子校。そっちに入ることになって当時はずいぶん落ち込んだんですよ。

東京を離れたくないもん。ようやくあの「嫌な奴」と、復縁じゃないけど、最後に誤解が解けたみたいになって、「じゃあ大学に入るまで3年間週2回手紙を書き続けるよ」って言ったんだけど、1か月ももちませんでした。便箋まで買ったのに。

要するに振られたわけです。「もう杉くんのことは好きではありません」って言われて、落ち込んで、そのパワーを中間テストにぶつけた。とにかく勉強した。あんなに勉強したのは一度だけ。物理とか数学とかは手ごたえがあって「よし！」と思ってたんだけど、聖書科って科目があったんですよ。今でも覚えてる宗教主任の清水先生。それまで宗教っていうのは道徳だと思ってたの。そうじゃなくて信仰なんだと気付いて愕然とした。うまいこと書いて点をもらおうなんて気はさらさらなくて、「この科学の時代に聖書に書いてあるこんな話を信じてるなんておかしい」って、キリスト教の学校に行っておきながら全部否定するようなことを書いちゃった。で、「やっちゃったー」ってあきらめてたら、清水先生が90点くれた。「真面目に自分の疑問をぶつけてる」って評価してくれて、おかげで本人も驚く総合学年1位。西南学院の懐の広さを知って、それから楽しくなってきた。

プロになってからその西南学院のチャペルの歌を作ったんですよ。福岡の名物になっているようなチャペルだったんだけど、リニューアルするので福岡RKBテレビの特番を作る、そのための曲を作ってくださいって言われて、チューリップの姫野さんとのデュエットで「チャペル・イン・ザ・サン」。岸川（均）さんっていうKBC（九州朝日放送）の名ディレクターがいて、僕も高校のとき番組に出させてもらったりしたんだけど、岸川さんは西南学院大学のグリー・クラブ出身の人だった。亡くなったときグリー・クラブの人たちとこの「チャペル・イン・ザ・サン」をレコーディングして、そのあともイベントがあるたびに歌って。あのときさんざん文句を言ったのにそのチャペルで自分が歌ってる。答案用紙に「奇跡なんてない」とか書いたけど、奇跡はちゃんとあったな。

高校ではバスケはやめたけど生徒会はやってた。ふざけた仲間たちと。もうどこに行ってもふざけた仲間ができる。今でも仲が良い。

あとスクエアの伊東たけしが同じクラスだったのがあとでわかった。須藤薫の最初のレコーディングにサックスで来てたの。同じソニーだったし、なんとなく仲良くなり、遭遇するたびに話したら僕とは誕生日が1日違いで同じ高校。それだけでも奇遇なんだけど、ユーミンとかも一緒にツアーした新潟の打ち上げで「2年のとき何組？」って聞いたら「端っこのクラス」「端っこってG組だろ？」。それで思い出してみたら、伊東っていう出席番号2番で学校に来ないナンパな奴がいたの。「あの伊東か！」。そういうのが本当に多い。

でも高校のときはわりと身を潜めてた。東京から都落ちした気分だったから、早く東京の大学に行って本場で音楽をやりたいって思ってた。「福岡なんて……」ってちょっと卑下してたとこがあって。だからラジオも東京発の亀渕昭信さんの『オールナイトニッポン』やTBSの『パック・イン・ミュージック』とかを弱い電波で聴く。でもたまたま聴いた地元のラジオでセンスのいいバンドを見つけた。チューリップっていう4人組（後に5人組になるチューリップの前身）。「かっこいいなぁ、この人たち」って思った。カセットに録って東京の友達に「こんなのが福岡にはいるんだよ」って送ったりしてた。

そのうちに地元の音楽サークルに入った。後にチューリップに入る安部（俊幸）さんとか姫野

（達也）さんとか海援隊になる千葉（和臣）さんとかがいたんですよ。みんな大学生。高校生がいるのは珍しい。姫野さんは僕がサイモン＆ガーファンクルの「アンジー」って曲をいち早くコピーしたら興味示してくれたり、安部さんも僕のことかわいがってくれて、ラーメンおごってくれたり。安部さんは、カントリー・バンドだったけど、弦を押さえる指の力が強いんですよ。だから音がぶっとい。当時からジョージ・ハリスンっぽかった。

音楽をやりたい！

1年の夏休みに東京に遊びに行ったんだけど、何かのツテでニッポン放送のスタジオで『バイタリス・フォーク・ビレッジ』の収録を見せてもらえることになった。見学者は6人くらいで、高1の僕は隅っこで座ってた。まず3人組が出てきてアコギでがんがんロックをやって、それがRCサクセションだった。清志郎くんにもこの話はしたことがある。次に出てきたのがブレッド＆バター。兄弟2人の他にもう1人いたんだけど、たぶん浜口茂外也さんじゃないかなぁ。僕がその当時好きだったクロスビー、スティルス＆ナッシュ、デビューしたばっかりなのに「ヘルプレスリー・ホーピング」って曲をもうコピーして3人でやっている。「早いなぁ」って。（岩沢）幸矢さんも（岩沢）二弓さんも外国人みたいな顔だしね。かっこよくて、こんな人たちが日本にいるのか、と思った。最初は3人で、マイクを3本立ててたんだけど、最後のほうでディレクターが「じゃワンポイントで録ってみよう」って、マイク1本に3人が向かって歌ったら声が混ざった。波長が混ざるんだろうね。30年後にブレバタとこのワンポイントを実践することになるんだけど。「かっこいいなぁ、よし、自分もコーラスに特化したグループをやろう」って決めて、夏休みが終わって2学期からやりだした。それが現在に至るわけです。

福岡の音楽サークルで、4人で組んだグループの名前はパリサイ人《びと》。クリスチャンの学校だったからそういう聖書に出て来る名前がいいかなと思って。パリサイ人って悪役。学者でクレーマー、イヤな人たち。だから面白いかなぁと思ってグループ名にした。

結果的に西南学院でもゴキゲンで個性的な友達がたくさんできて、いろんなエピソード満載の高校生活になりました。高校の100周年イベントでは伊東たけしのサックスと一緒に「ウイスキーが、お好きでしょ」をやって、後輩にあたる陣内孝則くんやミュージカルの王子様、井上芳雄くんから「先輩!」と呼ばれたり。修猷館落ちてよかった（笑）。

あとはひたすらレコードを買ってた。お弁当の日と学食の日があるんだけど、学食の日は親から100円とか200円とかもらっても食べない。1週間溜めるとアルバムが買える。学校へ行くときに天神を通るんだけど、そこのヤマハで買うわけ。ツェッペリンからCSN、ジェームス・

テイラー、キャロル・キング、ウイングス。

そう、ビートルズの解散はショックでしたよ。高1のときに出た『アビー・ロード』はすごいすごい。でも『レット・イット・ビー』の映画を観て、「あんなに仲良かった人たちがこうなっちゃうの」って。今から思えばバンドをやってりゃ、あれくらい普通なんだけど、高校生としてはトラウマになった。で、高3のときに解散して、さあ、何を聴いたらいいの？ ビートルズ・ファンのみならず音楽界みんなそうだったと思うんだけど、片っ端から聴いたのね。ニルソン、レオン・ラッセル、エルトン・ジョン、エミット・ローズ。

とにかくアンチ歌謡曲だったんですよ。「歌謡曲っぽいね」と言われるのが最大の屈辱だと思ってたから。大学に入ってもそうなんだけど、どこに自分が向かうかはわからないけど、向かっちゃいけないところは見えてた。それが歌謡曲だった。

高3の頃はもう早く大学に入って東京行きたい、音楽やりたい、そういう思いで毎日過ごしてました。親父が僕を理系に進ませたいと思ってたし、僕も理系の成績がよかったから、まわりも「まーちゃんはエンジニアになるのよね」って。エンジニアって何やるのかわからないけど、呼ばれ方はかっこいいなと。第一志望は東工大だったんですよ。でも落ちて慶應の工学部に。

だけど僕は浪人するものだと思ってた。まだ自分は大学に入る用意ができてないと思ってた。

「こんなに実力がないまま入っちゃって大丈夫なの？」というのがあって、浪人したほうが自分のためになるんじゃないかと。でも親に「何言ってんのバカ」って言われて、「そうだよな」と思い直し、慶應大学工学部に入りました。

第2章

僕らの日々

サークルと麻雀と留年と

大学入学とまりやとの出会い

初めての一人暮らしは東横線の大倉山。楽しかったですよ。話せないことばかりだけど（笑）。6畳一間の安アパート。もう少しいいところに住みたくて、2年になって相鉄線の西谷ってとこに引っ越したの。大学の先輩の紹介で、北里大に通っている女医さんの卵の一人娘と家族が住む立派な一軒家。今から思うと娘婿を探してたっていうか、養子を探してたんじゃないかなと思うんだけど、その娘さんの隣の部屋に住むことになった。僕が19歳で彼女は18歳。

でも部屋でギターの練習をしてるとお母さんが「娘は医大に入ったばかりで今ナーバスなんで、ギターを弾くのは公園でお願いします」って言ってきて、これは無理だ、引っ越そうと思って1か月で出た。バンドの先輩がいる高井戸に転がり込み、その先輩が渡米したあと何年も居ついちゃいました。地主の娘さんだったらしくて、今頃はきっと女医さんをされていると思いますよ。彼女自身はすごく可愛い子で、僕が引っ越すときも2人でお別れ会したりしたな。

入学してすぐ、リアルマッコイズというサークルに入りました。当時僕が好きだったジェームス・テイラーやキャロル・キングをやるようなサークルは他にどこにもなくて、女の子がいっぱいいる、フォークとかソーラン節とかをやっている民族研究会っていうのと、髪の長いおねえちゃんがいるロック研究会、それからジャズ関係。そんなもんなんで、ポップスには居場所がなくて、リアルマッコイズには部室もない。だから二幸っていう慶應の学食がたまり場で、そこで勝手にビートルズを弾いたりして。

でも先輩にすごくセンスのいい2人組がいて、そこに入れてほしくてアピールしていたらようやく入れてくれて、ギターとコーラスをやらせてもらったのが、ピープルっていうバンド。歌のめっちゃうまい平松さんは大学をやめて渡米して、もう1人の村上さんは大学院を出たあとにソニーで米米ＣＬＵＢや爆風スランプを担当したりすることになるんですけどね。当時は業界に入るなんてとんでもないことだったけど。ましてうちのクラブなんて個性的ではあるけど同好会とも呼べない弱小なところだったから。

そのピープルで1年生の終わりくらいからやりだしたんだけど、平松さんがアメリカに行っちゃったんで、カバー曲はやめて残されたメンバーでオリジナルをやりだした。そこに、次の年に竹内まりやが加入するっていう。

まりやが入って来たのは僕が2回目の2年生のときですね。だから3年目。日吉のキャンパスでサークルの勧誘会があって、後輩が声をかけたら逃げていく女の子がいて、「あの子は絶対入らないよ」って言っていたら、新入生無料歓迎コンパみたいなのにやって来た。あとで聴いたらまりやは「相撲部のマネージャーになりませんか」って勧誘から逃げまどっていて、その続きかと思って逃げたんだって。で、渋谷の宮益坂にあったお店に来た新入生の1人。そのとき僕はバンドでオリジナルを何曲かやったんだけど、それをすごく気に入ったらしくて。「竹内まりやと申します」って言うからご両親がクリスチャンなのかなって思ったら違った。

まりやは自己紹介で「私の好きなのはビートルズとシールズ&クロフツ」って言ったんですよ。ビートルズはわかるけどシールズ&クロフツはびっくりしたなぁ。僕も好きだったし。家が近所だったからサークルのあと、たまに帰りが一緒になるんだけど、電車の中で「まりやちゃんってどんな音楽が好きなの？」って聞いたら「杉さんがやっているバンド」って答えて、またまたうまいこと言うなぁって。でも本当に僕らがやっているオリジナルに感銘を受けてくれたらしい。で、「ご相談があるんですけど」って言うから「お？　俺に惚れたかな」って一瞬思ったんだけど全然違って、「○○さんとお付き合いしようと思うんですけどどうしたらいいですか？」みたいな悩み相談。それからずっと兄妹の関係がいまだに続いてる。

当時レオン・ラッセルとかが女の子3人くらいのコーラスを従えてバンドをやってたんですよ。その中にリタ・クーリッジがいたり。僕もやってみようかなと思って、クラブ内で歌がうまい女の子を集めた。まりや、悦ちゃん、ゆっこ。悦ちゃんは鈴木慶一さんの従妹。ゆっこは今麹町の料亭「あさ乃」の女将。そんな編成でやっている人はいなかったから、コンテストに出ると川原

（伸司。音楽プロデューサー）さんが面白いことをやってるなと思ってくれたみたい。

いろんなコンテストに出たんです。審査員が松任谷（正隆）さんと林哲司さんだったこともある。数年後に「セプテンバー」を書く子に、林さんはそこで会っている。

これ以来、僕は基本的に女性コーラスは入れていない。このときさんざんやったからもういいや、って。レコーディングでアマゾンズを呼んだことは1回だけあるけど、女性コーラスはアマチュア時代にやりつくした、と。やりつくしてはいないんだけどね（笑）。

僕は銀座のヤマハに行ってデモテープ作らせてもらったりして、そこで青山純と会うんです。小学生以来の再会。この頃出会ったのは、他には安部恭弘くん。僕のファンだったらしい。あと亡くなった広谷順子さんも「杉さんのバンドがかっこよかった」と言ってくれた。

佐野元春と出会ったのは74年。まりやが入ったばっかりの年のポプコン。僕がエントリーした曲はわりとオールド・タイミーというか、バンジョーとかが入ったジャグバンドみたいな感じだったんだけど、佐野くんは立教の学生で、バッククレーン元春セクションってバンドで出てた。だいたいその当時はロックと言いながらも演歌っぽいのが多くて、歌謡曲くさくてイヤだったんだけど、佐野くんのバンドは衝撃的だった。ホルンが2本入っていて、サージェントペパーズみたいなことをやっている。佐野くんは、サングラスをかけて黒づくめの衣装でピアノを弾きながら歌うわけ。「この若者なんなの？」って。で、このとき歌ったのがあの「Bye Bye C-Boy」。僕はその当時は生涯で30曲くらい書ければいいなと思ってたんだけど、あるときステージ袖に佐野くんがいたから「佐野くんってオリジナルは何曲くらいあるの？」って聞いたら「６００曲」って平然と答えたんですよ（笑）。かなり盛って言ったらしいんだけど、あとで聞いたら「本番直前のそれどころじゃないときにうるさいなぁ」って意味もこめて言ったらしい。何年もたって佐野くんに「杉くんは多作だねぇ」と言われたけど、それはあなたの６００曲発言で尻に火が付いたんです。

佐野くんのバンドにはマナちゃんもいた。後にブレバタの幸矢さんの奥さんになる人。高校生でコーラスやってて、それが素晴らしいし曲もいいし、もう「うわ〜っ」。自分はこんなんじゃダメだろうと。ちょっと調子に乗りかけてたからね。そこからまた「いい曲書くぞ」って思いに拍車がかかりましたね。

この才能を持った若者は必ず世に出てくるだろうと思ったら、やっぱり出てくるわけですよ。しかも『ナイアガラトライアングルＶｏｌ．２』であの「Bye Bye C-Boy」をやるっていう。そんな経緯を大瀧（詠一）さんは知らないで人選してる。こういう縁がトライアングル関係にはすごく張り巡らされてる。

大学8回生

僕は、当時プロを目指していたのかなぁ。どのコンテストでもいいところまで行くんだけど、いつも審査員から「君の音楽は日本ではウケないよ」「なんでですか?」「サビが英語じゃん」とかそんな納得できないことを言われる。じゃあ1年留年して真剣にコンテストに出てどこまで行けるか試してみよう、って思って、期末試験を受けなかった。「これとこれを落としたら留年ですよ」っていうのがあって、それを受けなかった。工学部は厳しいんですよ。実験もしなきゃいけないし。なのに「俺は受けないからねー、じゃあねー、麻雀行くよー」「えーっ」。で、留年して、結局2年生を4回やってるんですよ。次の年にギリギリで3年になれた。結局大学には8年在籍しました。

3年から専門が分かれるんだけど、専攻は数理工学科。今で言うコンピューター系の言語とかを履修する。もうその頃はいつやめてもいいと思ってた。首の皮1枚で3年に上がったから、もうほとんど崖っぷち。まず留年した大きな原因はフランス語。試験で一度赤点を取っても、認定試験っていう、可哀そうな人を持ち上げる追試があるわけ。大抵みんなそれで受かるらしいんだけど、それでも落ちた。フランス語が大嫌いだったから、何も勉強してなくて。でも一応先生のところに泣きを入れに行ったら、ムッシュ片桐が「君ね、認定試験は平均80点だけど、君は8点だったんだよ？」「はい、すみません」。泣き落としもダメか、おっしゃる通りです。

それでずっと2年生だったんだけど、何かの拍子に受かって3年になって、でもどうせもう卒業はできないだろう、と。3年から4年は自動進級だったけど、その頃僕はクラスの中で長老なわけ。いちばん年上。ひとつ下にはマッコイズの後輩の落合と、後にコンピューター業界で偉くなる村井って奴もいたんだけどね。実習のときとか大学院から先生が来るんだけど、後輩なの（笑）。「なんだ、おまえか」って。教えに来た後輩に「わかんねぇよ、それじゃ」。先生が生徒に脅されてる。この人たちに教えてもしょうがないなと思ったみたいで、同じ班にいたベトナム人の留学生のほうを向いて説明しだすと「ニホンゴワカリマセン」って言われて立場がない。

数理工学科だから計算機実習があって、その試験だけは受けてやろうと思ったんですよ。ひとつヤマを張ったんだけど、ヤマがはずれたら0点でしょ。今でも覚えてるよ。「計算機PDP11における割り込み演算を説明せよ」。もうPDP11も割り込み演算もさっぱりわからないから、しょうがなく「割り込みはよくない」って書いた（笑）。他の人は答案用紙にがーって難しいこと書いてるのに僕はその一言。そしたら教授が「杉くん、うちの研究室に入らないか。君はユニークだから」。でもその単位だけ取っても卒業できないからお断りした（笑）。

サークルがあるから大学に行くことは行くけど、授業には出ない。二幸っていう学食がたまり場で、その他にグリーン食堂っていう洋食屋と、梅寿司っていう寿司屋があって、ビールを売ってたんだよ？　今はないと思うけど。

新歓コンパで18歳からお酒を飲むのは当たり前だったもんねぇ。学生時代のお酒なんて失敗続きですよ。当時は吐くまで飲むのが当たり前だったし、ウイスキーはサントリーのホワイトかレッド。安いのを大量に飲むから悪酔いする。でも後にレッドのCMもやったけどね（笑）。ザ・キング・トーンズの「夕焼けレッドで帰りましょう」。これがまたいい曲。

リアルマッコイズは僕の代からみんな仲が良くて、何かというと集まる。それがいまだに続いていて、僕の40周年とか45周年とかライブハウスを借りてライブをやったりする。自分たちが演奏したいからね、僕が利用されてます。よく言われるのは「杉がいるからこうなったんだ」。盛り上げ係だったからね。

いまだに同窓会では「塾生注目ー！」と始まって、応援歌の「若き血」を歌うんだけど、ポップで短くていい曲なんだよね。『マグマ大使』の歌に似たポップさがあって、前向きになれる。あれはいい曲。だから慶應に入れてよかった。

そう、僕の大学時代といえば音楽と麻雀なんですよ。三日三晩とか普通にやってた。そしてけっこう強かった。まだ学生運動が少し残っていた時代で、あるとき試験中にデモ隊が教室に入ってきたことがあった。みんな「やった！　試験は中止だ！」と思いながら俺らは４人離れないように逃げて、そのまま雀荘に行って朝まで。

麻雀からはいろいろ学んだな。大事なのはツイてないときに持ちこたえること。ツイてないときに白暴自棄になると底なしに落ちていくことがわかったから、そんなときこそ無理してでも前向きな気持ちになっていると必ずいつかツキがやって来る。そして勝負に出るのは自分が親のとき。親で何度上がっても親をやっていられる。いちばん効率的だから。親のときにツキを呼べればもう波に乗るだけ。これって人生と同じだよね。

両親にはいろいろバレていたと思います。でもこの時点では「音楽はやってもいいから卒業だけはしろよ」「はい」。後に申し訳ないことになるんだけど。

あるとき、コンテストに出るのもデモテープを作るのもお金がかかるし、家庭教師だけじゃやっていけないから他にもバイトをしなきゃな、ってことでバイト雑誌をいろいろ見ていた。１年のときは日吉の楽器屋さんでバイトをしてギターを買ったのね。そういう趣味を兼ねたのがいいなと思っていたら、富士フイルムでカセットテープの販売員を募集している。青山の富士フイルムに行って面接を受けて、カメラ屋さんの前でカセットテープのワゴン販売をして、山口百恵のポスターとヨーヨーをおまけにつける……っていうことで吉祥寺に派遣されるわけ。好きな音楽をかけられるのかなと思ったら全然そんなことなくて、「スーツ姿で来てください」って言うから、スーツなんて持っていないのにそれらしいのを着て、行くわけですよ。吉祥寺のサンロード商店街にあった千歳カメラ。店頭でマイクを持たされて、でも何をどうすればいいのかわかんないじゃないですか。硬い表情で「山口百恵さんのポスターがついております。カセットテープ、お安くなっております」。お客さんなんて誰も寄って来てくれない。そりゃそうだよね。お昼時になってお店の人が「ごはん食べに行ってください」ってマイクを替わったら叩き売り口調で「いらっしゃいませえ〜！」。そしたらお客がわーって集まって来た。「これか」と思って、ひとつの気付きがあったわけです。

昼食を食べながら「よし。午後は人格を変えよう」と思って、マイクを取ってひたすら下品に「当店ならではの原価販売でぐぉざいむあ〜す」「工場直送！　どぉこぅよりも安いよ〜」。もう口から出まかせ。実は安くない。向かいの電気屋のカセットを買って帰ったもん。「百恵ちゃんぬぉポスターむぁついたカセットが〜」なんてやっていたら、人がバーって集まって、売れる売れる。あれが僕の羞恥心を捨てるワンステップになりました。そのうち自分でもだんだん悦に入ってきて、お店の人にも「うまいですね」とか言われてたら、向こうから当時好きだった女の子が歩いてきて、いちばん見られたくない人に下品な姿を見られて赤っ恥をかいたっていうオチが。

でもこれは人前で何かをするにあたっての修行になりましたね。その数年後に山口百恵さんに曲を書くことになるとは思ってもみなかったけど。

4回目の2年生にもなるとまわりは就職だなんだって言い出して、よりによってレコード会社に就職する奴もいて。まぁしょうがないんだけど、「裏切り者め」とか思ったりして。まりやも留年してた。一緒にバンドやっていると何故か年度末になって泣きが入るんですよ。「フランス語の単位を落としそうだからバンドはもうやれないんです」。でも秋くらいになったらまた一緒に音楽をやっている。でまた年度末になると「通訳みたいな仕事がしたいから音楽はもうやめる」とか言い出す。『ミュージック・ライフ』の編集長だった星加ルミ子さんが大好きで憧れてたらしいから。留学経験もあるから英語も喋れるしね。そうこうやってるうちにプロになっちゃうんだよね(笑)。まさかこんな国民的歌手になるとは。でも今もあの頃と変わらない、明るくポジティブでバカな冗談が好きで、気遣いのできる「まりやちゃん」のままです。

ちなみにまりやが1年のときに留年して、冗談半分で「杉さん、私、落ち込んでるからなんか元気が出る曲を作ってくださいよ」って言うから作ったのが僕のデビューアルバムに入ってる「トゥナイト」なんです。

デビューが決まるまで

軽井沢でジョン・レノンに会ったのはこのちょっとあとだったかな。軽井沢には半分合宿のようなもので、あと当時の僕のマネージャー役がナンパ師で、「やっぱり軽井沢でしょー」みたいな感じで毎夏行ってた。知らない人に声をかけるなんてできない意気地なしの僕らは、結局後輩の別荘で「ナンパの歌」を即興で作った。これがけっこうよくできた曲で、マンドリン、バンジョー、フィドルが入ったブルーグラス。その日にあったことをそのまま歌にした情けない曲（笑）。

昼間は自由行動で、万平ホテルの前の木々に囲まれた小道を友達3人で歩いてた。晴れた日の午後。そしたら吉沢くんっていう、今は富山でトラック会社の社長をやっている奴が「ジョン・レノンだ！」って言うわけ。「えーーー！」って思って見たら、自転車が2台、ヨーコさんとジョン。ジョンの前には小さいショーンくんが乗ってる。颯爽と僕の横を通って行った。とてもじゃないけど声なんかかけられない。アピールの逆、「気配を消せ！」。「ジョン様の前で私なんて」って思っちゃって、気配を消してじーっとしてた。その横を風のように通り過ぎて行った。亡くなる2年前か3年前か。

だってジョン・レノンと3対3で会うなんて。リバプールから世界に出て日本人と結婚した人と、大田区でラジオを聴いていた少年が軽井沢の道で交差するわけでしょう？　そりゃびっくりしたよ。「本物とここで会うの?」って。かっこよかったなぁ、あのジョン・レノン。「イン・マイ・ライフ」は25歳のときに作った歌なんだよね。でもあと15年しか生きられない。それは悲しいことだけど、ちゃんとその人生がプログラムされてたんじゃないかって気さえする。その中の一瞬、かすれただけで嬉しい。

その頃は銀座のヤマハでデモテープを作っていて、そこの店員の女性を好きになって仲良くなった。車もないのに埼玉の家まで電車で送っていって、帰りに王子の先輩の家に泊めてもらったり。その先輩が村上さん。後にソニーのディレクターになる人。でも最終的に彼女にはこっぴどく振られたわけですよ。

当時の仲間がみんな毎晩のようになぐさめてくれて、それこそまりやとかやけ酒に付き合ってくれたり。失恋してはなぐさめてもらう。寅さんとさくらみたいな感じだよねぇ。

その彼女に振られそうなとき、なんとかつなぎ止めようと思って、デモテープを彼女の誕生日に渡そうとしたら拒否られて、ヤマハの職員出口のタイムカードの横に思いをこめたカセットを置いてとぼとぼ帰ったのを覚えてる。その直後に作ったのが「帰り道」って曲になる。だから今から考えると、実生活が案外と歌になってるなぁ。当時、実生活や生き様を歌うのとかは嫌だったのね。どっちかって言うと洋楽みたいのを作りたかったから、そんなに生々しいのはヤダって思ってたんだけど、今から思うと生々しい歌もときどき入ってるんだよね。歌詞なんて洋楽の訳詞みたいなのがいいって思ってたんだけど。

その頃に行き始めたのが吉祥寺のミラージュっていうプログレ喫茶。プログレにはあまり興味なかったけど、ウサギっていうニックネームの女の子がウエイトレスのバイトをしてて。大阪出身の関西弁の子でヒッピー娘っぽい。その子目当てと暑さしのぎも兼ねてみんなで行って、よくわからないプログレをずっと聴いている。千歳カメラでカセットを売ってるとこを見られたのはその子。デビューアルバムの「バイ・バイ・ウサギ君」はその子のこと。

1975年から翌年の秋まで、大学のバンドは解散するわ、仲間が次々就職して自分だけ取り残されるわ、将来のあてもないわ、女の子に振られるわと、低迷の日々が続いてお先真っ暗だったんだけど、ある日、例のミラージュに無料で見てくれる占い師が来るっていうから、タダならいいやと思って冷やかし半分で出向いたんですよ。占い師の名前はアワヤノリコさん。アワは粟って漢字だった気がする。「音楽やってます？　だったらプロになってガンガンやりなさい」って言われた。その1か月後に川原さんから電話があって、デビューが決まりました。

デビュー直後、大学の音楽サークルのライブで 「This Boy」を歌う。

第3章
I Write a Song
華々しくデビュー！のはずが

直感に従ったデビュー盤

川原伸司さんは当時ビクターの宣伝セクションの人で、何かのコンテストで審査員をしたとき、出場していた僕のことを気に入ってくれて、連絡をくれたんです。当初の案は、架空のバンドを作ろうと。最初は僕が中心のマリ＆レッド・ストライプスにして、その次はまりやを中心にしたマリヤ＆～にして、3枚目は安部恭弘くんで……そんなような構想を考えていたらしい。期待の新人と言われて3000万円も予算として渡されたらしいけど、期待していたのは川原さん1人。

レコーディングどうする？ってなったときに道は2つあった。スタジオ・ミュージシャン、例えば鈴木茂さんとかにお願いして、アレンジャーもプロに頼んで完璧なものを作る。詞も誰かに発注してあとは歌うだけ。それか、僕のまわりにいるどこの馬の骨ともわからないミュージシャンを使うか（笑）、両方すごく悩んだんだけど、当時好きだったバンドはウイングスとスティーリー・ダンだったのね。ウイングスは素人のリンダがいるような、下手くそと言われるようなバンドでしょ。でもコーラスが効いていて個性的。スティーリー・ダンはクオリティの高いものしか録らない。スタジオ・ミュージシャンに特別なプレイをさせて、それを引っこ抜く。どうしようかと思ったときに、やっぱり自分のまわりにいる人たちとレコーディングをしたほうが自分のためになる気がした。ていうのは何年か後にスタジオ・ミュージシャンの人たちは自分がスタジオでどんなことをしたか覚えてないじゃない。忘れるのも彼らの仕事なんだから。「あの曲はねー」ってのを肴にして酒が飲めるかっていったら飲めないじゃない。でもこの人たちはいまだにそれができる。だから選んだんだけど、正解だった。まぁこの人たちもほとんどがそのあとプロミュージシャンになったんだけど（笑）。

もう完成している人を使うのはリスクが少ないかもしれないけど、成長過程を楽しめないし、ビッグ・サプライズはやってこないなと。だったらサプライズが期待できるほうを選ぶのがビートルズ的でしょう。だって彼らはイギリスの地方都市リバプール出身の4人組ですよ？　だからビートルズ好きな人はそっちを選ぶんです。

川原さんは宣伝担当だったんだけど、実質的なプロデューサー。最初は「この人大丈夫かな？」って思ってたし、この業界でだまされた人だっていっぱいいる。「誰が信用できるんだろう」って思ってたんだけど、何かの帰りに川原さんが「1回うちに来いよ」って。吉祥寺からタクシーを飛ばして行ったら、ベッドが、映画『ヘルプ！』でジョンが「悲しみをぶっとばせ」を弾いてるあのベッドの造りになってるわけ。なにこれ、この家。ビートルズのレコードは海賊盤もほぼコンプリートであるし、左利きでポール好きだし、自分で作曲もする人だからデモテープを聴かせてもらったら「こんな曲を作る人が日本にいるんだ？」って思ったし。その時点で「この人について行こう！」。

ミュージシャンには最初から自分の世界ができている人もいるわけ。ユーミンとか、僕の近くでは松尾清憲さんとか、最初からある程度の完成形がある人。でも僕は完成形からは程遠い、悩んでるところをそのままレコーディングした感じ。だから、まわりに助けられた。その当時こういう音楽をやってる人は少なくて、半年後くらいに原田真二くんがデビューするんだけど、彼は僕が考えたもうひとつの形――お金かけてもらってすごいミュージシャンを使う――をやってたからうらやましかった。でも、逆に、今から思うとこっちが僕のやり方だったんだなぁと。直感に従ってよかった。

リリースは77年の3月でした。プロ・デビューだなんてサークル内では事件ですよ。ミュージシャンはみんなそうだと思うんだけど、おだてに弱い。けなされるとすぐへこんじゃうんだけど、おだてられればどこまでも上がる。あの人たちは僕をおだててくれた最初の人たち。それはそれは、みんな祝福してくれました。

まりやは曲を作ってくれたんですよ。「スターになる杉さんへ」ってカセットに書いてあった。島根の実家のピアノでの弾き語り。英語の曲なんだけど、「ユー・アー・ゴナ・ビー・ア・スター」。たぶん彼女の初めてのオリジナルなんじゃないかな。今聴くともう竹内まりや。完全に竹内まりや。

まりやと僕は誕生日が6日違いなのね。お互い彼氏彼女がいても、必ず僕の誕生日になると電話かメールが来る。僕も必ずする。あれから50年近く、そんな仲がいまだに続いてる。できすぎた妹分です。

デビューコンサートは青山タワーホールで。ドラムは青山純と、後にRCサクセションに入る新井田耕造くんの2人、コーラスでまりやも安部恭弘くんも悦ちゃんもいた。キーボードはエルトン永田とビクター小池。ギターは後々BOXをやる田上正和とたっちゃん。たっちゃんっていうのは、後に下田でアーネストハウスっていうペンションをやる人で、彼が浅草の自宅にスタジオを持ってたからそこにみんなで集まって練習していた。そのスタジオのサンシャイン・キャリフっていうバンドのドラムが新井田くん。彼はロックもジャズもやるし歌心があって、青山純の重いドラムとはまた別で好きだった。パーカッションもできるしね。だからRCサクセションに入ったときはびっくりした。

で、ゲストを入れようってことで、初対面だったけどリクエストしたのは南佳孝さん。佳孝さんは弾き語りで『摩天楼のヒロイン』の曲とかやってくれた。佳孝さんのアルバムを聴いて、「こういう音楽を作っている人が日本にもいるんだ」って思っていたから嬉しかったですよ。

でもコンサート当日は台風が来て、会社も半ドンになるような大雨。だからお客さんもまばらで、

「なんでこんな日にやるんだ」ってみんなに言われた。この前佳孝さんと話したんだけど、雨男は佳孝さんじゃないのかな（笑）。ライブをやると必ず土砂降りなんだって。

手ごたえなんて全然ないですよ。ライブのやり方も迷ってたし、そうじゃなくてもステージ上のほうがお客さんより人数が多いなんてことはざらだったし。みんなノーギャラでやってくれてたんじゃないかなぁ。

新人だからプロモーションもたくさんしなきゃいけないんですよ。同期は狩人、高田みづえさんとか、ザ・歌謡曲ですよ。ＴＢＳラジオにそういう人たちと出るわけです。司会は久米（宏）さん。僕としては「こんなはずじゃないんだけどな〜」ってすごい落ち込んでたんだけど、久米さんがすごく優しかった。そのときの接してくれ方が沁みたのを覚えてる。帰りに赤坂で牛丼食いながら「俺が目指してたのはこんな世界じゃないんだけどな〜」って思いました。

『ＭＣシスター』っていう雑誌に出たときは、期待の新人５人、松山千春さん、所ジョージさん、原田真二くん、俺、あと誰だったかなぁ。そういう感じ。すごいでしょう、この組み合わせ。

当時のビクターはピンクレディーの会社。僕なんかそれこそ売れなくてもいいや的に相手にされてなかった。だから川原さんもお金が使えたんだと思う。宣伝費で大手新聞社の人と接待麻雀をしたのを覚えてる。本当は勝たせなきゃいけないのに俺がバカ勝ちしちゃって、載せてもらえなかった。その人はビートルズが来日したときに記事を書いてたんだけど、「武道館がうるさくて何も聴こえなかったが、カントリー調の『イエスタデイ』って曲だけは聴こえた」って記事は覚えてて、「カントリー調!?」って思ってたの。そしたらその人だった（笑）。だから勝ったことを後悔してない。

入院とまりやのデビュー

日本の音楽は聴かなかったな。他の人を見るとうらやましくなったりするから。当時のビクターはとにかく古い会社で、僕の理解者は2〜3人しかいなかったんじゃないかな。まぁ下手だったしね。

大学は次の年にやめました。「お父さんに手紙を書きなさい」ってお袋に言われて書いたけど、ハガキに余白があったから鉄人28号を描いて「ガオー」って書いたら不真面目だって怒られた。

2枚目のアルバムは川原さんがうまいこと会社をだましてくれて作れたんだけど、出した1か月後にとんでもないことになるんですよ。まずは出てすぐN課長という人に「君はビクターの売り上げワースト5に入ってるんだよ。ビージーズのカバーとかやったほうがいいんじゃない?」とか言われて、「やめてやる」と思って。

それでも1か月はいろいろプロモーションをやった。銀座の日立ローディープラザっていうオーディオのショウルームでライブをやった帰りの高速で、マネージャーの運転するアルファロメオが大雨で止まってしまった。仕方ないから外に出て押したんですよ。押しては止まり押しては止まり。4時間くらい雨にあたったら次の日から頭痛がひどくなって。最初は風邪だろうと思ったんだけど、青山純と伊藤広規が僕のアパートまでお見舞いに来てくれて、ツェッペリンのレコードを青山純がかけた瞬間から頭痛がひどくなった。なのに近所の医者に行っても「風邪ですね」。でも首は硬直してるし、頭痛は普通の痛みの何十倍もあるから、これは脳の病気だと思って、医者に「脳腫瘍じゃないですかね」って言っても「いや、風邪ですね」。

何日目かに母親が杉並の僕の部屋まで来てくれて、さすがにこれはヤバイなということで総合病院に行って玄関から車椅子で運ばれて、先生が「急性髄膜炎、俗にいう脳膜炎ですね」。お袋は隣でオロオロしてるんだけど、俺は頭が割れそうで3日くらい寝られていないし、とにかくこの痛みを取り除くには切開手術だろうと思って、先生に「帝王切開してください」って言った（笑）。意味を知らなかったんだけどね。帝王がするようなすごい手術だと思ってた。そこから1か月くらい入院してたんですよ。

入院してるときはもうこれで音楽はできないんだろうなって思ってた。最初は個室で、次に2

人部屋で、隣のベッドの心筋梗塞の平山さんっていう70歳くらいの人と仲良くなって、看護婦さんの噂話したりして。平山さんはプロレス好きで、夜中とか「あの看護婦は最近彼氏と別れたらしいよ」なんて言ってゲラゲラ笑ってたら「何やってんですか！」って怒られる。修学旅行みたい。あの人面白かったなぁ。僕のほうが先に退院できることになって、平山さんの退院の日にはお花を持ってったのを覚えてる。

結局ビクターからはアルバム2枚でカットアウトされました。『SWINGY』というタイトルは杉にかけたダジャレです。ワースト5に入るくらい売れなかったけど、いろいろ勉強になった。

レコーディングの最後の最後にディレクターから「シングル用にわかりやすいの書いてよ」って言われて、それって僕の中では、オールディーズにあるようなわかりやすい循環コードなんですよ。聴くのは好きだけど自分で作るとなると人と同じことはやりたくないから作りたくない。でもそう言われて初めて書いた。それが「マドンナ」。安部くんとかまりやもコーラスで入ってるし青山純がドラムだし、ディレクターが気に入って「会議にかけたら大盛り上がりだったよ」なんて言われたんだけど聴き直したらやっぱり恥ずかしくて、「シングルにするのやめてもらえませんか」って言ったら「何言ってんだよ、会社は乗ってるんだよ」。川原さんに「なんとかシングル阻止してください」ってお願いしたら「わかった」。会議で「杉はアルバムで売るから」とか言ってくれて、シングルを阻止したの。ひどいでしょ俺、作っといて。申し訳ない話だと思います。そしたら後日、面識のないザ・リリーズが「マドンナ」をライブでやってるって聞いて、「なんで？」って。

後の話なんだけど須藤薫ちゃんのスタッフからオールディーズっぽいわかりやすい曲を書いてほしいって言われて、循環コード嫌なんだけどなぁ、って思いながら、でもあんまり言われるから、人が歌うんだったらいいか、って書いたのが薫ちゃんの最初の頃の曲。今はもちろん循環コードの大切さはわかってますよ。でもこの当時はわかりやすいものに対するアレルギーがあって、だからヘンテコなコード進行で普通はやってないようなことばかりやってた。

僕の入院中にまりやのデビューが決まったんですよ。まりやは僕のレコーディングでコーラスをやってくれたりしたけど、まだ全然プロになる気はなくて、川原さんに「何かバイトないですか？」って言ってビクターであて名書きのバイトをしたりして。字がきれいだからね。そんなこんなのときに牧村憲一さんと宮田茂樹さんがまりやに目をつけた。牧村さんが川原さんに相談に来たから、上司に「この前あて名書きをやっていたバイトの子がデビューするんですけど、ビクターでどうでしょう？」って言ったら「バカなこと言うんじゃねえよ」って言われたらしくて。まぁそりゃそうだよね（笑）。それでＲＣＡに行ったんじゃないかな。

デビューすることになって、僕に曲を頼んでくれた。そうそうたるメンバーの中に僕がいる。まりやは本当に軸がぶれないよね。そのおかげで人に曲を書くようになった。あの病気がなかったらそんなことにはならなかったと思う。

まりやは当時うちの両親が住んでいた浅草の社宅にも来て、お風呂場でエコーを効かせて何曲かデモテープを作った。だからうちのお袋は今も「まりやちゃんは元気?」とか聞いてくる。そのとき書いた「目覚め」っていう曲が、後に「ガールフレンド」になる。

退院後、CM音楽制作期

退院はしたけどやることがない。その当時の僕のマネージャーが西荻でカフェバーの走りみたいなシティ・マジックっていうお店をやっていて、僕はそこの企画係みたいなことをしてた。お金なんて一切もらってないけど、仮装パーティーをやったり、好きな音楽をかけたり。で、そこを連絡場所にしていたらCM会社の人なんかが来て興味を持ってくれて、CMの曲を書くようになって。だからあの病気と空白期は僕にとってすごく大切な転換期だった。

男の24歳は厄年って言われてるけど、必ずしも悪い年じゃないんだな、ギアを変える年なんだな、と思った。今までとは違う行動をして運命を変えさせる。免許をとったのもその年。

確かにアンチ歌謡曲だったけどCMは抵抗ない。CMは商品が売れればいいわけだからね。でも「歌・杉真理」って出るのはまた違うわけ。そこにこだわりが出るから面倒くさい奴になっちゃう。

でもけっこうダメ出しはされた。英語の発音じゃわからないとか言われて、カタカナ読みで歌ったり。たくさんやったよ。コンビニや、地方の自動車教習所からカメラ屋から、岩崎宏美さんが歌うシャンプーのも作った。

80年には「ライブ　カプセル」っていうソニーのカセットの曲がヒットした。歌ったのはサンディ&サンセッツのサンディ。演奏は僕らだけどCMに出演していたのはモデルの外国人。その人たちが白衣着て楽器持ってたから、このグループが演奏してるんだなと思われたみたい。シングルにもなってるんだけど、名義はザ・ホスピタルです。

余談だけど、その数か月後に首都高の赤羽トンネルで渋滞中後ろの車に追突されて、車から降りてきたのがそのCMに出ていたデイビー藤本っていう人で、運転してたのがハンダースのアパッチけん。ハンダースはレコーディング・エンジニアが僕と同じ助川（健）さんなのを知ってたから初対面だったけどその話をして、あとで連絡を取り合うことになったんだけど、いまだに連絡なし。彼らにしたらぶつけた相手がたまたま僕だったんでラッキーと思ったんでしょう。まんまと逃げられました（笑）。

ＣＭも楽しかったんだけど、でももう1回自分の音楽をやりたいと思ってた。そんなとき大学の先輩の村上さんがソニーに入って、須藤（晃）さんを連れてきて紹介してくれて、それで僕はソニーに移籍して須藤さんが担当になるわけですよ。

ソニーに決まる前は川原さんの関係から芸映（プロダクション）のレイジーに曲を頼まれて、レコーディングもやって、プロデューサーだったタイガースの森本太郎さんが気に入ってくれて「じゃあ杉くん、デモテープ作ろう」って森本さんの元で作ってた。そのまま再デビューって話にもなってたんだけど、その芸映の藤田さんが社長室で「これからはビートルズじゃないんだよね」ってドナ・サマーの「マッカーサー・パーク」って長い曲を聴かせてきて。ドナ・サマーは嫌いじゃないけどこの曲は大嫌いだったのね。「これは無理だ、この曲がいいって言う人とはやれない」と思って、それでソニーで須藤さんとやることになった。

事務所はホリプロ系列のカレイドスコープ。須藤さんが浜田省吾もやってたから、僕のスタッフと当時の浜田くんのスタッフは同じなの。彼がカレイドスコープを抜けたあとに僕が入った。浜田くんのプロデューサーだった元モップスの鈴木（幹治）さんが僕のプロデューサーになって、デザイナーは田島（照久）さん。エンジニアは助川さん、ディレクターは須藤さん。須藤チーム、そのまま。

浜田くんは紹介された日に家まで車で送っていくことになって、いきなりホリプロ横の坂で坂道発進に失敗したことを覚えてるな。ビビっただろうな（笑）。僕は浜田くんの「ミス・ロンリー・ハート」って歌が好きで、そう言ったら彼は「杉くんが人に書いた曲で『J-BOY』が好きなんだ」って言ってました。浜田くんの「J-BOY」が生まれるずっと前の話。まりやの2枚目に「J-BOY」っていう曲を書いたんです。まりやとジョイントかなんかやったらしくて、そのときに聴いたらしい。もしかしたら浜田くんの中でこのタイトルが遺ってたのかもね。僕の「J-BOY」はジャパニーズ・ボーイとジェームス・ディーン気取りっていう意味。でも僕の「J-BOY」も佐野元春のC-BOYから来てるのかもしれないなと思って、佐野くんに話したら「それは興味深いね。そこまでつながるのか、ポップスは」って言ってた。

満を持してソニーから再デビュー

再デビューにあたって誓ったのは、入院したときまず1回これで俺の人生は終わったと思ったから、とりあえず音楽をやれるだけで幸せだと思うこと。それは今でも忘れないようにしてるんですよ。こなすのはやめようと。手抜きした瞬間にふっと目が覚めてまたあの病院にいるかもしれない。あるでしょ、映画とかで。長い夢でした、ってなりたくない。音楽をやれているだけで儲けもん。だって入院してるときなんて友達がお見舞いに来てバイトの愚痴とか聞かされると「タダでいいから代わってほしい」って思ったもん。街を歩く、お酒を飲む、音楽をやるなんて夢の夢ですよ。それがやれてるんだから、多少のことは我慢しなきゃと今でも思ってます。

ソニーはビクターと雲泥の差だったね。新しい会社だし、いい意味でクラブ活動みたいだった。公私混同してばかり。全員が全員そうじゃなかったと思うけど、僕らの部署は宣伝スタッフもよく悪乗りしてた。すごくいい環境。いまだに当時のスタッフがたまに集まる。

川原さんはメロディとかコード進行には詳しいしセンスいいし、すっごいマニアックなところとすごいポピュラーなところを持ってる人。大瀧さんに紹介してくれたのも川原さんなんだけど、何よりも作曲の師匠。須藤さんは歌詞の師匠。それまで歌詞なんてどうでもいいと思ってたし、「作詞家に頼もう」とか言ってたんだけど、「自分の詞で最後まで書こうよ」って言われて。レコーディング前は毎晩ファミレスで朝まで2人で書いていた。須藤さんは早い。「こんなのどう?」ってすぐ渡されるんだけど、そのままにしたくないから僕も頑張る。須藤さんの詞、いいんですよ。須藤さんがいなかったら僕は詞を書いてないかもしれない。

もう1人、プロデュースの先生は大瀧(詠一)さん。ちょうどその頃、大瀧さんも『A LONG

VACATION』を作り始めていて、川原さんのパーティーで紹介してもらったんだけど、最初は目も合わせてくれない。シャイな人だったからね。でもいろんなところで一緒になる機会が多くて、決定的だったのは須藤薫ちゃんのファースト・アルバム。僕が3曲、大瀧さんが1曲書いているんだけど、大瀧さんは僕が書いた「Love Again」で「面白い曲を書くやつだな」って意識してくれたみたい。松田聖子さんが薫ちゃんのアルバムで僕の「Love Again」と大瀧さんが書いた「あなただけI LOVE YOU」が好きって言っているのを何かで読んで、松田聖子も杉真理も他人とは思えないって感じたんだって。ナイアガラトライアングル40周年のボックスのライナーでそう書いているのを、最近知ったんだけど。

川原さん、須藤さん、大瀧さんの3人ともAB型じゃない？　だから極端な両面性を持ってる。川原さんは教科書に載るような「少年時代」と「瑠璃色の地球」を作ってるのに、趣味で作ってるデモテープはポール・マッカートニーで言うと『RAM』みたいなの。あのポールのコアなところだけでアルバム1枚作ろうとしちゃう。須藤さんも実はそうで、社会派なところがあるじゃない。担当したアーティストは尾崎豊、橘いずみ、浜田省吾、村下孝蔵。その反面、超バカバカしいギャグも好きで、なぎら健壱さんのフォーク・マン・ブラザーズをやったり。世の中の人は片方しか知らないんだよね。大瀧さんもまったく同じで、すごく綿密に考えて作る確信犯みたいなとこがあるくせに、行き当たりばったりなところ、賽の目みたいなところがある。「これ面白いね」でやっちゃう。だからその3人が師匠だとしたら表裏合わせて実質6人いるわけですよ。僕は相当恵まれていたと思うなぁ、そういった意味では。

自分のアルバムのレコーディングと並行して薫ちゃんに曲を書き始めてて、そこで出てくるのが松任谷（正隆）さん。アレンジャーだったんですよ。松任谷さんは大瀧さんのロンバケにも参加してるから、「恋のかけひき」って曲で「今大瀧さん面白いレコーディングしてるんだよ。ピアノをいっぱい重ねたりギターを重ねたり。この曲もそうしてみない？」「いいっすね」って言って、やってみた。それを聴いて大瀧さんはどうも僕を最終的にトライアングルに指名することにしたらしい。

あるとき打ち合わせで初めて松任谷さんの家に行ったんだけど、「譜面書いてないから2人で話してて」って初対面のユーミンと2人きりにされて。でも同い年だからいろんな話してたら「最近書いた詞で、昔の彼氏と会うんだけど、そのときよれよれのシャツを着てるか、安いサンダルを履いてるか迷って、歌になりづらい安いサンダルのほうにしたの」って言ったのを覚えてる。そう、あの「DESTINY」。この1～2年後にユーミンと薫ちゃんとツアーを回って、僕もその曲のコーラスを歌うんですけどね。

松任谷さんは僕にユーミンのコーラスアレンジも頼んでくれた。80年にシングルで出た「ESPER」って曲。「でも俺譜面書けないし、けっこう適当なんですけど」って言ったら、「デモテープでやってる通りにやればいいよ」って背中を押してくれて。スタジオは音響ハウス。ポール・マッカートニーの「心のラヴ・ソング」みたいなのを考えて、ユーミンと2人でコーラスを入れた。そのとき僕も下手だったし、ユーミンもまだ覚束ないところがあって、松任谷さんが2人の歌を聴いて「今まで最低のコーラスは俺だと思っていたけど、それ以上の人たちがいた！」。そしたらユーミンが「いいもんねー！　頑張ろうねー！」って。それからも「カンナ8号線」とか「よそゆき顔で」とかのコーラスアレンジもやらせてもらった。

　ソニーからの再デビューアルバム『SONGWRITER』は80年の7月21日に出ました。音楽はまず曲が基本。どんなにいい演奏でもうまい歌でも、曲がよくないとだめでしょう。真ん中に来るのは曲だから、このタイトルにした。松任谷さんから学んだことを生かせたと思う。松任谷さんは僕とは違うところがたくさんあって、ロックが持ってないものをたくさん持ってる。そして何より品がある。それってジョージ・マーティンと同じだよね。

　松任谷さんは人の本質を即座に見抜く才能があって、いろんなアドバイスをくれた。中でも覚えてるのは「杉くんは変にアーティスト像とか作らないで、素のままやったほうがいいよ。そのほうがきっと楽だし」。確かにその通りだった。

1981年に浜田省吾くんのレコーディングでスタッフがみんなアメリカに行ってることがあったんだけど、そのとき日産のコマーシャルの話が来た。でも浜田くんと僕はスタッフが共通してるからまわりにだれもいないわけ。いたのは当時浜田くんのマネージャーだった高橋（慶彦）さんだけで、2人でオロオロして「今日も歌詞1行もできませんでしたねー」とか笑いながらやって、できたのが「Catch Your Way」。だから高橋さんも思い出深いと思うよ。それなりにヒットしたから、この曲で僕を知った人が多いかもしれない。

80年の暮れにはジョンが亡くなったよね。友達のご両親が六本木でボリビア料理店をやっていて、そこにランチ食べに行ってたらニュースで撃たれたって聞いて「本当に？　でもジョンは死なないよね」と思ってた。でも亡くなったことを知って、頭の中が真っ白になって、吉祥寺まで車で行って、日本盤アメリカ盤、バラバラに持っていたビートルズのレコードをイギリス盤でもう1回全部買い直そうとしたのを覚えてる。夜はニッポン放送の特番を聞きながら、「もう二度と『恋におちたら』のあのハーモニーは聴けないんだ」と思ったら、ダーッと涙が出てきたんだよね。ジョンを失った喪失感。そのときにできた曲が、このあと何度も話に出て来る「NOBODY」です。

ナイアガラトライアングル。ハワイにて。

第4章

A面で恋をして

ナイアガラトライアングルという名の幸運

薫ちゃんと大瀧さん

僕が大衆性というものを初めて考えたのは須藤薫ちゃんとの仕事。最初は正直どうすればいいのかよくわからなかったんですよ。僕はそれまで、キャッチーでわかりやすいものは避けてたから。その拒否反応をなくしてくれたのは薫ちゃん。薫ちゃん自身も「杉さんのアップテンポな曲は歌いたくない」って最初拒否反応を示してたんだけど（笑）。だからプロデューサーの川端（薫）さんのおかげだよね。松任谷さんとかとチームを組んでやっていくうちに、「そうか、こういう世界もあるんだな」と自分でも思えてきた。

薫ちゃんはとにかく天然なんですよ。ライブで歌っている途中に差し歯が抜けて、曲中に不自然に姿を消し、演奏が終わったらしれっと戻ってきて何もなかったように続きを始めたとかね。ステージ後ろの黒い幕に隠れてアンコール前に着替えていたら幕が開いちゃって見られたとかね。あの人は面白い話がいっぱいある。NHKの生放送中にお土産のことを「おどさん、おどさん」って連呼するし、ファミレスで「ドレッシングは何になさいますか？」って聞かれて間髪入れずに「アメリカン・クラブハウス・サンド！」って答えるし、マウスパッドとマウスピースを間違えるし。昔、フィギュアスケートをやっていたらしいんだけど、大会で薫ちゃんが「どこの学校？」って聞いたら相手が「学習院」「えええええーーー！」。どうやら学習院と少年院を間違えたらしい。

パワステ終了事件もあった。日清パワーステーション（新宿にあったライブハウス）が終わるとき、ライブをやるんで薫ちゃんに、「パワステが終わるんだけど」って電話したら反応がおかしい。なんと車のパワステ（パワー・ステアリング）が終わると勘違いして、「なんで杉さんはそんなことを私に教えるんだろう」って思ったらしい。勘違いにもほどがある。

そしてナイアガラトライアングルです。

メンバーを決める前に、大瀧さんはいろいろ探りを入れていて、五十嵐（浩晃）くんも候補に挙がっていたらしい。五十嵐くんの「想い出のサマー・ソング」っていう曲はアレンジが鈴木茂さんで、コーラスアレンジが僕。そのコーラス入れを大瀧さんと2人でやってくれって言われたんですよ。あれは誰が仕組んだんだろう。とにかく大瀧さんと2人でコーラスをやった。大瀧さんは、普通そんな頼まれ方をしてもOKしない人なんだけど、「杉って奴はどんな仕事をするんだ？」って偵察のつもりだったのかも。僕のラジオにも出てくれて顔見知りではあったんだけど、大瀧さんと2人で歌うなんて、本当は僕もビビってた。歌っているところの写真をあとで大瀧さんが送ってくれたけど、これは大瀧さんが言い出したんじゃないの。茂さんでもないみたい。たぶんディレクターの高久（光雄）さん。でも高久さんは大瀧さんが企てたナイアガラトライアングルのことなんか知らないわけ。でも何故かそういう組み合わせでやった。大瀧さんにしてみたら渡りに船だったんじゃない？　ナイアガラってそういうのが多い。自然に物事が進んでいく、みたいな。

『A LONG VACATION』は80年にレコーディングしていたから、須藤薫と僕も重なるんですよ。みんなソニーでしょ、昼間、僕のレコーディングに茂さんと松任谷さんがいて、そのまま「カナリア諸島にて」のレコーディングだった日もあったみたい。

ロンバケは、初め薫ちゃんの担当だった川端さんがディレクターだった。だから車の中で何曲かこっそり聴かせてもらって、「さすが大瀧さん！　勝負に出たな」って思った。その前は音頭をやっていたでしょう。そこまで行くかってくらいに。振れ幅としてはさっきまで超マニアックな音頭をやっていた人が、今度は反対側のいちばんこっちに来た。もちろんああいうのを作れる人だと思ってたけど、いつ作るんだろうなと思っていたら想像を上回る形でやって来たわけです。

「君は天然色」は、もともと大瀧さんが薫ちゃんに書いた曲。でも川端さんは「これはご自分で歌ったほうがいいですよ」って言ったわけです。薫ちゃんから聞いたけど、川端さんと大瀧さんと薫ちゃんで、赤坂かどこかで延々と、「トライしないで何故ボツにするの」「これは男性が歌う曲です」「元ネタは女性グループなんだよ」って話し合いがあったそう。薫ちゃんはオロオロしてただけだって。結局、大瀧さんいわく「あの英断があったから天然色はロンバケに入れられた」っってことになるんだけど、それで川端さんは大瀧さんの担当をはずれた。天然色はボツになったけど「あなただけ I LOVE YOU」は絶賛ＯＫになり、レコーディングであのナイアガラ・オーケストラを実験し、これはいける！　ってことでロンバケができたからね。

後日談だけど、渡辺満里奈ちゃんの「うれしい予感」は薫ちゃんをイメージして作ったから、いつかは薫ちゃんにカバーしてほしいと大瀧さんは思っていたらしい。薫ちゃんが亡くなったときに大瀧さんから来たメールで知ったんだけど。薫ちゃんが歌っているのを想像して聴くと、ちょっと感動しますね。大瀧さんが満里奈ちゃんをプロデュースした際に僕が書いてお蔵入りになっちゃった曲もある。後にその曲を、須藤薫が歌ったんですよ。僕がプロデュースした「クラブ・ロビーナ」って曲。俯瞰すると、須藤薫をイメージした曲が渡辺満里奈に渡り、渡辺満里奈をイメージした曲が須藤薫に渡った。ナイアガラ目線で見たらバランスがとれたのかなって。この前出した提供曲集の解説を書きながら気が付いたんだけど、ナイアガラ関係にはそういう不思議な、見えない糸がある。

ナイアガラトライアングル

話を戻して、ナイアガラトライアングル。

81年7月24日。当時あまり売れていないシンガーソングライター4人、佐野元春、浜田金吾、網倉一也、そして僕。この4人を、レコード会社を越えて応援しようって動きで、新宿ルイードで、ジャパコン・ライブ・ウィークという、4日連続のイベントがあったの。僕は最終日で、最終日には全員集まってなにかやろうってことだったんだけど、その何日か前に大瀧さんはトライアングルVol.2を、杉と佐野でいこうって決めたらしいんだよね。そうしたらその2日後にルイードに行けば杉も佐野もいることがわかって、これは神の天啓だと。興奮して1日眠れなかったらしい（笑）。で、大瀧さんが来るならステージで一言挨拶してもらおうってことになって。どうも佐野くんは僕が演奏している間、1階の喫茶店かどこかで話を聞いて「やります」って言ったらしいんだよね。でも僕は何も知らないから「大瀧さんが来てらっしゃいます」ってステージに呼んだら、「70年代にナイアガラトライアングルっていうのがあって、そのVol.2を作ろうと思うんだけど、1人は佐野くんにしようと思う」って佐野くんを呼ぶわけですよ。「佐野くん、やってくれる?」って聞くとちょっと考える振りをして（笑）、「やります」。もう話はついてるのに。で、みんな拍手。こっちは「ここ俺のステージなんだけど何やってんですか?」だったんだけど、「次は俺に来なきゃおかしいだろう」と思ってたら「杉くん、やってくれる?」。犬が尻尾を振るように「やります！　やります！」。大瀧さんとしてはそうやって既成事実を作ってしまおうとしたらしい。マネージメントも通してないからあとでいろいろ大変だったけど、大瀧さんに言わせれば「やる?」って言ったときに「事務所に相談します」「しばらく考えさせてください」そう来た場合はこの話はなかったことにするつもりだったんだって。即答以外はNG。大瀧さんは次の日いろんな人に「大変ですよー」って言われたらしいけど、ゲリラ的な確信犯。

まずとりかかったのが「A面で恋をして」。六本木のフジパ(フジパシフィックミュージック)でコーラス合わせをしたのを覚えてる。応接室で、3人でパートを決めた。オケ録りの日、僕は日本教育会館ってところでライブがあって、どうしてもスタジオに行けなかった。そしたら当日、大瀧さんと佐野くんが録りたての音源が入ったカセットを持って僕の楽屋に来てくれて、ウォークマンで聴いた。「うわ~、フィル・スペクター・ミーツ・バディ・ホリーだ」って思って、「なかなかいいですね」って言ったら大瀧さんはそれを聴き逃さないで「杉はなかなかって言ったぞ」って川原さんに苦言を呈したらしい(笑)。「なかなかだと?」。日本語って難しい。

大瀧さんが僕を選んだのも、佐野くんを選んだのも、もちろん音楽的に認めてくれたからなんだけど、佐野くんには(伊藤)銀次さんがいるから話が伝えやすい。杉にも川原がいるから言いやすい。だから「なかなか問題」のときも川原さんが緩衝材になって「杉はそういった意味で言ったんじゃなくて……」って大瀧さんにとりなしてくれた。今じゃ笑い話ですけど。

銀次さんもそれなりに大変だったみたい。「彼女はデリケート」を完パケしてるのに、フェイドアウトするところを「ロックはカットアウトしなきゃ」って大瀧さんが言い出した。そのためだけにまたミュージシャンに集まってもらうのは無理だから、マルチを聴いて、セッションの最後にドラムがジャーンってやっているとこを見つけてつないで、ギターを銀次さんが弾いてカットアウトに仕上げたんだって。

アルバムの影のテーマがマージービート。そこで、前の年に作った「NOBODY」が浮上するわけですよ。自分のアルバムでやろうと思ったら、ディレクターの須藤さんはじめみんなが「ビートルズが解散して10年くらいで、今いちばん古い音楽というか、若い人にはいちばんピンと来ないから、個人的には好きだけど今回ははずそう」と言われた。それを大瀧さんが聴いて敗者復活。もろにリバプール・サウンドだから構想通りだったと思いますよ。

しかも結果的に俺と佐野くんがハモッてるわけじゃない。コンピレーション・アルバムなのに共演があったりして、大瀧さんの狙い通りのところを作っちゃった。「ガールフレンド」はまりやに書いた「目覚め」。このときはまだまりやと達郎くんが結婚するのを知らなかったんだよね。トライアングルが出た翌月の4月に結婚するんだ。いろんな糸があとで見えてくる。結果的にこういう風になるものだったんだな。

最初のラインナップだと「Lonely Girl」を入れようとしたんだけど、「Love Her」を聴いた大瀧さんが「こっちのほうが杉っぽいんじゃない?」って。今から思うと「Love Her」はビートルズの「ユア・マザー・シュッド・ノウ」の流れを汲む曲でしょう? ということは大瀧さんで言えば「空飛ぶくじら」じゃない? 同じ系譜上にある曲なんで、またも大瀧さんの思うツボだったと思うよ。「夢みる渚」はもともとまりやに書いて、でもペンディングになっていた曲。最初はもうちょっとスティーヴィー・ワンダーっぽかったんだけど、やっていくうちに茂さんのスライド・ギターが入ってトッド・ラングレンっぽくなったり、林立夫さんのドラムも何も言ってないのに「アイ・ソー・ザ・ライト」のフレーズが入って、よりポップになっていった。大瀧さんは当時のマネージャーだった谷村さんがこの曲を気に入ってるからシングルにしたとか言ってたけど、大瀧さんもきっと気に入ってくれていたと思う。

佐野くんや大瀧さんが何をやっているか、気になるよね。でも偵察に行く暇もなくて。大瀧さんがいちばん遅かったのかな。佐野くんの4曲を聴いたときは僕の好きなビートルズっぽいところが出ていたんで、すっごい嬉しかったですね。あとはやっぱり「Bye Bye C-Boy」。佐野くんは、よくあの曲の版権をコンテストの主催者に譲らなかった。まだ10代だったのに、賢いよね。

81年の暮れに渋谷公会堂でヘッドフォン・コンサートっていうのがあったんですよ。「A面で恋をして」が出た頃かな。ソニーのFMウォークマンのヘッドフォンで聴くコンサート。スピーカーから音は出さない。吉田保さんっていうスタジオのエンジニアの達人が、レコーディングしているような状態でステージ上の音をその場でミックスして、FMウォークマンに流して、ヘッドフォンをしているお客さんが聴く。本当に奇妙なコンサートでした。客席はシーンとしている。遠くで大瀧さんが鳴らすアコギの音だけが聴こえる。終わると歓声が「わーっ」て聴こえる。大瀧さんの喋りも聴こえないんだけど、ときどきお客さんが笑う。相当お金がかかったと思うけど、ロンバケを出した後だし、ソニーにはいい宣伝になったと思う。

「A面で恋をして」はそのライブで2回やった。この3人で人前でやったのはそれが最初で最後。その他に覚えてるのは、朝、車で出かけてすぐにネズミ捕りに捕まったんですよ。「急いでるんです」って言ったけど当然ダメで、切符を切られて。「僕これから渋谷公会堂でライブなんです」って言ったら「先導しましょうか？」だって。そんな登場の仕方はカッコ悪い（笑）。

アルバムのリリースは3月だけど12月の時点ではまだ誰も完成してない。大瀧さんは1月の終わりか2月の頭までやっていたんじゃない？　ヘッドフォン・コンサートのとき大瀧さんがMCで「それぞれ頑張ってね」って。僕は年末ギリギリまでやっていたはず。そして年が明けてすぐ自分のソロ・アルバムのレコーディングに入った。

トライアングルをリリースした2か月後の5月には、ソニーでの2枚目のアルバム『OVERLAP』を出しているから、このあたりはすごく忙しかった。トライアングルに入れようと思ってた2曲はこっちに入ってる。松任谷さんから教わったこと、大瀧さんから教わったこと、須藤さんから教わったこと、川原さんから教わったことがあったんで、とにかく自分の好きなことをうまくやろうと思った。大瀧さんが「最終的に残るのは好きなことだよ」と身をもって示してくれたのが大きい。

あの頃はビートルズが好きな人でも大声でそう言えないような空気があったけど、やっと「だって好きなんだもーん」って言っていいんだって思えた。90年代になってオアシスやブラーが出てきたら大々的に言えるようになったけど、この頃はビートルズ好きでも隠してるような、隠れキリシタンみたいな感じ。前の年にリリースした「ガラスの恋人」もリバプール・サウンドっていうか、ニック・ロウみたいな、時代を無視したポップスだったでしょう。でも世の中はもうテクノだったし、トライアングルの話もまだない。だけど少しは売れなきゃいけない。「どうしよう……」だったんだけど、でもやっぱり自分の好きなことを突き詰めようと思った。世の中に逆行していいのかな、って気持ちもどこかにあったんだけど。その直後に「NOBODY」を大瀧さんが選んでくれたおかげで吹っ切れたんですよ。基本は自分。好きなことをやろう、時代の風は感じながらもその風に流されないようにしよう、と。大抵のミュージシャンはどこかでそう決めると思う。それが早いうちでよかった。こうやって長いことやってこられたのもあのとき大瀧さんからそう教わったからだな。だって大瀧さんなんて好きなことしかやらない大家じゃない。

そう、ナイアガラでハワイに行った。アルバム発売直前に。それほど注目を集めていなかったんだけど、バブリーな時代だから、ソニーが雑誌や放送局の人を連れて。あとトライアングルと一緒にハワイに行こうツアーもあったんだけど、そんなに集まらなかった。資生堂のCMソングだったから資生堂関係の人もいたな。でもそのCMにはちょっとした事件があって（笑）、すぐ打ち切りになっちゃったんだよね。

学生時代にグアムに行ったことがあったけど、ハワイは初めて。到着直前に佐野くんが飛行機の中で絵を描いていたら大瀧さんが「それ1万円で売ってくれ」って言って、買ってたよ。いろいろと面白かったたな。

大瀧さんは夏が苦手で出不精。そういう人だからあまり外に出ずにホテルで仲間内と話してたり。佐野くんはことのほか健康的で、朝早くから泳いだり。いちばん不健康なのは僕でしたね。「飲みに行く?」って聞かれたらすぐ「行く行く!」。で、遅くに部屋に帰ってくる。マウイでは佐野くんと僕はツインルームだったのね。夜中に帰ってきたら佐野くんはもう寝ているわけですよ。細長い部屋で、僕のベッドが奥。そーっと入って行ったら佐野くんが毛布を蹴りながら「ロックンロール！」って寝言を言った！　次の日にプールで佐野くんに「ゆうべロックンロールって言ってたよ」「本当？　最近寝言を言うらしいんだよね。自分の寝言で目が覚めたこともあるんだけど、そのときは『海の幸』って言った」。佐野元春は「海の幸！」より「ロックンロール！」が似合う男だ。

３人とも勝手な行動をしていて、取材のときだけ集まる。オアフに行ったとき、移動のために３人が乗ったアメ車で、ラジオから古いロックンロールが流れたら、佐野くんも大瀧さんももちろん僕も、子どもみたいに盛り上がって膝を手のひらで叩いてリズムをとった。ツアーのお客さんたちとの懇親会みたいなのに出たときは、佐野くんつらそうだったな（笑）。楽しいことしか覚えていない。あれはあれでいい時代だった。

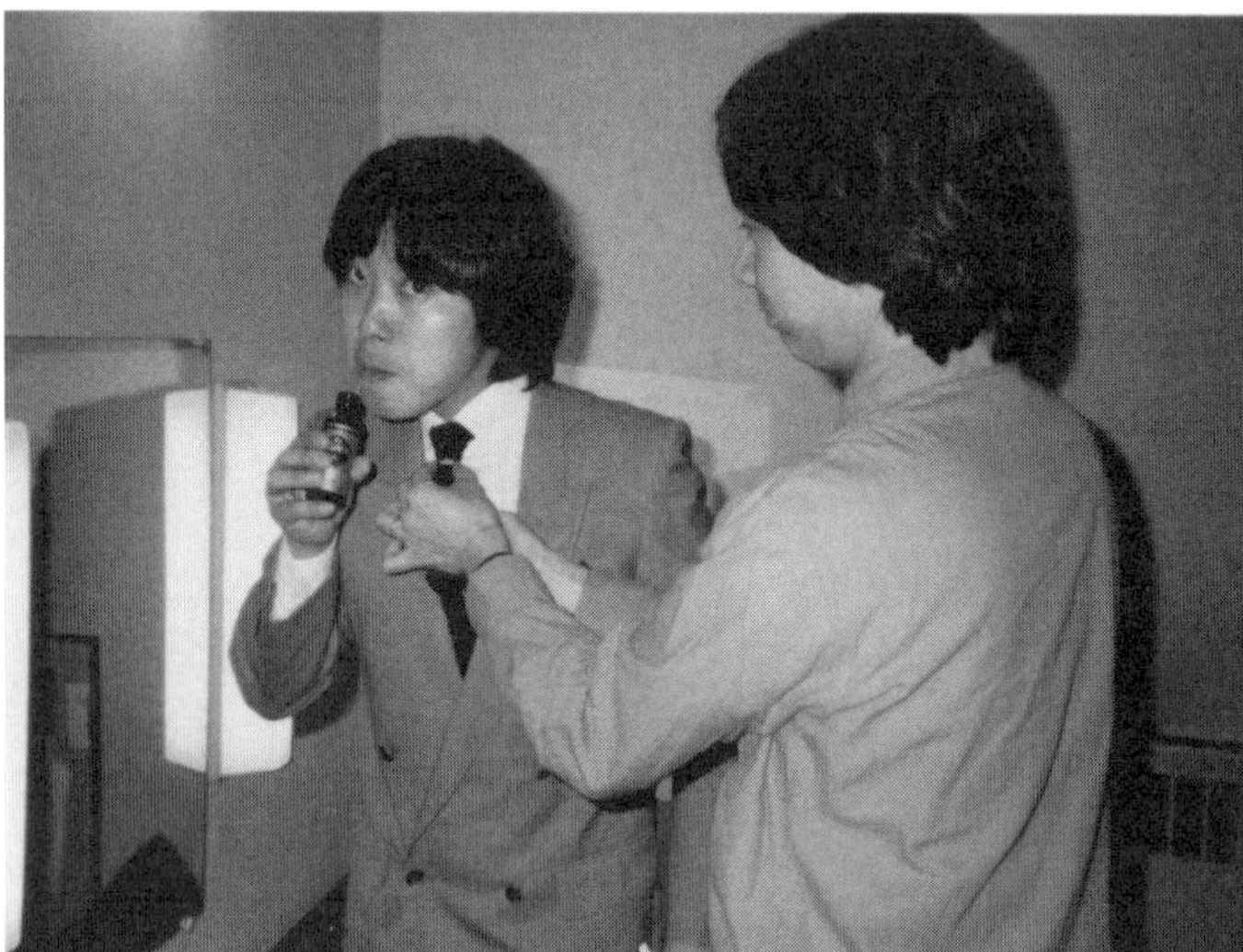

ライブ前にユンケルを飲むの図。

第5章
懐かしき80's
上昇気流をつかまえて

アルバム『OVERLAP』とライブ開催

ソニーでのセカンド・アルバム『OVERLAP』のレコーディングは、ハワイに行く前に終わっていました。初めてのセルフ・プロデュース作だったから、自分の好きなアルバムの原型を作れた気がする。とりあえずバラエティに富ませる、いろんなジャンルの曲を入れる。ビートルズで言えばホワイト・アルバム。でもよく言われたな。「何がやりたいかわからないよ」って。それが売りだと自分では思っていたんだけど、そういう風に言われちゃうとね。でもセールスがよくなってきたから、ますますやりたいことをやろうと。

5月にアルバムを出して6月に郵便貯金ホールでライブをやったんだけど、マネージャーの谷村さんが新しいミュージシャンを集めてくれたんですよ。2017年にお亡くなりになったクリエイションの樋口（晶之）さんがドラムで、ギタリストがYOUさんっていう人で、この2人を主軸に、井上くんってベーシストを連れてきてくれた。リハーサルをやったんだけど、すごくロック寄りになっちゃって。今だったら「面白いね」って言えるけど、まだアルバム数枚しか出してないでしょ。変化球でいく自信がなかった。「う〜ん、これは俺の音楽じゃないかもしれない」ってリハの休憩時間に街をさまよったり。何日目かに、「あのメンツだと今の僕はできません」って言って替わってもらった。だから、あのとき樋口さんとYOUさんには本当に申し訳ないことをしたと思っていて、いつか謝りたかったんだけど、その前に亡くなってしまった。

メンバー組み直しになったのは、ライブの1週間くらい前です。そのときキーボードの堀口くんの自宅で、ドラムはセンチ（メンタル・シティ・ロマンス）のぐっちゃん（野口明彦）がいいな、ギターはレッド・ストライプスの田上くんがいいな、とか。キーボードは『OVERLAP』のレコーディングもやってくれた中西（康晴）くん。そしたら、ラジオのプロデューサーの高宮さんが「セイル・アウェイっていうコーラス・グループがいるから入れたほうがいい」って。セイル・アウェイは湘南でビーチ・ボーイズみたいなことをやっていた人たちで、もっとさかのぼるとアマチュア時代に銀座のライブハウスで対バンしてて、お互い面白いなと思っていた人たち。そのときはアニマル・クラッカーズという名前だったけど、後にブルーベリー・ジャムという名前でデビューして、メンバーチェンジをしてセイル・アウェイに。そのコーラス隊を入れてやったのが、ドリーマーズの母体になった。

低姿勢ではあったけど、思えば、まぁわがままでしたね。ライブ1週間前にメンバー替えてくれとか。悪いなとは思ったよ。だけど、結局自分のやりたいほうをどうしても選んじゃうんだよね。すいません。でも結果はいい方向に転んだ。当日はゲストで、まりやと五十嵐浩晃くんが出てくれた。

まりやはその前月に山下達郎くんと結婚したんだけど、当時僕だけが反対した（笑）。79年だったかな。まりやの『UNIVERSITY STREET』っていうアルバムのレコーディングで、僕のコーラスアレンジを達郎くんが手伝ってくれたんだけど、どうもビートルズっぽくならないから「もっとビートルズっぽくしたいんだけど」って言ったら「僕らは僕らのやり方で作る音楽しかできないんだから」って正論を言われて、ムッときて（笑）、「いや僕はポール・マッカートニーをイメージして作ったから」って言い返した。その直後にまりやから「達郎さんと結婚する」って報告を受けて、どうやら「あいつとだけはやめろ」って言ったらしい。後に達郎くんに突っ込まれて平謝り（笑）。

もともとRCAレコードに行ったときすれ違うくらいだったけど、もちろんシュガー・ベイブは好きだったし学生時代はまりやも一緒にライブを見に行ってたし、そのあとに出したレコードも好きだったけど、あの一件で納得いかなかったから、トラックダウンのときにせっかく達郎くんと一緒にやったコーラスをカットしてもらった。もったいない。今聴いてみたい。マルチには残ってると思うよ。

でもそんなこんなやってる間にトライアングルに指名されて、まりやの兄貴分ということは妹分の旦那になる人でしょう。その人はトライアングルの先輩という不思議な関係。なにか縁があるのかな、って思っていたら六本木ソニーのスタジオでばったり会って、そのときはお互い笑顔で会えた。だから今では笑い話。

達郎くんとは頻繁に会うわけじゃないけど、不思議な繋がりを感じる。まだ携帯がなかった頃はまりやの家に電話すると達郎くんが出てしばらく話したりするんだけど、84年かなぁ、僕が『mistone』を出したとき達郎くんが「『いとしのテラ』いいよね」、僕は「『ビッグ・ウェイヴのテーマ』いいよね」。なにお互いをほめあってるんだろう（笑）、とか。

確かにあのとき反対したけど、今はまりやにとって達郎くんはベスト・チョイスだと思ってる。プロデューサーとしても、まりやのあの、ともすれば乾いた洋楽にいくし、ともすれば湿った歌謡曲テイストにいくようなところをあのコーティングで高いクオリティを保っているのは達郎くんがいたからだと思う。

まりやは一度お休みするじゃない。自分が今いるところが何故か芸能界で、そこと音楽業界のギャップに相当悩んでたみたい。ところが結婚してしばらくしたら前より強力な、ポジティブなまりやちゃんに変わっていた。そういった意味で、まりやの兄貴分としては達郎くんに感謝してます。反対したのは俺だけだったみたいだけど。「よかったー、あのとき杉さんに従わなくて」ってまりやに言われますけど。大抵僕の読みは当たるんだけど、大きくはずれたことのひとつがあれでしたね。

この頃から松田聖子さんにもコンスタントに曲を提供している。毎年仕事してたけど、聖子ちゃんに会うことはそんなになかった。83年だったかな、FM東京（TOKYO FM）の番組でデュエットするっていう企画があって、新宿の厚生年金会館からのライブを生中継。「雨のリゾート」をデュエットして、聖子ちゃんが「私たち、お似合いですね」とか言うと親衛隊が地響きのような声で「似合わねぇぞー！」（笑）。

素晴らしいシンガーだよね。勘のよさ、歌声のよさ、何をやっても聖子ワールドにするところはすごいなと思います。レコーディングをちょっと覗いたら、振り付けがもう自然についてる。リズムに乗ってるだけなんだろうけど、それがすごく自然。

ミュージカルに挑戦!?

さっき出てきた郵便貯金ホールでのライブで、やりたいことができた感はあったものの、自分の描いてるものを自分で演じきるまではいってなかった。演じるほうの自分が未熟だった。
そこでWonderful Moonですよ。松任谷正隆さんプロデュースで、ユーミン、薫ちゃん、僕の曲をいい具合に編み込んでひとつのショウにしたライブ。バンドも強力なメンバーで、ドラム青山純、ベース伊藤広規、ギターがスクエアの安藤正容くんと松原正樹、松任谷さんと堀口和男と、サックスに伊東たけし。新築したばかりの松任谷さん宅で打ち合わせをやって、こうしようああしよう、ここはくっつけよう、ここは同じコード進行だから、とかやっていくわけですよ。で、いざリハーサルに入るじゃない？　そしたらユーミンの振り付けの先生が来るわけですよ。振り付け？先生？　聞いてないよ！「じゃここはギター持たないで」「持たないの？？」。ギター持たないで歌ったことないし。「ここの振り付けはこうね」って言われて、ユーミンはどんどんやるし、薫ちゃんは俺より物覚え悪いし。

もう本当に、ミュージカルみたいな衣装の早変わりもある。僕と薫ちゃんがトレンチコートを着て帽子をかぶって出てきたり、ユーミンがカクテルを作りながら「ビュッフェにて」を歌ったり。そしてよくあんな凝ったメドレーやったなぁ、振り付きで。

2日間やったんだけど、他人のライブには滅多に行かない大瀧さんが珍しく観に来てくれて、「杉、右手と右足が同時に出てたぞ」とか言われた（笑）。でも面白かったから次の年はツアーにして全国を回った。振りつきで歌うとか、ギターなしでハンドマイクで歌うとか、学生時代の千歳カメラでのバイトに続いて、羞恥心をなくす修業になりました。

あとで映像を見たら、ユーミンはかっこいい、薫ちゃんは間違えても可愛い、そして俺はダサい。

うわ〜、ダサい〜。でもあれがあったからそのあとの学園祭ライブではちょっと心の安全装置を捨ててみようかなと思えて、ようやく僕のライブ人生は始まった。

Wonderful Moonってタイトルは何だろうなぁ。ムーンになったのは薫ちゃんの顔が丸いからじゃない？（笑）「ワンダです」「フルです」「ムーンです」なんて自己紹介してた。でもユーミンは偉い。天才の上に努力家。僕はもうついていくのに必死。

最終日は翌年3月の中野サンプラザだったんだけど、薫ちゃんもユーミンも最後泣いていたのに僕は泣かなかったら、ユーミンから圧が来る。「なんで泣かないの？」（笑）。泣きまねしたほうがいいのかな、って思ったり。ユーミンの家で『チップス先生さようなら』って映画を見たときも「杉くん、これで泣かなかったらミュージシャンじゃない」って言われた（笑）。でも誤解されないよう言っておくけど、ユーミンは全然高圧的だったり権威的だったりしない、可愛い人だよ。

自分のバンド、ドリーマーズができて、学園祭を回って、やっと基礎ができたのが82年。デビューから長かった。レコーディングに関してはやっぱり大瀧さんが「NOBODY」を認めてくれたことで、人になんて言われようと好きなことをやる。ライブに関しては羞恥心を捨ててエンタメに徹する。僕にとって両方ステップアップができた年だったな。

おかげでCMにもなった「バカンスはいつも雨」も売れてくれた。絵コンテを見たら赤い傘をさした堀ちえみちゃんがいて、そんなこんなでビートルズっぽい曲を作った。「NOBODY」でビートルズをやっても許されるんだってわかったし、ハーモニカのイントロなんて今やってる人いないからやっちゃえ、と思ってやったわけ。でもレコードでは英語のところをCMでは日本語にされました。「あそこは日本語じゃないでしょう」って言ったんだけど、「日本語で歌ってください」って言うわけ。ドンクライアイアイアイア〜イ〜だからいいんであって、日本語にすると違う曲になっちゃうって相当抵抗したんだけど、最後にはもうCMの会社の人も事務所の人も「CMだからこうしてくれ」って言うんで、折れるしかないなと思って、「わかりました。日本語で歌います。そのかわりこれ歌ったら事務所やめます」って啖呵まで切った。そしたらヒットしちゃったもんで、手のひら返しですね、アーティストって（笑）。そんなことなかったかのように今も歌ってます。

この年は12月に川島なお美さんのアルバムをプロデュースしてますね。秋くらいに頼まれたんだけど、彼女はビートルズ好きだから『OVERLAP』を聴いて僕に頼もうと思ったらしい。作詞家として同じ須藤門下の田口（俊）くんと一緒にやったんだけど、同時に翌年出る薫ちゃんのアルバム『PLANETARIUM』の曲も全部書いた。そのせいで薫ちゃんのレコーディングにはあまり参加できなかった。川島なお美さんのレコーディング作業と並行して薫ちゃんの『PLANETARIUM』

用の曲を東芝のスタジオの小部屋で必死になって書いてたのを覚えてる。稲垣潤一くんなどにも曲提供をしていたから、もう自転車操業。

『STARGAZER』制作中に起きた不思議なこと

83年4月に出したアルバムが『STARGAZER』。SF的なテーマを盛り込んでいこうと思った。（フランシス・フォード・）コッポラの『ワン・フロム・ザ・ハート』っていう映画を観たら、セットで地平線とかを作っているわけですよ。セットにはセットのよさがあるじゃない？　だからジャケットのこの地平線は『ワン・フロム・ザ・ハート』から来てるんです。前作でもやった、1曲1曲違うジャンルにしてホワイト・アルバム形式でいこうと思ったんだけど、テーマはひとつに向かったほうがいいかなと。だからこれはSFっぽい。ライブもドリーマーズが演劇集団的になってきた。実際にコントっぽいことをやったりね。それもこれもWonderful Moonが大きかったのかもしれない。

83年だと2月にユーミンの『REINCARNATION』、3月に薫ちゃんの『PLANETARIUM』、4月に僕の『STARGAZER』、みんなSFっぽくない？

レコーディングでも、スタジオ・ミュージシャンと一緒にバンドみたいな音作りができるようになった。レッド・ストライプスの頃からそれを目指していたんだけど、それがようやくあまり説明しなくても僕が何をやりたいのかわかってくれるようになってきた。鈴木茂さん、岡沢章さん、島村英二さん、中西康晴さん、この人たちだったらスタジオ・ミュージシャンのクオリティでお仕事の香りがしないバンドの音が出せる。あるひとつの完成形に近づいたのがこの時期。デモテープは打ち込みでも、実際のスタジオ作業で打ち込みはまだそんなにやっていない。

レコーディング中は不思議なことが起こるんだよね。未確認飛行物体みたいな光を見たり、歌詞で行き詰まったときに田島さんが持ってきた小道具のテレビを見て〝壊れたTV〟って歌詞が思い浮かんだり、自分の予想していないところに答がポロっと見つかるようなことが増える。このときに感じたのは、誰かが手伝ってくれてるんじゃないか、ということ。それが誰かはわからないけどね。

例えば歌詞。僕は須藤さんに会うまでは歌詞は洋楽みたいなのでいいやって思ってたけど、やっぱり歌詞って大事なんだと。僕はポールと同じでメロ先なんですよ。そのメロディに合う歌詞、文脈が合って、ビートもなるべく合って、平凡じゃない、あまり人が使っていない言葉を探すわけです。クロスワード・パズルじゃないけど、メロディは横のマス。そこに合う縦のマスを探すときに、こんなことを思ったわけです。もしかしたらこの完成形はどこかの宇宙にもうあるんじゃないか、まだ見つけられてないだけなんじゃないか、って。探しながらそんな意味もビートも合って新鮮な言葉なんてないよ、って思うんだけど、いや、どこかにあるよ、どこかにあるよって思って探すと見つかる。

よく例えて言うのは、部屋の中で鍵を探すとするじゃない？ そのときに「たぶん」この部屋の中にあると思って探すのと、「絶対」この部屋にあると思って探すのでは、探し方が違うでしょう。だから、ここに当てはまるものが絶対どこかに存在してると思って探すと、必ず見つかる。見つからなかったことは1回もないと思う。どこかの不思議な部屋に絶対ある、でもその部屋に入るのには邪念を持っていたらダメだとわかった。お金のことを考えたら入れない。あと欲目、いい曲を作ろうっていう欲目は別として、今の時代にはこれがウケるだろうとか思ったらそれは見つからなくなる。それに気が付いたから、ますます頑固になった（笑）。

須藤さんは担当アーティストに同じテーマを振ることがあって、そのひとつが「ピアノを弾く女」。ちょっと神秘的でかっこいいよね、っていう理由らしくて、僕に振ってできたのが「ガールフレンド」、村下孝蔵くんに振ってできたのが「ゆうこ」、そして国安修二くんは「ねぇ」（作詞・田口俊）。みんなシングルになっている。そういう面白いことをやる。作るっていうのは本当に面白いよね。『HAVE A HOT DAY!』のとき「Crying Angel」って曲で〝夏の日は終わるって知らなかったの〝の〝夏の日は〟は、〝夏の日も〟にするともっと深いよって言われて、そうか、と。〝夏の日も終わる〟だと後ろにあるもの、背景が見えてくるじゃない？「てにをは」でこんなに変わるんだっていうのを教えられた。

6月には須藤さんとデザイナーの田島さんとニューヨークへ行ったんですよ。佐野くんが向こうに住んでたから会いに行った。僕はアメリカ本土には行ったことなかったから、じゃあ行こうよってことで3人で。最初にニューヨーク、そのあとロサンゼルス。行く前に文化放送のディレクターの出川さんから「ニューヨークに行くんだったらミュージカル観たほうがいいよ」って言われた。ミュージカルはあんまり好きじゃなかったんだよね。『ウエスト・サイド・ストーリー』も「なんで決闘の最中に踊るんだ？ その隙に刺せ」って思ってたんだけど、まあ観たわけですよ。『42ndストリート』『ナイン』『ドリームガールズ』。どれもめっちゃ面白くて、「これですか！」って思った。それがそのあとのライブにもつながるんですよ。大げさなところとか、もちろん苦手な要素もある。だけど、踊りとか演技を主体に考えない。歌手がたまたま演技をしていたり、歌手が補足のために踊っているって考え方をすればいい。例えば歌も、作った本人がそこで歌うのがいちばん説得力あるじゃない？ そういう考え方で、ロックやポップスの目線でミュージカルを考えるようになったのがこの頃。

佐野くんとは2回くらい会ったかな。佐野くんの家にもお邪魔して、できたばかりの「TONIGHT」を聴かせてもらったし、一緒にスペイン料理も食べたし。この間会ったとき、「NY滞在の最後の日に一緒にごはん行かないかって言われたんだけど、僕は用があって行けなかったのが心残りなんだ。あのとき佐野くんの友達が亡くなったばかりだったそうだね」って言ったら佐野くんは、「そうなんだよ」って言って39年前を思い出していた。

この年のライブと言えば、今でも忘れられないことがある。STARGAZERツアーで、国立か立川のとき。アルバムも初登場でオリコン上位に入って、嬉しいはずだったんだけど、実はその日のライブのできが自分としてはあまりよくなかった。声もいまいち出ないしミストーンも多かった。にも関わらずツアー初日で観客ウケが今までいちばんよくて、しかも終わって外に出たら出待ちの人たちがワーっていて、逆にすごい落ち込んだ。「こんなに納得のいかないライブだったのにこれでいいのか?」。これがいいステージで、アルバムも好調で、だったら胸を張れたのに。それまでは他の人のを見て「出待ちがいるなんていいな」と思っていたんだけど、実際にそうなったときに「この評価に僕は値するんだろうか、むしろ厳しく言ってくれたほうがいいのに」。雨の中、高速を運転して帰りながら虚無感に苛まれたのを覚えてますね。でも今から考えると天狗にならないでよかったのかもしれない。楽天的だから次のライブの日には持ち直してたしね。

話はちょっと飛ぶけど、佐野くんと、ビートルズで好きな曲より嫌いな曲を訊いたほうがその人の個性が出るって話になった。佐野くんは「ドゥ・ユー・ウォント・トゥ・ノウ・ア・シークレット」なんだよね。そんなに嫌いになる理由がわからない曲じゃない？　僕は「イエロー・サブマリン」なんだけど、そう言いながら金沢明子さんが歌った大瀧さんの「イエロー・サブマリン音頭」に参加しました。「リバプール関係者は来い」って言われて、リバプール行ったことないんだけどなって思いながら、僕と銀次さんと佐野くんで行った。新大久保のフリーダムスタジオ（現　FREEDOM STUDIO INFINITY）で、大瀧さんがいて、音頭を聴かされて、「最後に何か一言言え」って言われたから、僕は「ハザマケンジ！」（「イエロー・サブマリン」のB面「エリナー・リグビー」のファザー・マッケンジー）って言って、佐野くんは「オール・トゥゲザー・ナウ」だったかなぁ。銀次さんも潜水艦の乗員風にシャウトしてました。

デザイナーの田島照久さんと。

第6章

いとしのテラ

20代から30代へのプレゼント

レコーディング・スタイルの確立

僕の提供曲を集めたCD BOX『Mr. Melody』を出すときに人気投票をやったんだけど、1位になったのがハイ・ファイ・セットに書いた「素直になりたい」。リリースは84年の1月だった。

ソニーに移籍して須藤（晃）さんが担当することになって、アレンジは新進の井上鑑。その頃ハイファイはマンハッタン・トランスファーみたいなことをやっていたじゃない？　もちろん大先輩だし赤い鳥から知っていたんだけど、せっかくだから違うことをやりたい、ちょっとR&Bっぽいことをやってみようかなって思って書いてみたら、面白がってくれた。鑑さんのアレンジもよかったしね。でもコーラスアレンジまでやることになって、「コーラスの巨匠に僕がですか？」って思ったんだけど頑張って苦手な譜面を書いていったら、案の定トシさん（山本俊彦）に「汚ねぇな、この譜面」とか脅されながらも一緒にコーラスをやったんですよ。それ以来すごくかわいがってくれるようになった。

それからはしばらくスタッフ・ライターのように書いてた。トシさんはよく「俺も杉みたいにいい曲書きたいんだよ」って言っていたけど、僕は『Pasadena Park』ってアルバムの1曲目に入っている「水色のワゴン」がハイ・ファイ・セットでいちばんいい曲だと思ってる。あれはトシさんの曲なんだよね。トシさん、もうお亡くなりになっちゃったけど、飲みにも連れていってくれた。大御所との仕事はいろいろ大変だけど本当にやってよかった。

そして「いとしのテラ」。テラは味の素から出ていたアイソトニック飲料。いまいち美味しくなかったんだけど（笑）。ＣＭの打ち合わせがあって、絵コンテを見せてもらったら、地球が空に浮いてるっていうＳＦチックなイメージ。商品名は歌詞に入れなくていいって言われたんだけど、あえて使っちゃえと思って、「いとしのテラ」と後にアルバムに入る「永遠のシャングリラ」っていうのを書いた。その2曲は僕にとって兄弟曲。すぐにＯＫが出て、ツアーのスポンサーにもなってくれて。

そして本も書こうっていうことになって、アルバムと同時進行で作っていたのね。レコーディングだけでも大変じゃない、14曲も入ってるし。だから本は須藤さんと分担して作ったんだけど、それは置いといて、まずレコードの話。

映画っぽい作り方をしようと思って、テーマは時間。時間もののＳＦ好きだからね。曲調はバラエティに富んで、テーマはひとつでもいろんな曲調の曲が入ってる。毎回そう思ってるんだけど（笑）。擬音とか効果音もいっぱい入れたかった。いろんなところにあるような効果音集とかは使わないで、街に出て雑踏の音を録ってくる、そういうやり方をしようと。

「スターライトラプソディ」って曲は１９３０年代のミュージカル調で、ブラスやオーケストラが入っていたりするんだけど。最初はパーティーで彼女のドレスにシャンパンをこぼすところから始まる。ミュージカルみたいにバース（本編に入る前の導入部分）がついているんですよ。バースって、大抵語り口調で始まって、そこにリズムが入るじゃない。だったら逆にしてみようかなと。アップテンポで始まって、グラスが割れる音からスローになる。そのグラスが割れる音が欲しい。六本木のセディックっていうスタジオでやっていたんだけど、スタッフがグラスを買いに行ったのね。「割れるときにいい音が出るグラスはどれでしょうね」って店員さんに聞いたら、お店の若いお姉さんに怒られたんだって。「割るために作ってるんじゃないです」って言われて、「いや、これはレコーディングで」って説明したんだけど「もし割りたいならその前に1回だけでもこのグラスで何か飲んでください」。いいこと言うよね。感動して、全員1回それで水を飲んでから割る音を録った。

『STARGAZER』から自分のレコーディング・スタイルはある程度決まってきた。いつものメンバーを呼べば大丈夫、って。ハイ・ファイ・セットもコーラスで参加してくれた。

前の年にニューヨークで買ったアナログ盤がジュリー・ロンドンの『ジュリー・イズ・ハー・ネーム』ってやつで、ベースとギターだけでやっているアルバム。名盤らしいんだけど、1曲目が「クライ・ミー・ア・リヴァー」で、それが後に「ウイスキーが、お好きでしょ」のモチーフになる。

　ウッドベースとジャズギターだけの曲を俺もやりたいなと思って作ったのが「冬の海に」。後に「ウイスキーが、お好きでしょ」につながる。レコーディングではジャズベースの稲葉（邦光）さんとギターの中牟礼（貞則）さんという大御所を呼んで信濃町スタジオで録ったんだけど、うまく歌えないんだよね。ルートを弾いてくれなかったり、リズムキープするものもないし、自分の曲なのに歌えねえ、と思って、「すいません、ここではもう少しルートを弾いてください」って甘いことを言ったりして。リズムも途中でフォービートになるんだけど、うまく乗れない。そんなのやったことないから2人に合わせられない。でもやってるうちに「あ、俺が合わせようとするからダメなんだな」とわかった。こっちが自分のペースで歌えばこの人たちは俺に合わせてくれるはずだなって思って、好きなように歌ったらばっちり合わせてくれて、「そういうことか」と。勉強になった。

　その何年か後に「ウイスキーが、お好きでしょ」を作ることになるんだけど、あの石川さゆりさんのバックで弾いてくれているのも中牟礼さん。そしたら何年もたって石橋凌さんと行った吉祥寺のジャズ・バーで、その中牟礼さんが弾いてたの。偶然。休憩時間にファンのような顔をして「遠い昔にベースの稲葉さんと2人で弾いてもらった杉です」って言ったら「覚えてるよ！」って言ってくれた。そんなことがわりと最近あった。それもこれもニューヨークの中古レコード店でたまたま買った、あのアルバムのおかげかな。

アルバムでしかできないことってあるじゃない？　ただ1曲1曲を並べるだけじゃなくて、起承転結が大事。特にアナログは、途中で一息ついてB面にするとかあったじゃない。ギルバート・オサリバンの『ヒムセルフ』ってデビューアルバムは、「ギルバート最初のご挨拶」っていう邦題の、「これが僕のデビューです」っていう短い歌が最初にある。その次のアルバム『バック・トゥ・フロント』も挨拶曲があって、最後にも「どうでしたか？」っていうのが入ってたりする。それはアルバムだからできること。だから『STARGAZER』では「SHOW GOES ON」っていう短いのを1曲目にした。『mistone』では「Celebration」っていう、このアルバムの登場人物がちょっと出てくる、顔見世的な短い曲。アプローチはミュージカルなんだけどサウンドはウイングスっぽい曲を書いた。最後にもう1回「Celebration」が出てきたり、カーテンコール的な「タラップにて」ではハイ・ファイ・セットと一緒にジャズっぽく、映画のエンドロールみたいに登場人物のことを歌う。映画『シャイニング』のエンディングのイメージで作った。このアルバムではいろいろ試させてもらいました。

「いとしのテラ」はB面の最後のほうに入ってる。流れからしてどこに持ってくるかを考えたらこの位置だった。トラックダウンが終わって曲順をつなげて、夜のセディック・スタジオで、デカい音で、「冬の海に」のエンディングのSEの波の音が消えていって「いとしのテラ」のイントロのシーケンス音が聴こえたとき、まるで天空から星が降ってくるみたいで、そこにいた全員がトリップしたのを覚えてる。あれは衝撃だった。スタッフ全員に鳥肌がたった瞬間。

84年3月14日、僕の30歳の誕生日に取材があるって言われて、渋谷のマックスロードって喫茶店の地下に行ったら、バンドのメンバー勢ぞろいでサプライズ誕生パーティーをやってくれて、すごく嬉しかった。「びっくりしたよ。じゃ、先に取材やっちゃおうよ」って言ったら「取材なんてないですよ」(笑)。パーティーが終わってその日の夜にレコーディングしたのが「いとしのテラ」だった。よく言うんだけど、この曲は20代の僕から30代の僕へのプレゼントだと思ってる。

この4小節のイントロは後からダビングした。「こんなイメージで」ってリクエストしたら、佐藤準さんがやってくれた。天才だよね。普通、あれは考えない。ライブで再現するのは苦労するけど。

あと「七番街の雨の朝」は、ニューヨークに行ったときに雨の朝タクシーに乗ってどこかで降りたんだけど、日本のタクシーの自動ドアに慣れてるから閉め忘れたんだよね。そしたら黒人の女性のドライバーが「閉めろ!」。そのドライバーの気丈な感じとそのときの雨が頭にあって、それを歌にした。

その当時ヒッチコックが好きだったんで、リバイバルで映画館に観に行ったりビデオを借りたりしていた。「二人には時間がない」も、僕と君は出会いたいのだけど、僕を乗せた電車は君が立っているプラットホームを通り過ぎていく――ってなんとなくヒッチコックぽいじゃない？

この頃からドリーマーズのコーラスに（楠瀬）誠志郎くんが入ったんですよ。よく遊んだなぁ。ドリーマーズは9人いたから野球チームを組んだ。僕がリーダーでもあるのでピッチャーをやれって言われて、やったこともないのにやって、誠志郎はリトルリーグの経験があるからキャッチャー。深夜の高速道路の下でキャッチボールをしたりして。じゃあユニフォームを作ろうって話になって発注したんだけど、誠志郎が「白じゃダメ。僕らは弱いんだから色だけでも派手にしましょう、ショッキング・ピンクにこれを染めましょう」ってことで誠志郎が全員のユニフォームを持って帰って、そのまま何十年もたつ（笑）。

ちょうどその頃住んでいた家の向かいが小林克也さんのお宅で、ごはんを食べさせてもらったり断水のときはお水もらったりしたな。あるとき誠志郎と近所のプールに行こうとしたら、克也さんの家の前に耐震車が来て人が集まっていて、「誰か乗りませんか？」。面白そうだから誠志郎と乗ったら、震度4でももう立っていられない。つかまってもいられない。居間のセットでオロオロする僕らは、下は海パンで、ドリフのギャグに見えたと思う。

本とアルバム『mistone』

『mistone』というタイトルは、「It's Time」の歌詞からとった。『シャボン玉ホリデー』で言うと「スターダスト」みたいなエンディングの曲なんだけど、〝大きな時の流れがシンフォニーだったら立ち止まる僕らは小さなミストーン〟っていう歌詞がある。前々回から、アルバム・タイトルを歌詞から持ってくることにしていて、大きな時の流れにちょっと逆らってる僕たちはミストーン（間違った音）、そういう意味合いです。

本のタイトルも『mistone』。写真とショートショートで構成されている。今は高値で売られるようになっていて、僕も手元になくて、この前、人にもらったんだけど。

代表作だと自分で思ってるのは「二人には時間がない」っていうビートルズをテーマにした話。書いているうちに、これは本当の話なんじゃないかと思えてきた。実話を活かしているんだけどね。何世紀も先の未来に音楽プロデューサーがいて、奥さんもいる。ちょうど時間移動が片道だけなら実現できそうな頃。でも一般人が勝手にやるとまずいから、時間局が監視している。そのプロデューサーはその時代の音楽に絶望して、「自分の役目は何なんだろう？」と悩んでる。彼には憧れの人がいて、はるか昔、1960年代のミュージシャン。その時代に密航を試みるんだけど、奥さんが協力してくれてそこに行くことにする。でももしその憧れのミュージシャンに出会ったら歴史が変わるかもしれない。変わったら未来に残してきた奥さんが存在しなくなるかもしれない。計画をあきらめかけたとき、奥さんが、歴史に残るような大物ミュージシャンじゃなくて、歴史から消えていった名もなき人なら未来に影響がない可能性に気付く。そして憧れのミュージシャンに影響を与えた無名ミュージシャンがいたことを突き止めて、会いに行くことを決める。そのミュージシャンは1962年にデッカ・レコードのオーディションに落ちて歴史から消えたビートルズっていうグループ。で、1961年のキャバーン・クラブにタイムスリップして演奏を見て衝撃を受けて、マネージャーを買って出るわけ。で、レコードを出したら、知っている歴史とは違って「プリーズ・プリーズ・ミー」が1位になって、世界を席巻する。いつしか彼はブライアン・エプスタインの役目をしているわけ。レコードを出すことで未来の奥さんにメッセージを送る。たとえば必ず帰るからって意味で「アイル・ビー・バック」をレコーディングするとそれが未来のレコード棚に現れる。だけど病気になっちゃう。彼がいた未来ならどうってことない病気が、その時代では不治の病だって知って、「ヘルプ!」って曲を作ってメッセージを送る。ジョンから「キミはどこから来た人なんだ」って聞かれて、それが「ノーウエア・マン」

になるとか。そして「ストロベリーフィールズ・フォーエバー」の最後に未来に向けた暗号を入れる。要するに「僕は死ぬけどこのジョンという男を助けてくれ。ポールにはいつも希望があり、ジョージにはインドがあってリンゴには友達がいる。だけどジョンには何もないんだ」っていうメッセージを奥さんに送る。やがて彼の死後、彼女は変装して未来からやって来てロンドンのギャラリーでジョンを待ってる。ヨーコという東洋人の女性として。

そのあと、ジョンとヨーコの平和運動のおかげで未来はピースフルな世の中になっていくんだけど、時間局は歴史のゆがみを元に戻そうとして、１９８０年のダコタハウスへジョンを暗殺しに行く。簡単に言っちゃえばこういう話なんだけど、今思い出してもよくできている。漫画の『僕はビートルズ』や映画『イエスタデイ』よりずいぶん前に書いたんだけどな。

本のプロモーションで筒井康隆さんと対談したこともあった。赤坂のホテルに早く着きすぎちゃったら筒井先生も早く着いていて、２人で雑談してスタッフを待っていた。すごく貴重な時間だったのに自覚がなかったことを後悔してます。

進化していくライブ

もうひとつはライブ。このＳＦチックな世界をどう表現しようってことで考えて、ヒッチコック風に影を使おうと思った。キョードー東京の遠山さんと相談して、鉄柱を組んで2階建てのステージにして、ミュージシャンはみんな2階。1階は幕があって、後ろから影絵みたいなアートを映せる。ミュージシャンはそれぞれアラブの富豪みたいな恰好をしたりポリスマンだったり、劇団のようだった。前の年の監督物語はギャグが多めだったけど、今度はもっとミュージカル寄り。ときどきメンバーは下に降りてきて絡むわけ。ギャンブルをやったりとかね。そういう面白い演劇みたいなことをやった。

そのステージで、これはナイスなアイデアだったと今でも思うのが、前半のMCでデジャヴの話をするわけ。既視感、デジャヴにはいろんな説があって、ついさっきの記憶のファイルが昔の場所に紛れ込んで錯覚を起こすって説。そんな話をしながら僕がピックを落とすと、コーラスの誠志郎が「ハクショーン」ってクシャミをする。「風邪大丈夫？　じゃあ次の曲は『七番街の雨の朝』です」で曲が始まる。で、ショウが進んで気が付くと後半にまた僕がさっきと同じデジャヴについてのMCをして、ピックを落とす。誠志郎が「ハクショーン」ってやって、「風邪大丈夫？じゃあ次の曲は『七番街の雨の朝』です」。つまり生デジャヴを地でいくわけ。「あれ？」って思っていると、今度は途中で夢から覚めるようにベルがリーンとけたたましく鳴って、「バックステージ・ドリーマー」が始まる。いいアイデアだった。ユーミンみたいにショーアップしてすごいことをしたい気持ちもあったけど、そんなお金はかけられないから、アイデアを絞って楽しんでたね。今から思うと充分お金かけたステージだったんだけど、アイデアはやっぱり大事。

ついこの前まで客席よりステージ上のほうが人数多かったのにね。いつまでこんなことをやれるかわからないから、やれるときにやっておこうと。バンドのメンバーも家族みたいになって、公私ともに仲良くなっていた。

音楽誌の表紙にもなったりしたけど、なんだろうな、どこか他人事のところはあったかもしれない。親とか親戚とかは喜んでたけどね。大学をやめたこともこのとき認めてくれた。

ツアーで福岡に行ったとき、たまたま高校の同窓会があった。中華料理屋を借り切って、僕らの学年だけで何十人も来て。卒業から10年くらいしかたってないんだけど、友達がみんなおとっつぁんになっていて（笑）。中でも超おとっつぁんがいて「おう、懐かしいな」とか言われたんだけど相手が誰だかはっきりわからない。「どちら様ですか？」なんて言ったら博多もんは「なんね、おまえその水臭い言い方は」とか怒るから適当にタメ口きかなきゃいけない。「杉は変わんないな」とか言うから、その見覚えがあるおとっつぁんに「おまえも変わってないな」って言ったら、なんと恩師の清水先生だった！　宗教の授業で俺に90点をくれたあのリスペクトする清水先生。みんな唖然としてる中、「先生！　すみません」って謝ったという顛末。

逗子マリーナでライブをやったのもこの年だし、アリゾナに撮影に行ったのもそう。あとはけっこう人に曲を書いてる。

思い出深いのは中村雅俊さんかな。いつもそれなりに機材を使ってデモテープを作るんだけど、このときはツアーに向かう朝1曲ができて、ラジカセでギター1本で録って提出した。でも手を抜いてると思われるのはシャクだなと思って、ポール・マッカートニーがよくやる、最後の語尾の余韻を1オクターブ上げるやつで歌ったのね。「ゴールデン・スランバー」とかみたいに。出来上がってきたらもうばっちり中村雅俊さん節になってて、最後の最後に1オクターブ上げをしていて（笑）。「そここだわってないのにやってくれたんだ」と思って嬉しかったんだけど、そうしたら何年か後に、YouTubeにあがっている、上海か台湾の歌手が歌ってる映像の曲のクレジットに「作曲・杉真理」って出てる、作詞は難しい字でわからない、ってファンの人から指摘された。探して観てみたら、でっかい会場で「お待たせいたしました。持ち歌の18番です」みたいな感じで歌っているメロディにどうも聞き覚えがある。言葉が違うから「う〜ん、もしかしたら……」って思いながら聴いていたら、最後の語尾の余韻がオクターブが上がって、俺の曲だー！そういう可笑しなことも、長くやってると起きるよね。

第7章

レディオ我々

二巡目が始まり、松尾清憲と出会う

ラジオ・パーソナリティとして

ラジオも僕の大事なチャンネルとしてずっとある。最初に担当したのは80年の『4ウエイ・ミュージック・ストリート』という、全国ネットで4人が週替わりで担当する番組。大江千里くんとか、林哲司さんとか、いろんな人が替わる中で僕だけは15年くらい続いてたのかな。アンドリュー・ゴールドとか10CCとか、いろんなアーティストがいっぱいゲストに出てくれた。

あと広島FMでやった『シャープ・ポップ・クルージング』は僕が書いたコントから始まるのね。ゲストと一緒にコント。ユーミンとかもやったよ。大貫妙子さんとか稲垣潤一くんとかやりそうもない人や、藤真利子さんみたいな本物の女優さんもコントをやってくれて、当時は人気を博した。84年はFM東京で『コージー・ポップ・フィールド』ていうのが始まったんだけど、リクエストハガキに「お名前がコージさんだということしか知らないのですが、どんなことをなさっているのですか?」って(笑)。違うよ、コージーはスポンサーだよ。

85年はFMヨコハマが開局した年で、『マジカル・ポップ・ツアー』っていう30分番組を月~金でやってた。薬師丸ひろ子さんがゲストで来てくれたとき「移動中にいつも聴いています」って言ってくれた。収録のときは、重たいアナログ盤を家から袋に入れて持って行ってたなぁ。

この年に出したアルバムは『SYMPHONY#10』。ラジオがテーマです。僕は基本的にラジオから始まった人だから。テレビがなくてもミュージシャンになっていたと思うけど、ラジオがなかったらなっていなかったと思う。

ちょうどそのときカーペンターズの『ナウ・アンド・ゼン』が好きでよく聴いていた。僕は、カーペンターズが現役のときはあまり聴かなかったの。ロックじゃないからって。「スーパースター」はオリジナルのレオン・ラッセルのほうがいいし、特にビートルズの「涙の乗車券」の〝She don't care〟の〝care〜〟。そのケーはないだろケーは（笑）、とか思って。でもこの頃から、カーペンターズってもしかしてすごいのでは、と思って『ナウ・アンド・ゼン』を聴き直したら音楽性が高くて、B面はラジオがテーマでジャン&ディーンやオールディーズの名曲とか、見事にカバーしてるじゃない？「おみそれしました」だった。

この年の4月に出た「I DON'T LIKE POPS」は当時流行っていた12インチシングル。みんなシングル曲のロング・バージョンかダンス・バージョンだったから、同じことやっても面白くないなと思った。そうしたら例のカーペンターズのB面のメドレーを思い出して、作ったのがこれ。飯で、途中の曲をつなぐのにいろんな人の台詞を入れようと思って、尾崎亜美ちゃん、EPO、飯島真理ちゃん、アン・ルイス、ハイ・ファイ・セットの山本潤子さん、竹内まりや、伊藤銀次さん、五十嵐浩晃くんに一言喋ってもらったのを編集して、60年代テイストの新曲をメドレーに仕上げた。

ポップス大好きな僕が「ポップスなんて大嫌い！」って逆説的に面白いでしょう。B面の「ON THE B SIDE」もけっこう人気ある。この間人気投票したらわりと上位だったんだよね。マニアックな人が多いのは嬉しい。

アルバムでは、ラジオがテーマだから「Key Station」って曲を作ったわけ。自分がラジオを聴いていたときは洋楽しか聴かなかったけど、気が付いたら僕も邦楽のアーティストだし（笑）、ラジオへのラブソングを作ろうと思った。今でも覚えてるのは、マニピュレーターの人に「杉さん、これからは打ち込みやったほうがいいよ。正確だし文句言わないし」って言われたんだけど、やっぱり生でやりたかった。正解だったなと思う。打ち込みは否定しないよ。逆に好きだよ。だいたいデモテープは打ち込みで作り始めるし。でも生演奏の不完全さがあとで効いてくる。ソウルフルな曲で、普通だったら歌詞にラジオから流れるビーチ・ボーイズやストーンズやビートルズが出てくるのが常套句のところを、日本のアーティストの名前をフルで入れてみようと思った。佐野元春とか浜田省吾とか伊藤銀次とかユーミンとか出したらどうなるんだろうって。誰もやってないでしょ。もし失敗したらとんでもなくダサいことになる可能性はあったんだけど、出したら好評だったんで、よかったなと。一世一代の賭けだったかもしれないな。もう二度とそんなトライはできない。

佐野くんには"I Wanna Be With You, Tonight"って一言入れてほしくてラジカセを持って行って、横浜文化体育館でライブがある当日のリハの前に、どこかのホテルの部屋を借りて何パターンか入れてもらった。浜田くんはスタジオに来てもらって「任せるから」って言ったら最後に彼の12インチシングル「Dance」のあのフレーズを入れてくれた。銀次さんにも頼んだ。

この年で大きい出来事は、松尾清憲さんとの出会い。ラジオのスタッフから「杉くん、松尾さんのデビューアルバム聴いた？　きっと好きだと思うよ」って言われて聴いてみたら、めちゃめちゃいいじゃない。ビートルズを感じさせて、ポップでマニアックで、会ってみたら福岡出身。「はよ言わんねん、なんばしよっと、こがんとこで」みたいな感じで（笑）、それから松尾さんとのお付き合いが始まった。ＢＯＸを組むのはもうちょっとあとなんだけど、松尾清憲という存在を知ったのがこのとき。

夏には観音崎のマリンスタジオができて、大江千里くんと一緒にライブをやった。隣接するゴルフのショートホールにお客さんを入れてステージを作って。夏の暑い日にみんな並んでてくれるんだけど、先にやる千里くんはマリンスタジオでリハーサルしてるのに俺たちはあとだからプールでのんきに泳いでたの。そしたらお客さんに見つかって、「杉さん、泳いでる！」。ライブ前に泳ぐ体力があるなんて若いよね。僕はドリーマーズで出て、加山雄三さんの「夜空を仰いで」を歌いたくて、台詞入りで歌いました。本当にきれいな夜空だったからね。

「K氏のロックンロール」のK氏は小林克也さんのこと。当時道をはさんだ向かいに住んでで、お世話になった。しかもラジオ界の大先輩。日本版ウルフマン・ジャックみたいな人。歌にしない手はないでしょう。

楽曲提供、プロデューサーとして

アイドルの人にいっぱい曲を書いてた頃でもある。松田聖子さんを筆頭に、早見優さん、松本伊代さん、堀ちえみさん、榊原郁恵さん、川島なお美さん、岡田有希子さん。意外なところでは三原じゅん子さん、島崎和歌子さん、石川セリさん、中原理恵さん、中村あゆみさん、荻野目洋子さん。

ちょっと遡ると、真田広之さんのデビュー曲「風の伝説」も書いた。作詞が野際陽子さん、作曲が杉真理、アレンジが井上鑑さんっていう異色の組み合わせ。真田くんの渋谷公会堂でのデビューコンサートでもステージに上がって応援メッセージを送った。「真田くんはいい奴です。是非みんな応援してあげてください！」。今じゃ大俳優で「真田くん」なんて呼べませんけど。

森山良子さんにも書いた。実は初めてサインをもらった人が良子さん。中学時代どこかのライブで何故楽屋まで行けたのかわからないけど友達と行って、サインをもらった。そんな森山良子さんに曲を書くことになって、シングルとアルバム半分くらい書いたのかな。自分が小さいときに憧れていたリスペクトしている人に曲を書くことになるなんて。ポール・マッカートニーに例えたら、ポールが大リスペクトしていたペギー・リーに当たる。73年だったかな。ポールはペギー・リーに「レッツ・ラヴ」って曲を書いているんだけどめちゃくちゃいい曲で、じゃあ僕も「レッツ・ラヴ」みたいな曲を書こうと思って、マイナーでジャジーで、でもメジャーなところもあって切ない、というのを頭に置いて書いたのが「LUCKY」って曲。良子さんにも喜んでもらえて、ラジオで一度、僕のギターで良子さんが歌ってくれたことがあったんだけど、今も好きな曲。例の、野音の飛び入り少年については記憶があいまいだったけど（笑）、『笑っていいとも』のテレフォン・ショッキングに良子さんのご指名で出演したのはちょっと自慢。

この頃から学園祭にも呼ばれるようになって、普通のツアーでちょっと演劇めいたことをやってたから、学園祭でもそんな感じだった。「パニック・イン・サブマリン」では、僕が曲の最後にピストルを出す、誠志郎がフランケン・シュタインの被り物をして客席から出て来る、そこにスポットが当たって僕がバーンって撃って誠志郎は倒れる演出だったのね。でも獨協大学かどこかのとき、エンディングが近いのに誠志郎が現れなくて「遅いな、遅いな」と思っていたら、実行委員の人に怪しい奴だと思われて捕まってた（笑）。「ダメです、今は杉真理さんのライブの最中です」って制止されたらしいんだけど、「いや、出演者です」って言っても被り物してるからモゴモゴ聞こえるだけでわかってもらえない。で、ようやくスポットライトが当たったら後ろから羽交い絞めにされた誠志郎がいた（笑）。

本当にバンドが家族みたいに仲が良かったから、ストレスは一切なかった。だから楽しい記憶しか残っていない。

86年は1月に「Let's City harmony」というライブをやりました。ブレバタ、小林克也さん、サックスのMALTAさん、ハイ・ファイ・セット、EPO。TVショウで、その音楽監督になった。踊ったりするわけ、みんなで。バンドはドリーマーズ。この前、音を聴いたけど、かなり凝っていてよかったんだよね。中野サンプラザでやったやつを1時間に編集して放映されたんだけど、大阪でもやった。振り付けがあるんだけど、ブレバタの2人が必ず逆なんだよね（笑）。みんなこっち向いてって言ってるのに、あっち向いてる。あの当時から面白かった（笑）。それが仕事始めかな。

だいたい年の前半がレコーディングで、後半がツアー、っていう感じだったんだけど、とりあえずもう自分の持っているパターンは一周しそうな感じだった。かろうじてやり残したことがあったからやろうと思ったことが、この年のアルバム『SABRINA』には表れている。一サイクル終わっちゃって、普通で言えば前の焼き直しのパターンをやることになると思うんだけど、でもそれはやりたくないなと。

もうコンセプトコンセプト言うのも頭でっかちでイヤだなって思ってきたんで、いい曲、好きな曲を作るのに徹した。『SABRINA』っていうタイトルも、このときリバイバルで『麗しのサブリナ』を観たから。そこにコンセプトはない。ライターの誰かが言っていたけど、「毎回違う方向に行く人もいる、でも杉さんは螺旋階段のように同じところを行く、でも前よりレベルアップしたところに登っている」。あぁ、そうありたいな、って思った。

「よし、今度は全部打ち込みでこっちに行くぞ」とか一色に染まるのも嫌なタイプだからね。ミックスフライ定食、お弁当だったら幕の内系が好き。ポップスの幕の内弁当。

そうじゃなくても1人の人が作って1人の人が歌っていたら、ほっといてもコンセプトは出るよ。こういう絵を描くぞって決めて始めると、小さい絵になる気がしたのね。自分でもなんだかわからないけど、描いているうちに絵が出来上がって、遠くから見たら「こういうことだったのか」ってなるのがコンセプトだと思う。人間の頭の中で考えるコンセプトだけだとすごいちっぽけな絵になる。ビートルズだってそうじゃない。サージェントペパーズにしたって後付けでしょ。

つじつま合わせとも言えるし。俯瞰してみると本人もわからなかった絵が見えてくる。そのほうが楽しいじゃない、作ってて。だからこのへんからコンセプト、コンセプトしないことにした。

そして8月くらいにソニーのポップス・シンガーたちでオムニバス・アルバムを作ろうって動きがあって、それが『WINTER LOUNGE』になる。冬のアルバムって、夏からやらないと間に合わない。須藤（晃）さんと僕のプロデュース。それぞれのアーティストの曲のほかに、全員で参加できる、ナイアガラトライアングルで言ったら「A面で恋をして」的な、顔見世的な曲があったほうがいいなと思って作ったのが「Yellow Christmas」。ブレイク前のピチカート・ファイヴ、須藤薫、ハイ・ファイ・セット、（楠瀬）誠志郎、（南）佳孝さん、PSY・Sが参加して、アレンジはPSY・Sの松浦（雅也）くんに頼んだ。

当時ソニーはアーティストもスタッフも仲が良くてクラブ活動みたいに悪ノリも一緒だった。PVは所沢の洋館を借りて撮影して、クリスマスなのに神父さんとか神主とかお坊さんとかが出てくるんだけどみんなソニーの社員。あとで偉くなった人もいるんじゃないかな（笑）。全員でバカ騒ぎしたのを撮った。ポップス・セクションじゃない浜田省吾くんにも特別参加してもらったし、あとEPO、安部恭弘、飯島真理ちゃんにも歌ってもらった。歌詞は僕が書いたんだけど、その人が歌いそうな短いテーマを書いていった。ずいぶん楽しいものができたと思う。PV撮影のとき、浜田くんはツアーで熊本かどこかにいたんだけど、本番前のリハのとき、ドラムを叩きながら動画を撮ってくれて、すごく嬉しかった。

なんとなくこのへんから、プロデュースまがいの、まとめ役的なことをするのが多くなったね。盛り上げ役と言ったほうがいいのかもしれないけど。

音楽活動第二章を迎える

80年代の中頃から、時代が変わるスピードが速くなった気がする。尾崎豊くんは、スタッフがほとんど同じだったからスタジオですれ違ったりしてた。慌てて、持っていた本を全部落として「すみません!」とか、すごい礼儀正しい好青年だった。彼らのおかげで、これからはメッセージ・ソングが主流になるみたいなことを言われていたよね。でも僕の音楽にはなんのメッセージ性もない。そう言われたよ。ないよ、そりゃ。音楽がメッセージなんだから。無理やりにメッセージをつける必要があるのかなぁ。今もそうかもしれないけど、本来シンガーは歌だけでいいと思っている。その人が無理に詞も書く必要はない。餅は餅屋でしょ。なのに自分で作らなきゃダメだっていう風潮があるよね。ギブ・ミー・チョコレートじゃないけど、ギブ・ミー・メッセージな空気に嫌気がさしていて、単純に頭でっかちじゃない音楽を作ろうとしたのが『HAVE A HOT

DAY!』。

自分ではもうやりたいことをひと回ししちゃったからね。気楽なアルバムを作りたくて、夏っぽい曲ばかり集めた。歌入れとトラックダウンでロサンゼルスに行ったんだけど、街のチリドッグがおいしかったことをいちばん覚えてる。

ロサンゼルスで作業をしているときに、前の年に出した『WINTER LOUNGE』の評判がいいんで、夏バージョンも作ろうってことになった。僕はテーマとなる1曲を作ることになって、そのプール付きのモーテルで曲を作って、日本からはるばるやって来たソニーのディレクターにカセットを渡し、東京に戻ったらアレンジャーの新川博くんに渡すっていう。そういう時代ですよ。今だったらクリックするだけなのに。便利になったよね。

日本に帰ったらオケができていたから詞を書いて歌って、またPVも撮って、できたのが「Holiday Company」って曲。今回は種ともこちゃんとか、売れる前のプリンセス・プリンセスとかもいた。PVは、まず屋形船に集合して宴会のシーン。僕は奥居香ちゃんたちと野球拳をする会社員役。午後はまだ曙橋にあったフジテレビで、事務の仕事をしているふりをするシーンを撮った。またもや悪ノリ。みんな楽しんでたなぁ。

松本隆さんの映画『微熱少年』にも1曲書いた。この話も川原さん経由で来て、60年代のピーター&ゴードンみたいな曲を書いた。詞はもちろん松本さん。僕は松本さんの詞はすごく好きなんだけど、いろんなパターンがある中でマニアックっていうかクセのあるところがすごい好き。聖子ちゃんの「真冬の恋人たち」っていう大村雅朗さん作曲の名曲で、僕がひと声歌っているんだけど、それはスケートをしている聖子ちゃんに「可愛いね、君」って話しかけるナンパ男の役。それが2コーラス目ではナンパ男の声をまねて「可愛いね、君」とからかう彼氏の役。同じフレーズでグッとくる展開。さすがは松本さん、って感嘆した。

でもこのときは全然とがってない詞が上がってきたから、「えー?」って意外だったんだよね。甘々なラブソングで、「こんなにストレートでいいんですか」と川原さんに言ったら、「これは松本隆の映画で松本隆の歌なんだよ、だから注文はなし」って言われた。僕は、僕名義で出した作品でほかの人が詞を書いた曲って、いまだに4曲くらいしかないのね。そのうちの1曲。最初は松本さんらしい引っかかりがないからどうなんだろうと思いながら歌っていたんだけど、あると き佐賀の温泉に仕事で行ったとき、女将さんが「私、(松本さん作詞の)『Do You Feel Me』が大好きなんです」って言ってくれた。いまだにこの曲は、ファン投票のベスト10に入る。変化球もど真ん中の直球も書けるからこそ松本隆さんなんだと思い知った。

サザンの桑田(佳祐)くんと知り合ったのもこの頃。茅ヶ崎仲間のブレバタの幸矢さんとマナちゃんが紹介してくれて、一緒に食事しているうちに仲良くなった。財津（和夫）さんとか松尾さんも一緒に何回か食事会して、仲良くなったら、桑田くんのソロの「悲しい気持ち（JUST A MAN IN LOVE）」のレコーディングに桑田くんが呼んでくれて2人でコーラスをやった。完成したときは青山でパーティーがあって、出来立てのレコードを桑田くんが配っていた。

そしてBOXのデモテープを作り始めたのがこの年の大事なイベントかもしれない。

松尾さんがラジオのゲストに来てくれたとき、「ビートルズっぽいオリジナルをちょっと1回作ろうよ」「じゃあこのあとうち来る？」みたいなノリで、知り合いで誰かポールっぽいベース弾いてくれる人はいないかな、ドリーマーズのコーラスの小室（和之）くんは昔ベーシストだったしリッケンバッカー持ってるから声をかけよう、あとギターはレッド・ストライプスのマー坊（田上正和）を呼ぼうって、その日のうちに「Temptation Girl」と「ヒットメーカーの悲劇」を作って、カセットに録音しちゃった。それが20日間くらい続いたの。朝までやって、自分の仕事に行って、夜また集まって、じゃあ続きをやろうって。すぐにアルバム1枚分がカセットでできて、それを桑田くんに聴かせたらすごく気に入ってくれて、次の次の年のBOXのライブに飛び入りしてくれた。

うまい流れなんだよね。自分でワン・サイクル全部出し切っちゃってこれからどうしようかなってときに松尾さんと出会って、ＢＯＸで俄然やりたい世界が見えた。しかも世の中はビートルズっぽいことを誰もやってない。バンドブームで、流行は縦ノリになってくる。縦ノリじゃないバンドだからお呼びでない的な感じはあったんだけど、逆に誰もやってないからいいやと思った。ＢＯＸをやったおかげでいろいろ見えてきた。ＢＯＸでしかできないことと同時に、杉真理ソロじゃないとできないことが見えてきた。そして徐々に今度は自分の第二章を迎える。

とりあえずここまででソロ第一章は終わったというか、フェーズが変わったのはここ。自分の次につながる動きだったのがＢＯＸ。どこまでオリジナルでビートルズみたいなことができるか試してみよう、っていう。

やってみたらびっくりすることがたくさんあった。やっぱり内部に深く入り込むと違う。余計ビートルズのすごさを感じたわけよ。曲作り、音作り。しかも曲が短い。松尾さんのマニアックなところが僕にとって必要な部分だったりして、理想的な組み合わせだと思う。

2人で曲を作っていて、できなかったことがないんですよ。普通、1人で作っていると、途中でこっちに行こうかあっちに行こうかって、展開を悩む。選んだあともまたどっちか迷う。そう考えると無限に選択肢があるでしょう。最初の分岐点で右か左かのとき、俯瞰してるほうは正解がわかるから、「松尾さんこっちですよ」「あ、そうか」。今度は僕が悩んでると、「いや、それはこっちなんじゃない?」って松尾さんが言う。いちばんいい場所まで行く近道を、お互いが客観的に見ている。恐れ多いんだけど、ジョンとポールってこういうシステムだったんだなってわかった気がした。だからどっちが何を作ったかじゃなくて、一緒にいる場に何かが降りてくる醍醐味を知ったのは、松尾さんとやりだしてからですね。

第8章

Band on the Run

ＢＯＸの結成、初めて渡ったアビー・ロード

BOXの結成

ＢＯＸは、レコーディング・エンジニアを飯尾（芳史）さんにお願いしたのが大正解だった。飯尾さんとの出会いがとにかく大きい。ＢＯＸはデモテープ至上主義だから、４チャンネルのカセットで本番に近い形で作って、それをさらにグレードアップさせる。デモテープは旧約聖書、そこから新約聖書を作るんだ、みたいな感じ。

飯尾くんはイギリスに修業に行ったことがあるんですよ。トニー・ヴィスコンティ（音楽プロデューサー）のところに。彼の奥さんがメリー・ホプキンの頃。そういう人だからビートルズが使っていたフェアチャイルドっていうリミッターを持っている。真空管がもう製造されていないから常にどこかに買いに行ったりしている。彼がいたおかげで、僕のレコーディングに対する考え方が変わった点がいくつかある。

ミュージシャンなら誰でも経験があると思うんだけど、エンジニアの人が録音時に「これはあとで加工すればどうにでもなるから」って言うことがあるけれど、どうにでもなった試しがない。実際にいい音を出していないと、あとで加工してもいい音にならないっていうのが飯尾さんのポリシーで、アンプも全部試して、ギターとの距離も試して、いい音を録るっていうレコーディング作業だった。飯尾くんはもともとドラマーだから、ラディックの古いのも持ってる。伊豆で合宿レコーディングをしたんだけど、飯尾くんは夜な夜なドラムをダビングしたりパーカッションを入れたり、音響がいい螺旋階段みたいなところで録ってたり。それをつぶさに見ていて、レコーディングって冒険なんだなって。ビートルズはやっぱりそういう環境でやっていたから今聴いても音がいい。当時のストーンズとかは音が悪いんだけど、ビートルズはいつ聴いても音がいい。だからリミックスでも素晴らしい。もともとの、録ってある音がいいから。BOXのレコーディングで飯尾くんと一緒にやって、本当に勉強になった。

コーラスにしても、普通は1人に1本ずつマイクを立てて録って、あとでバランスをとるんだけど、まず、マイクは2本で、1本はリードボーカル、もう1本は2人で一緒にコーラスを入れる。ビートルズみたいに。他のマイクに音がかぶってもいいからそれを同時に録ったら、そのテイクが、音がいちばんよかった。臨場感もあるし、気持ち的にも一体化する。かぶっている音も含めてひとつにまとまるんだって改めて思った。それぞれのマイクで録ってあとでバランスを変えるほうがいい場合もあるけど、1本のマイクで「せーの」で録るほうが（音が）塊となって、いい場合もあるんだな。それも勉強になりました。

レコーディング前にもうほとんどの曲ができていた。けどそこでタイアップの話が来て、結局それはOKにはならなかったんだけど、「風の Bad Girl」をその場で作ってレコーディングをして、それがシングルになる。あとになって有名なドラマの脚本家、北川悦吏子さんが「この曲がずっと頭にあった」みたいな話をツイッターに上げてくれて、嬉しかったですね。ドラマのタイアップがボツになった曲だったのにね。

ＢＯＸはミュージシャン内でもすごく評判がよかった。参加してくれたのはまりや、白井良明さん、鈴木慶一さん、財津和夫さん、伊藤銀次さん、ＫＡＮちゃん。そして声優の池田昌子さん。「魅惑の君」はオードリー・ヘップバーンを夢見てる女の子の歌だから、途中の語りを入れてもらうならヘップバーンの吹き替えをやってる池田さんだなと思った。台詞は僕が書いたんだけど、「ティファニーで朝食を」をちょっとアレンジしたもの。信濃町ソニーでダビングしたんだけど、スタジオのトークバックで話していると、本当にオードリー・ヘップバーンと話してる気になるんだよね（笑）。池田昌子さん、気品があってきれいな人で、「今週『ソフィーの選択』のメリル・ストリープをやるんで見てくださいね」って言っていたのを覚えてる。

要するにオードリー・ヘップバーンと僕が絡むわけですよ。ＢＯＸのメンバー以外でも、飯尾さんも福岡の門司出身、マニピュレーターやってた森くんも確か長崎か佐賀で、スタジオでは九州弁が公用語だったのね。池田さんには自分のところだけ入れてもらって、みんなが帰ったら俺のところを１人で入れようと思ってたら、みんな帰らないの。「杉くん、俺らの前でやってよ」ってもう妬み嫉み（笑）。ヘップバーンが彼氏に「何してた？」って聞くと彼氏が「仕事さ」「そう」ってやりとりなんだけど、俺が「仕事さ」って台詞を言うと「な～んが仕事ね！ ツヤ～に！」。みんなが九州弁で罵声を浴びせる。だから1人でやりたかったのに（笑）。

ライブをやることになって、ドラムは誰がいいか考えた。まりやのベスト・アルバムで、ビートルズの「アスク・ミー・ホワイ」を銀次さんプロデュースでやったことがあったのね。そのときのドラムは島村英二さん。「あ、この人リンゴ・スターのことわかってる」、そう思える瞬間があったので、ドラムは島ちゃんに頼んだ。キーボードはホリプロの人の紹介で小泉信彦って新人が来た。

お披露目ライブは汐留ＰＩＴ。鈴木慶一さんが見に来てくれた。盛り上がったんだけど、あとで聴いてみたらボーカルが粗かったからみんな反省して、そこからは真剣になった。ノリだけじゃなくてちゃんと演奏しよう、と。

ビートルズ・テイストの曲ってライブでやって盛り上がるのかなって思ってたんだけど、やってみたらライブ向けじゃん！ 初期のこの人たちがライブでガンガン来てたのは、もちろんルックス、歌唱力、演奏力はあるけど、楽曲の力なんだな、って思った。「シー・ラブズ・ユー」なんて、あんなキャッチーな歌がいきなりドラムのドコンドコンで始まる。みんなガーっと歌ってて、しかもハーモニーがきれい。どこをとってもライブで持っていかれる。そういうのを目指して『BOX POPS』を作ったんで、実際にライブでやったらめちゃめちゃライブ映えするんだよね。曲も短いしね。

当時は事務所としても「なんでソロをやらないの？　よその事務所の人と組んでも責任とれないよ」みたいに見られてたところがあったし、ファンの中にも「いきなりそんなバンドでやられても……」って人がいたと思うよ。でもそれ以上にライブが盛り上がったんで、みんな本気度が増していった。

またレコーディングの話に戻るけど、ギターだったらマー坊がグレッチ、リッケンバッカーの12弦とかいろいろ持ってきて、ベースも小室くんがリッケンバッカーもヘフナーも持ってきて、アンプもVOXとかいろいろ組み合わせてみた。わかったのは、特にロックンロールの曲ではグレッチのリードギターとリッケンのサイドギター、ベースはヘフナー、ドラムはラディック、この組み合わせが最高。ビートルズってこんな風に全部試してみたわけじゃなくて、成り行きで組み合わせていたわけでしょう。最初から正解が降りて来てるんだよね。イギリスの地方出身者の4人、あれがベストメンバーだけど必ずしもオールスターではないわけじゃない。もっとうまい人もいっぱいいた。でもこの4人じゃないとダメだった。最初から決まっていたかのような流れじゃない？　そういう何かを引き込む場があるんだよ。レコーディングでも思ったけど、ビートルズにはそういう強力な磁場があって、いいことが全部舞い込んでくる。ジョンとポールには曲のアイデアがポンポン降りてくる。そのまわりにはブライアン・エプスタインやジョージ・マーティンとかの重要人物が集まってくる。今から思うとはっぴいえんどもそうじゃない？　レッド・ストライプスもシュガー・ベイブもそうだった。そういう不思議な重力場があるんだな、ってBOXをやって改めて思った。アルバムは『BOX POPS』。「あの娘のレター」をヒットさせたBOX TOPSっていうグループのシャレでもあったんだけど。

衣装は当時松尾さんのポリドールのディレクターで、葡萄畑のメンバーでもある青木（和義）さんの奥さんがスタイリストをやって揃えてくれて、それを着てましたね。やっぱりちょっと晴れがましい気分。ソロだと僕とバックバンドみたいなところがどうしてもあるんだけど、4人が対等に並ぶのは緊張感あるし、違う楽しさがある。

でもBOXは縛りが多いから、BOXに似合わないことは絶対やらせてくれない。マー坊も小室くんも僕のバンドだと僕の指示通り動いてくれるんだけど、BOXになると動いてくれない。「これ違うんじゃないの？」「これはやりたくない」「このフレーズはアメリカっぽくてダメだよ」とかね。俺と松尾くんが作った曲にダメ出しされるんですよ（笑）。

大学の後輩にＨＡＢＵくんっていう写真家がいる。最初は青山のベルコモンズとかを経営するSUZUYAの社員だったんだけど、そのうちSUZUYAのポスターを作ったりするようになり、外国にもけっこう行くようになり、オーストラリアに行って写真家になる。そのＨＡＢＵくんから、一度オーストラリアを旅しようって言われて行ったのが11月。彼の友達の家に泊めてもらったりしたんだけど、いちばん紹介したいって言われたのはロバート・ハリスっていう人。今は作家でInterFM897とかで番組やってるんだけど、当時はカンタス航空で機内ニュースを喋るバイトをしていて、本職は書店と画廊の経営だったりコーディネイターだったり。僕よりちょっと歳上で、ヒッピーで、ドロップアウトして外国に住んでいた人なのね。上智大学在学中に世界を旅して、67年にはインドの妖しい魔窟でサージェント・ペパーズを聴いたりしていた人。

もう本当に面白い人で、世界中を旅したときの話をたくさんしてくれた。北欧で太ったおじさんの車をヒッチハイクしたら迫られた話とか、中東でバスの中で一目ぼれした女の子と「このまま砂漠の民になっちゃおうか」って話とか、どんどん出てくる。女ったらしで人たらしなんだけど大好きで、本当に兄貴みたいに思っている。その数年後にオーストラリアを引き上げて東京に来てオーディションを受けてJ-WAVEのＤＪになる。そのとき僕もJ-WAVEで番組やってたから、お互いに「なんでここにいるの？」。今でも仲がいい。後輩からたくさん慕われてる魅力的な自由人。本当、テキトーなんだけど（笑）。彼と知り合って僕のラブ＆ピース度が上がった。

イギリスでのレコーディング

89年になって、ＢＯＸの２枚目を作ることになったんだけど、やっぱり事務所もレコード会社もそれはそれでソロもちゃんと出してよね、って。そこで『LADIES & GENTLEMAN』ってアルバムをレコーディングして、トラックダウンと歌入れでロンドンに行った。憧れのイギリス。その頃ＥＰＯが住んでいたから「Silent Night をぶっとばせ！」にコーラスを入れてもらった。いちばんの目的はストリングスを入れてもらうのと、パイロットのイアン・ベアンソン、アラン・パーソンンズ・プロジェクトのメンバーでもあるけど、彼のギターが大好きだったんで、２曲入れてもらった。

スタジオにはホンダのアコードに乗って現れて、頭も薄くなっていて（笑）、最初はイアンだってわからなかったんだけど、親日家でギターは超素晴らしかった。イギリスのラリー・カールトンみたいな人だったなぁ。ジャズっぽいんだけどポップで、どんなバンドが好きなのか聞いたらスティーリー・ダンって言ってた。やっぱりスティーリー・ダンは世界的にミュージシャンズミュージシャンだったんだな。

イギリスには3週間いた。「Silent Nightをぶっとばせ!」で〝常識と城壁はくずれるためにあるのさ〟って歌詞を書いたんだけど、その数か月後にベルリンの壁が崩れて、イメージしていた通りになっちゃった。もちろんアビー・ロードも行きましたね。横断歩道も渡りました。空き時間に詞を書きにハイドパークへ行ったなぁ。ハムステッドに泊まっていたんだけど、ハイドパークで詞を書いたのが「My Little World」。〝ローズパークの古いベンチで〟って歌詞が出て来るんだけどそれはハイドパークのこと。そういう風にゆっくり公園で詞を書いたりできたのは久々の体験だった。

BOXのおかげで自分にしかやれないことが見えてきたんで、次の章が始まった感じ。シングルの「Romancing Story」や「Rainbow in Your Eyes」も向こうで弦を録り直したりした。「Romancing Story」ははっきり言ってギルバート・オサリバンのオマージュ。ギルバート・オサリバン・テイストの曲は何曲かあるんだけど、これは今でも「よくできました」と思える好きな曲。ここでまたちょっと自分のソロ活動に魅力を感じてきた。BOXのメンバーも僕のソロ・アルバムに参加しているんだけど、やっぱり総指揮をとる自分がいると、BOXとは違うソロになるんで、それはそれで面白いなと思った。アベレージ・ホワイト・バンドのモーリーっていうサックスに「クリスマスのウェディング」で吹いてもらったりして、あのイギリスレコーディングは新しい章を踏み出すのによかったなと思う。

話は前後するけど、ロンドンに行く前にデビュー前の井上昌己さんに曲を頼まれた。デビュー前に僕のラジオを四国で聴いていてくれてたらしくて、「デビューするときは杉さんに曲を書いてほしい」と言ってくれて。レコード会社はトーラス。「わかりました、書きましょう」って書いてたんだけど、渡そうと思った曲を締め切りの日の朝に聴いてみたらなんか昌己ちゃんっぽくないなと思って、慌てて書き直し、違う曲でアプローチした。それが「メリー・ローランの島」というタイトルで、昌己ちゃんのデビュー曲になった。書き直してよかった。で、本当は昌己ちゃんに書いた曲が「歴史はいつ作られる」。かなりビートルズっぽい曲だから、自分のものとして歌っています。

このときはもうアナログ盤はなかった。最後は『BOX POPS』かな。やっぱり寂しかったよ、あのジャケットのサイズに慣れてるから。確かにデジタルだから劣化しないとかいろいろ、そのときはおいしい話があったからそれはそれで魅力ではあったんだけど、ジャケットが小さくなるのは寂しかった。途中で裏返さなくてもいいんだけど、あの裏返すって行為がね、自分の中で一区切りつくじゃない。だからB面の1曲目とかB面のラス前とか自分の中での位置づけがCDになってなくなっちゃった。どんなに好きなアルバムでもCDだと後半の曲順をはっきり覚えていなかったりしない？　曲順の考え方も僕は基本的に変わっていなくて、頭の中ではここまでがA面、ここからB面、って今も考えてる。人間の特性として、記憶力、忍耐力、感性をどこまで研ぎ澄ませられるか、60分ずっと集中して聴けるかって言ったらそうじゃないじゃない。だからもしかしたら人間の感性の許容量からしたら、アナログ盤のほうが合ってるのかなって今は逆に思うけどね。人間ってつい「便利」を優先して失敗するよね。

アルバム・タイトルは、イギリスの小さいミュージカル小屋かなんかでショウが始まる感じをイメージしてつけた。それにギルバート・オサリバンのデビューアルバムも1曲目がこの一言から始まる。響きがいいよね。

ライブもシンプルになっていく。それまでやっていたような演出に凝ったものじゃなくて、このへんから曲を聴かせるものになっていった。僕の中で演出はもちろん大事なんだけど、もっとちゃんと曲を聴かせたいよなっていうのと、曲と演奏者さえあればあとは付随するものだよな、と思って。そういう付随ものに、あまりにも力を入れてきたんで（笑）、基本に立ち返って曲を聴かせるライブにしようと。片やBOXはロックンロールでわーっと盛り上がるライブだったから、ソロはそうじゃないものをやろうと思ったのがこのへんだと思う。

この頃から、今まで歌わなかったこと、例えば「クリスマスのウェディング」なんて家族愛の歌じゃない？　そういうのは歌ったことがなかった。「Romancing Story」もラブストーリーだけど、自分の昔の恋愛の思い出をちょっと重ねたりしてたんで、ソロになったんだな、という感じがするよね。

話は飛ぶけど、次の『Wonderful Life』っていうアルバムで、1回逆方向に行くんですよ。例によっていろんな曲調があるんだけど、何を歌おうかなと思ったときに、「よし、1曲ずつ違う映画の監督になった気で作ろう」と。実際に映画からインスパイアされたのもある。例えば『ローズ家の戦争』っていう離婚がテーマの映画があって、それを元に「My House」を作ったり、「サーカスの二人」もサーカスが舞台になっている映画がある。ライブでこの曲をやったときは客席から女性をステージに上げて、ギロチンに彼女の手を入れて僕がその入れた手を握って〝つないだ手を離さずに〟って歌いながらコーラスの2人がギロチンを下す。もちろん手品だからセーフなんだけど、そんな演出もやった。それからユーミンが貸してくれたんだけど、レイ・ブラッドベリの短編小説でもあるし戯曲でもある「カレイドスコープ」っていうのがあって、これがすごいんですよ。

宇宙船が爆発して乗務員が散り散りになって無線で話しながら宇宙をいろんな方向に離れて行くっていう話で、最初はみんな恨みつらみを言っているんだけど、だんだん最後は本音で話すようになる。ある人は地球に向かって落ちていって、「最後にひとつでもいいことをしたい」って願いながら燃え尽きる。地上では子どもたちが流れ星を見上げて「願いごとをしよう、願いごとをしよう」ってはしゃいでいて、そこで終わるんですよ。昔読んだ「サイボーグ００９」のストーリーがそれだった。００９が死の武器商人と戦って、００２と逃げていくんだけど、燃料がなくなって２人は大気圏に突入して、燃えていく。すると、それを物干しで見ている姉弟がいて、「何を祈ったの？」って聞かれた弟は「おもちゃのライフル銃がほしい。お姉ちゃんは何を祈ったの？」「私は、世界中から戦争がなくなりますように」。わっ、これはブラッドベリへのオマージュだったんだ、と。００９もすごくいい話で今でも泣けてくるんだけど、石ノ森章太郎さんもブラッドベリに影響を受けて、ちゃんと自分の形に昇華させてるんだなと思った。

これを歌にできないかと思って作ったのが「Sister Maderin が愛した男」。まさにそのシチュエーションなんだけど、登場人物は宇宙飛行士ストレイカー。『謎の円盤ＵＦＯ』っていう番組が好きだったんで、そこから名前をとった。マデリンっていうのは彼女。ヒッチコックの『めまい』でキム・ノヴァクの役がマデリンっていう名前だったから。その２人を登場させて、曲調は「エリナー・リグビー」に寄せてブラッドベリの話を描いてみた。

言わば曲ごとに配役がいるフィクションだらけのアルバムで、最後に作った１曲が「Wonderful

Life」って曲。気が付いたら僕の大学時代の音楽サークルとバンドのことを歌ってた。こんなにも自分のことをまんま歌ったことはなかったのにね。今までも自分に近い登場人物はいっぱい出て来てたんだけど、この「Wonderful Life」で素の僕が出ちゃったんですよ。初めて分身じゃなくて「僕」が出ちゃった。昔から生き様を歌うのは嫌だって思っていたんだけど、これは歌うべきだなと思った。だからこの「Wonderful Life」は僕の中ですごく転機になった曲。

そういう昔の仲間の歌だったから、まりやにコーラスをやってもらおうと思ってた。何度も出て来るけどソニーのディレクターになった先輩の村上さん。村上さんと僕とまりやでハモろうと思ったわけ。で、音響ハウスを取って、まずまりやに来てもらったんだけど、そのときたまたまオフだった達郎くんがまりやを送ってきてくれた。最初は後ろで見学してたんだけど、「こういう風にハモったら？」とか「こういうのはどう？」とか言ってくる。だから「達郎くん、やらない？」って言ったら「高いよ？」とか言いながらやってくれた。まりや、達郎くん、僕の３人でハモった。村上さんにやってもらおうと思ってたところも達郎くんにやってもらった。たぶん村上さんじゃ歌えなかっただろうなぁ。オクターブ下から始まって途中でオクターブ上がるんだけど、達郎くんはそれをものの見事に歌った。後から来た村上さんには違う追っかけコーラスをやってもらったんだけど、そんな風に、歌ってる本人が実際にあったことを歌ってるというので、自分の中では宝物になってる。

でもそういうのって本人はいいけどまわりの人は嫌なんじゃないかとも思ったの。自分の人生のありがたいことを歌ってみんなは果たして共感してくれるのかなと思っていたんだけど、レコード会社の人なんかが感動したって言ってくれた。まりやと達郎くんが入ってくれたのもあるんだろうけど、説得力ってこういうことなんだな、って今さらながらわかって、これでシフトがまたソロに入ってくるわけ。

ポールの初来日とBOX『Journey To Your Heart』

90年と言えば、ポール・マッカートニーの来日だよね。初めてのポール。いやぁもう、「キャーッ!」て言う女の子の気持ちになりましたね。オープニングの映像が「ア・ハード・デイズ・ナイト」からだったじゃない。あれでもうぐわーっと。「ガット・トゥ・ゲット・ユー・イントゥ・マイ・ライフ」では中学のとき初めて『リボルバー』を聴いた自分の部屋がよみがえってくるわ、いろんなものが次々に浮かんできて、何故ポールが好きなのか、何故ビートルズが好きなのか、全部の歴史をさかのぼって、自然にウルウル来てた。

ちょうどこの2月に稲垣潤一くんの企画で、苗場でライブがあったんですよ。ドラムがオフコースの大間ジローさんと稲垣くん、ベースがカシオペアの桜井（哲夫）くん、キーボードが西本明くんと伊豆田洋之くん、ギターがスクエアの安藤（正容）くんと鈴木雄大、そして僕。そんなメンバーだったのね。カバー曲が中心。そこで伊豆田洋之という人がエリック・カルメンを歌うのを聴いて、「何これ？　レコード？」て思ったわけ。ポールを歌ったら「うわ、ポールだ」と思うし、「こんな人がいたんだ？」ってここで初めて知った。これが後のピカデリーサーカスにつながる。伊豆田くんと鈴木雄大は稲垣くんと事務所が一緒だったからこういうメンバーになったんだろうけど、いやぁ、あれはびっくりしたな。そこで疑似ポールを見たら今度は本物のポールがやって来たわけじゃない。それもあって、ものすごく記憶に残ってる。

ポールが帰ったあと、BOXの2枚目が出るんです。ビートルズは1枚目でやりつくしちゃったんで、今度はビートルズ・フォロワー、パイロットとかELO、10CC、そのへんをやろうと思って作ったのが『Journey To Your Heart』。そのタイトル自体がパイロット。ビートルズ・フォロワーにスポットを当てた分、歌詞とかをこだわってみた。例えば「二挺拳銃の悲劇」は10Cっぽい内容なんだけど映画監督にシナリオを売り込む歌で、「寒い国から来たスパイ」は曲調はELOなんだけどスパイ物。情報を渡すからそのかわりボンド・ガールをくれっていうような情けないスパイなんだけど、当時の杉本ディレクターから「これ面白くないですよ」って言われた。

「えーっ」て思ったんだけど、そのまま出したらその2曲の歌詞が面白いっていろんな雑誌がレビューで書いてくれて、「ほら見てよ」「すいませんでした」。

BOXは松尾くんと一緒だったから、責任は半分になるし、思い切ったこともやれる。気が大きくなる。1人だと「伝わらないです」って言われたらやめてたかもしれないけど、松尾くんと一緒だから勢いがついた。バンドのいいところはそういうところ。

1枚目とはビートルズ色の意味合いが違うかもしれないけど、ビートルズに影響を受けた人を念頭においた変化球っぽいところがあったぶんだけ、また違う奥行きが出たと思う。歌詞とかハーモニーとか構成とか。これはこれでそういった意味ではビートルズっぽい。中期から後期のサウンドの曲ばっかりだし、2枚目の曲があったから1枚目も引き立つっていう相乗効果になったんじゃないかと思う。

ツアーもやった。パワステでのライブに桑田くんが飛び入りしてくれたんだよね。桑田くんと設楽りさ子さんがやっていたラジオ番組にゲストで出たとき、「今度BOXのライブやるんだ」「お、見に行くよ」って言って、当日、本当にギターを持って来てくれて、アンコールで「ツイスト&シャウト」かなんかやったなぁ。楽しかった。みんなは驚いてたけど（笑）。

パワステは思い出が多いライブハウスだよね。この頃は毎年のようにマンスリー・ライブをやってた。ヒストリーじゃなくて「ヒステリー・オブ・杉真理」とか「私は杉真理が嫌いだ」とか、毎回テーマを決めて楽しんでた。

ユリ・ゲラーはいい人だった。

第9章

God Only Knows

ウイスキーの、おかげでしょ？

アルバム『MADE IN HEAVEN』

91年に出したアルバムは『MADE IN HEAVEN』。一曲目の「未来世紀の恋人へ」に凝縮されてるけど「君のための夏を美しく残しておきたい」というのが全体のテーマ。それなのに前の年に湾岸戦争が勃発したでしょう。生まれてくる子どもたちの未来に向けたものにしようと思ってレコーディングしてたのに、「え、いまだに俺たち、戦争やってるの?」。だから次の世代に謝ろうと思って、「I'm so sorry」っていう曲を最後に入れた。ラストに湾岸戦争の「今バグダットは火の海です」っていう、ニュースから録った音声が入ってたりする。その曲でギターを弾いているのがもう亡くなってしまったチューリップの安部(俊幸)さん。「アドリブは僕はよう弾かんけん」とか言うから、安部さんのマンションに行ったら「こんな風に弾こうと思ってる」ってもうテープに録音されてた。アドリブじゃなくフレーズを考え抜くやり方。やっぱり安部さんはジョージ・ハリスンだった。

ジャケットは和代人平くんに絵を描いてもらった。後に『LOVE MIX』でも描いてくれるんだけど、彼もHABUくんやロバート・ハリスからの紹介で友達になった人。レコーディングで音響ハウスに行ってたんだけど、たまたまその近所で個展をやってて、当時のディレクターの杉本さんがそれを見に行った。

89年の『LADIES & GENTLEMAN』からディレクターとエンジニアが変わったんですよ。須藤さん、病気で会社に来なくなっちゃったから、須藤さんのアシスタントだった杉本さんがディレクターになった。杉本さんがその個展を見て、今度のジャケットは彼の絵みたいなのがいいんじゃないかと思ったらしい。僕はそんなことは知らず、人平をスタジオに呼んで「彼はこういう絵を描くんだ」「あ、それ見ましたよ」。不思議な偶然だよね。で、彼に描いてもらったのがこの絵。

なんとなく自分のことも客観的に見られるようになった。迷っちゃいけないポイントもわかったし、迷ったときは誰に聞けばいいのかとかもわかってきたんで、じゃあ基本的には自分でやろうと。まったく1人ってわけじゃなくて、いろんな人に相談しつつだけど。

『MADE IN HEAVEN』は夏に出すことも考えて作った。『HAVE A HOT DAY!』っていう夏の曲の集大成、メッセージのない楽しいアルバムは前に出したけど、それとは別に自分なりのメッセージを込めたロンバケ。杉真理のロンバケを作ろうと思ったのがこのアルバム。

出世魚曲「ウイスキーが、お好きでしょ」秘話

この年は「ウイスキーが、お好きでしょ」も作った。石川さゆりさんのCMの話が来て、ジュリー・ロンドンの曲をモチーフにした。本当は2曲書いたらしいんですよ。ON・アソシエイツ

（ＣＭ制作会社）の大森（昭男）さんいわく「もう片方もよかったんだよね」。だけど大森さんは２０１８年に亡くなったから、誰もそれを覚えていない。

最初はピアノ１本でデモテープを録ったんだけど、どうやら「暗いんじゃない？」って声があったらしい。だけど大森さんが「ここは私が責任をとりますから」って言って、オーケストラまで入れて、出来上がったら全員が納得した。この当時ウイスキーは本当に飲む人がいなくて、酎ハイやワイン・ブームはあったのにウイスキーはいちばん飲まれない時代。しかもロイヤルとか高いからね。たぶんこの曲も、ウイスキーとともに人々から忘れ去られていくのかなと思ってたよ、そのときは。

それで石川さゆりさんとミニ・アルバムを作ることになって。大御所のみなさん――羽田健太郎さんがピアノを弾いたり、前田憲男さんがアレンジしたりして、ジャズっぽいミニ・アルバムを作った。スタジオでさゆりさんと話してるときに「僕、この間子どもが生まれたんですよね」って言ったら「杉さんっておいくつ？」。答えたら「私より年上なの⁉」って驚かれて、その場でマネージャーの人にベビー用品を買いに行かせてプレゼントしてくれて、「わあ、なんていい人！」。

〝ウイスキーが、お好きでしょ〟の一言はＣＭのコピーだから最初から決まっていた。詞は田口俊。曲が先で、詞は後から。

そうしたら、ずいぶんあとになってゴスペラーズが歌うようになって、ハイボールが出て、驚異的な数のカバーが生まれた。じゃあ僕もカバーしようと思ったんだけど、曲がすっごい短い。Aメロが1回しか出て来ない。だから田口に電話して「曲が短いんだよね」「僕もこの前聴いて驚きました」「悪いんだけど、Aメロの詞もうひとつ書いてくれない?」って書いてくれたのが〝比べたりしないでね　あの頃の私と　見つめたりしないでね　あの頃の瞳で〟うまいこと言うなあ、こいつ。それで曲がちょっと長くなったんだけど、その数年後にまりやがCMで歌うことになって、アレンジは服部克久さんで、僕がコーラス。でもサビ始まりの曲だから、打ち合わせのときサビのことをAメロと言う人とかがいるのね。だからごちゃまぜになったみたいで、レコーディングしてみたらサビが1回多くなっちゃったわけ。どの詞を繰り返すかって話になってるから、また田口に電話して「ごめん、もうひとつ今度はサビを書いてくれる?」。それをまりやが歌ったんで、まりやのバージョンがいちばん長い。出世魚みたいな曲。さしずめこのバージョンはブリ。

今ではほとんどの人が知ってる曲だよね。不思議だなぁ。ウイスキーとともに忘れ去られる曲だと思ってたのに、ハイボールとともに復活だなんて。人生、何が起こるかわからない。この前もテレビでピアニストの清塚(信也)さんがほめてくれた。照れますね。

その流れでスリー・グレイセスにも曲を書いた。プロデュースしてたのが大森さんだったから、久々のアルバムに「ウイスキーが、お好きでしょ」の英語バージョンが入った。その英詞でまりやも歌ってたりするんだけど、それ以外に2曲くらい頼まれて、一緒にコーラスをやったり。ラジオを聞きだした少年の頃、『ハロー・ポップス』とかのジングルはスリー・グレイセスが一手に引き受けていた。進駐軍時代からアンドリュー・シスターズっていうジャズの三姉妹のカバーをやってた人たちだからポップスの大先輩なんだけど、すごいフレンドリー。ライブを見に行ったら「今日は作者の杉真理さんが来てくれてるので緊張します」。緊張するのはこっちなんだけど（笑）。スリー・グレイセスの「Blue Sky」の作詞は湯川れい子さん。湯川さんとの共作はこれ1曲。

アロハ・ブラザース結成

そのときJ-WAVEで番組をやってたんで、僕と村田（和人）くんがアロハ・ブラザースを名乗り、J-WAVEの毎月の歌を作ってた。打ち合わせが渋谷の喫茶店で、夏だったから2人ともアロハを着てたのね。だからアロハ・ブラザースでいいよね、っていう安易なネーミング。まずは1曲、ハワイアンの曲をやってみようって作って、次はメキシカンにしよう、とか。世界各国の女性を口説くっていうある意味色物なんだけど、音楽性は高かったと思う。結局そのときに5～6曲録って、何年後かにもっと強力なやつを足してアルバムができるんだけど、村田とこういう風に関わったのは初めてだった。この年で一度終わるんだけど、19年後に花が咲くという。

8月には、僕のアルバムで安部さんに弾いてもらったっていうのもあってALWAYS（チューリップを脱退した安部俊幸と姫野達也を中心に組まれたバンド）のツアーに僕と松尾さんが呼ばれた。それまでドラムの上田（雅利）さんは間接的にしか知らなかった。そのあと長いお付き合いになるんだけど。

つのだ☆ひろさんもこのときに紹介してもらったんだけど、つのださんはＢＯＸがアルバムを出したときに何かのテレビで「文句がひとつだけある。俺をドラムで呼ばなかったことだ」。ＢＯＸと僕をすごく推してくれてる人。上田さんも「僕はＢＯＸのファンやけん」って、光栄です。

今でもよく覚えてるのは、そのツアーで名古屋に行ったとき、空き時間に本屋に行って、（ディーン・Ｒ・）クーンツっていうホラー作家の『ストレンジャーズ』を買った。表紙の絵はどこかの砂漠みたいなところにモーテルが建っている。アロハ・ブラザースの「遥かなるエルドラド」はクーンツのその表紙を見ながら書いた曲。〝どこにいてもStranger〟って歌詞がある。だから僕の中ではアロハ・ブラザースとクーンツとALWAYSのツアーはセットで思い出す。

次の年、92年はいつものように1月にレコーディング。『WORLD OF LOVE』ってアルバムなんだけど、終わってからアレンジャーの嶋田くんと、神々が住む島、バリに行ってみよう、ってことになって、写真家のＨＡＢＵくんと３人で初めてバリに行った。ちょうど2月にＮＴＴスペシャルの「宇宙からの贈り物」って特番があったのね。惑星探査機ボイジャー1号2号の話なんだけど、テーマソングでスーザン・オズボーンが「浜辺の歌」や「赤とんぼ」なんかを英語で歌ってるのを聴いて、ちょっと感動して。ナレーションが大竹しのぶさんで、「僕はこれから宇宙に旅立つんです、最後の指令は太陽系の写真を撮ってくることです」。もうそれだけでウルウルの科学ものだったんだけど、何故かその宇宙の話に挿入されるのがバリ島なの。バリの宇宙観。これからバリに行こうと思っている僕を呼んでるな、と思った。

生き方を変えられたバリ

本当に、僕の人生がまたひとつ変わったなと思ったのがこのときバリに行ったこと。大人になってからの夏休みみたいな感じ。30代後半、仕事も普通に言えば安定路線、自分もそうなるだろうと思っていたところを打ち砕いたのがバリだった。安定って何？　それより冒険でしょう？　バンドも仲良くて家族みたいだったけど、でもやっぱり突き詰めると仕事仲間だった。でもそれが後に一緒にバリに行くようになって公私混同になったわけ。人生で公と私の違いって何？　死ぬときに公も私もないように、遊ぶときにもないんじゃないの？　まぁ、分けなきゃいけないときは分けてるけど、楽しいか楽しくないかのほうが大事でしょう。

　そんな風に、ここで安定をとるんじゃなくて、楽しいことや冒険をとろうと思ったのがバリだった。大人としてバリに行ったと思ったら、自分の基本は子どものままだった。「分別を持たなきゃいけない、責任を持たなきゃいけない」は置いといて、「まずみんな何をやりたいか、どう生きたいか」、そっちのほうが大事なんじゃないのと思った。僕はそのとき38歳だったけど、たぶん60歳の人も70歳の人も80歳の人も僕らから見たら大人に見えるけど、本当は笑い転げたり、はっちゃけたり、好きな人とハグしたり、好きなものを思いっきり食べたかったり。そういうのは変わってないのかな、変わったふりをしてるだけなのかな、だったら俺もふりをするのやめようと思ったんですよ。

　例えばウブドって村に行ったとき、僕らの宿の管理人がやって来て、彫刻を見せながら「これ俺が作った作品だよ、アーティストだから」って言うわけ。「管理人なんじゃないの?」って思ったんだけど、管理人は仕事で、人間としてはアーティストなんだってわかった。アーティストって職業じゃないんだ。だから主婦でもアーティストって言えるし、会社員でもアーティストだって言える。僕はたまたま音楽の仕事をしてるけど、それだけでアーティストって言えるのかな、とも思った。もし違う仕事をしててもアーティストって名乗れるようになりたいな、とかいろんな気付きがあった。いらないものをここにきてまた捨てることに成功したって感じかな。

バリの自然を見ながらビートルズを聴いて、「あ、ビートルズってこういうことだったんだ」って、またそこでわかった。極彩色。まるでモニターの色のコントラストを上げたみたい。人によって違うかもしれないけど、僕はサージェントペパーズのサイケの頃の音楽とバリはすごくフィットした。田んぼともフィットした。60年代に「愛こそはすべて」をイギリスから全世界に中継した電波を、今このバリ島でキャッチしたような。ラブ&ピースってこういうこと？　ビートルズが歌ってたのはこういうこと？

バリは本当にしょっちゅう儀式をやってるじゃない？　年から年中お供えしてる。「1日のうち何時間をお祈りにとられるの？」って思うし、僕にはできないかもしれないけど、世の中には神様を信じてる人のほうが多いんだなと。単なる事実としてね。

科学が優れているとは一概に言えないとも思った。科学ファンとして素直にそう思った。そもそも科学だって最初の頃は魔法だと思われてたわけでしょう。これは相反するものじゃなくて、物事の裏表かもしれない、とかいろんなことを思わせてくれた。美味しいものを美味しいと感じることはそこに惹かれるものがあって、自分をいいほうに導いてくれるんじゃないかということだから、はっきり、よし、俺は自分を楽しいほうに持っていこう。コンパスが示す楽しそうなほうに行こう。そうすれば自分が望むところに行ける。

そして必ずしも自分は常識人じゃないなって改めて思った。常識ってある意味流行り、そのときの常識。ＢＯＸの「ガリレオ・ガリレイ」の歌詞に〝常識なんてあてにならない　ただの物差しだぜ〟っていうのがある。だって昔は太陽が地球の周りを回るのが常識だったわけでしょう。でも間違っていた。短いスパンでは常識でも、長い目で見たらそのときの科学の流行りとか、そのときわかってるものでしか測れないから、常識は１回疑ったほうがいいなと思って、常識人でいるのはやめようと思ったわけですよ。一度も常識人だったことはなかったかもしれないけど（笑）。

スピリチュアルなものへの興味

この頃は不思議なことがいっぱいあった。92年の２月、『WORLD OF LOVE』を観音崎のマリンスタジオでレコーディングしていた頃の話。

僕は超能力者と呼ばれてる人と会ったり仲良くなったりする機会が多いんですよ。いつだったか清田（益章）くんの『超能力野郎』って本を誰かがくれて、読んだらすごく面白くて、そしたら『ムー』っていう雑誌の対談で会えた。彼もすごく音楽が好きで、そのあと一緒に飲みに行くようになった。目の前でスプーンを曲げてくれるし、とても気を遣ってくれる。超能力が実在するかどうかは別にしても彼が嘘つきとは思えない。

ユリ・ゲラーが82〜3年に来日したとき、テレビに出て「これから念を送るから家にあるスプーンを曲げてください」とか言うからやってみたら、本当にスプーンが曲がった。思わずテレビ局に電話しようとしたんだけど、番号の末尾制限に引っかかってできなかった（笑）。それからは曲がらないけど。

まぁそんなことがあって、僕のラジオに翻訳家の西森マリーさんがいらして、マリーさんはユリ・ゲラーの通訳もしてるって聞いたんですよ。「もうすぐ来るけど、リクエストを出したら会えるかもしれませんよ」「うわー、会いたいな」と思ったんだけど、来日するとホテルのスイートルームをとって、時間刻みで企業のトップと会ったりコンサルティングしたりするんだって。例えば海外の会社だと油田のありかを聞いたりするらしい。だから空いてる時間が全然なくて、ミュージシャンでも会いたがる人が多いらしいんだけど、難しい。でもそのとき、リストの僕の名前を見て「この人となら会ってもいいよ」って言ってくれた。

ユリ・ゲラーが指定してきた日は観音崎でレコーディングしている最中で、時間は16時から17時まで、場所は赤坂のホテルのスイートルーム。だから早めに切り上げて会いに行った。車で行ったらすごい渋滞で、これは絶対間に合わないと思ったんだけど近くまで来たら急に空いてきて、時間ぴったりに着いた。持っていたスプーンを曲げてくれたり、うちの子どもと一緒に写真撮ってくれたり。いろんな話をしたけど、「今レコーディング中だ」って言ったら、ペンを出して「ジャケットを描こうか」て言ってくれたの。でもユリ・ゲラーに描いてもらったデザインをボツにはできないでしょう。ボツにしたらCDが曲がりました、なんてなったらイヤだから丁重にお断りした。そのあとも「家族が健やかでありますように」とかメッセージをくれたり、めちゃいい人だった。

そして、ちょうどその日は18時からホリプロの堀会長と食事会だった。新橋のステーキ屋さん。何か月かに1回、堀さんとは食事会をやってた。何故かというと堀さんは僕にハッパをかけるわけ。「頑張ってヒット曲出せよ」って。そんないやらしい言い方じゃないんだけど。

ユリ・ゲラーと会った後その足で新橋に行って会って、「実は僕、さっきまでユリ・ゲラーと会ってて」って言ったら、堀さんも気功を勉強している人だった。「じゃあ今から気を送って、このワインの味を変えるから」とか実験してくれる。

気功の話では、「気がいかに大事か。病気、元気、やる気、全部気なんだよ。そして『人気』、これも気なんだよ」。「うわー、こう来たか。この人はユリ・ゲラーと同じくらいすごい人だ、超一流の人だ」と思っていまだに尊敬してる。何年か後に僕はホリプロをやめるんだけど、やめて2年後の誕生日に家に花が届いてた。「やめさせてください」って無理言ってやめていった人の何年後かの誕生日にお花を贈るなんて、改めてこの人はすごいなって。リスペクトしてます。

そんなこともあって、この頃はこんな風にスピリチュアルなものにすごく興味があって、自分の中のどこかが開いていく感じがしていた。そういうのがあるから科学も好きなんだけど、「知りたい知りたい」の時期。そのあとにまたバリ島に行ってもっと核心に触れる。それは幻覚を見たとかじゃなくて、単純に、海面に夕陽が差してるじゃない？　当たり前のことだけど真っ直ぐ海をつたって太陽から光が来るじゃない？　俺にダイレクトに来てる。隣にいる人にもダイレクトに来てる。もしかしたら神様とかお天道様とか宇宙の力ってそういうことか。もちろん自分がどこか遮断されたところにいればそれは来ないけど、自分が欲しいと思えばダイレクトにいつでも受け取れるものなのか。物理的に実際にそこにある太陽から熱やエネルギーをもらってたりするのは、もしかしたらこういうことなのかなって思った。それこそ求めれば与えられる。じゃあ曲を作りたいと思えば曲が来るのか、そう思ったわけ。言葉を探すと降ってくる、それがどういうシステムかわからないけど、今はシステムよりもそれが来るってこと自体が大事でしょう？

欲しいものが向こうからやって来るのに、抵抗しているのは自分だった気がした。本当に行きたいところに行けばいいのに、「いや、でも、今はさ」とか「世間的にそれはちょっと」とか、そんな風に抵抗しているのは自分。仕事なんかでも「初めて会う人だから面倒くさいなぁ」と思って行くと、大抵すごく盛り上がって「行ってよかった」ってなるんだよね。よく考えたらあのとき抵抗してたのは誰？　俺だよ。その抵抗する自分を抑えることは難しいかもしれないけど、感知しようと思った。「抑えてる自分がいるな」って感知するだけでもちょっと違うじゃない。そうすると物事が俯瞰して見られるようになる。それがちょっとわかってきたのがこの頃。

そうすると曲を作るのが楽しくなってきた。まぁそれまでも楽しかったけど、悩むことより楽しいことのほうが多くなった。求めれば与えられるんだなってわかったから。

バリ島のウブドの村でＨＡＢＵくんとＥＬＯを聴きながらうとうとしていたとき、目の奥でイメージが浮かんだ。バリにいるからかもしれないけど、ブッダだったりキリストだったり壮大な滝だったり蓮の花だったり、すごくサイケ。それまでイメージっていうのは自分が体験したものを脳が覚えていて、それをコラージュしてくるものだと思ってたんだけど、そのときは「これ、コラージュじゃないな」と。見たこともないものを見てるんじゃないのか。つまり人間の脳は記憶装置であるけど、それと同時に受信装置でもあるんじゃないか、って思ったわけ。自分の中から絞り出そうとするから苦労するんであって、外から来るものをキャッチしようとすれば気が楽。

不思議なことに、初のバリ島から帰ってから『ガリバー』っていう旅行雑誌の取材を受けたんですよ。スピリチュアルな話ばかりすると「あいつ、ぶっとんじゃったな」って思われるのはイヤだからあまり人には話さなかったんだけど、その取材のとき最新号の『ガリバー』を渡されたら横尾忠則さんの特集だった。見ていたらあのときイメージした滝と同じ滝が描かれていた。「なんだこれ？　どういうこと？　この流れって何？　イメージの中の滝がどうしてここに出てくるんだ？」と思っているうちに、スピリチュアルでぶっ飛んでるようなことも自分だけのものとしてしまっておかないで、誤解を恐れず曲にしなさいって言われた気がして、家に帰ってから「WORLD OF LOVE」って曲を作った。この曲はアルバムの『WORLD OF LOVE』には入ってなくて、その次の『FLOWERS』に入るんだけど、そういう風につながっていったのがこの92年頃。トワイライト・ゾーンに一歩入っていた感じかなぁ。

ライブのMCでも「バリは食べ物が美味しくて、ナシゴレンもミーゴレンも、昔、食堂で食べたような味がする」とか言ってたら、そんなに言うんならみんなで行ってみようってことになって、その年の秋にベースの藤田哲也くん、コーラスの谷口守くんや小室くんとかのメンバーやスタッフ10人くらいで行くわけ。でもみんな目的がバラバラで、ヨガやりたいって言ってる人もいるし、マリン・スポーツしたい人もいるし、ナンパしたい人もいるし、クラブに行きたい人もいるし、自然を満喫したいって言ってる人もいる。面倒くさいなぁと思ってたんだけど、バリの伝統舞踊レゴンダンスを見て、何故かみんなの波長が合って、全員がひとつになった。あんなにバラバラだったのに。で、全員がリピーターになった。その話を聞いたら松尾さんも行きたいって言いだして、他の仲間たちがみんな来るようになった。

最初はみんなをまとめなきゃ、バリ島を好きになってもらわなきゃ、って考えてたんだけど、そういう姑息なことをしないほうがいい。余計なことはやめようと思った。

この頃からかなぁ。挨拶がわりにみんなとハグするようになったのは。「ハグぅ？　日本人には合わないでしょ」とか思ってたんだけど、「ハグって気持ちいいじゃん」って思った。それは今も続いてる。

10CCとちびまる子ちゃん

10CCがラジオに来てくれたのも嬉しかった。グレアム・グールドマンとエリック・スチュワート。エリックがポールと『プレス・トゥ・プレイ』とかで一緒にやっている頃ですよ。にも関わらず、ビートルズの話をすると2人とも目が輝くの。グレアムなんかホリーズの「バス・ストップ」の作者だし、経歴はそんなに変わらないはずなのに、ビートルズの話で目が輝くのを見てすごいなと思った。ＢＯＸを聴かせたら「『リボルバー』みたいだ」って言ってくれた。

いろんな話をしたけど、10ＣＣの名前の由来としてまことしやかに言われていた、男性の体液説は嘘だって聞いたよ。マネージャーが見た夢で、バンドが大成功して、そこの看板に10ＣＣって書いてあったからなんだって。それは初めて聞いた。そんなことがあって、次の年にライブで来たとき招待されて楽屋にも行けて、着替えたばかりのエリックがハグしてくれたりして、そのときに出た『ライブ・イン・ジャパン』のアルバムのライナー・ノーツを僕が書いた。

一度エリックにプロデュースを頼んだことがあったんですよ。だけどお金が高かったのかスケジュールが合わなかったのか、できなかった。『LADIES & GENTLEMAN』がそれ。「実はプロデュースを頼んだんだけど」って言ったら「あぁ、君か！」。

ちびまる子ちゃんとも仕事をした。川原さんに頼まれたんだけど、『わたしの好きな歌』っていうちびまる子ちゃんの映画があったの。僕は「Ｂ級ダンシング」っていう曲を書いた。はまじ、関口、ブー太郎の３人組、メインキャラじゃない脇役なんだけど、その３人がビートルズの武道館ライブさながらのシーンで歌う絵コンテがあって、ビートルズっぽい曲を書いてくれってことで。映画を企画した『さくらプロダクション』の当時の代表で、さくら（ももこ）さんのご主人だった宮永（正隆）さんはビートルズ・マニアの音楽評論家でしょう。さくらさんのお宅で打ち合わせすることになって行ったら、宮永さんもさくらさんも手品が好きで、僕も当時何故か手品の小ネタを持ち歩いていて、いろいろやったらすごく盛り上がった。近所でおいしいケーキを食べて、玄関にあったちびまる子ちゃんグッズをもらって帰りました。

「B級ダンシング」の歌詞はさくらさんで、アレンジはフェアチャイルドの戸田（誠司）くん。すごい新しい感じのリバプール・サウンドになったと思う。こんな風にビートルズがついて回る人生なのもまた不思議だよね。

バリ島での友人の結婚パーティーで池に落ちた直後。

第10章
愛こそはすべて

バリ島が教えてくれた

『FLOWERS』

93年にレコーディングしたアルバムは『FLOWERS』。ラブ&ピースのアルバムです。しかもサウンドだけじゃなくて、歌詞もマインドも含めてビートルズっぽいアルバムにしようと思ってた。「愛こそはすべて」とか中期のビートルズっぽいことをやりたかった。バリ島の、色のコントラストが強い感じを見て、『マジカル・ミステリー・ツアー』とかサージェントペパーズのジャケットの感じをやりたいなと思って。

いくらバリ島に影響されたからってガムランとか使いだしたら自分らしくないから、マインドとしてのラブ&ピース。例えば「Love is Magic」は大好きな曲で、「ハロー・グッバイ」とか「マジカル・ミステリー・ツアー」の頃の、ポップなんだけどサイケな、ぐちゃっとしてる感じ。「6×6 Road」っていうのはバリ島で有名な小道の名前。本当はナクラ通りっていうんだけど、向こうの人は6×6って書いてダブル・シックスって呼ぶ。その名前のクラブも昔あったらしい。かっこいいじゃない？　僕にとっての「ペニー・レイン」みたいに作った。今は本当ににぎわってるんだけど、当時はポツポツとしかお店がないような。だから名前から想像した自分のイメージだけで作った。

ロバート・ハリスさんに会ったり、元ヒッピーの連中と交流ができたから、ちっちゃい頃、60

年代にお兄さんお姉さんのヒッピー文化を見ていたのが実感としてわかってきたのがこの頃。ポール・マッカートニーとスティーブ・ジョブスは世界的に成功したヒッピーだなってのは最近思った。あの人たちはラブ&ピースの精神でインドにも行ったりしながら、ちゃんと自分のやりたいことをやっている。自分がブレない。そういうのを自分でも目指そうと思い始めた。それがこの『FLOWERS』に表れてる。

何故『FLOWERS』かっていうと、バリ島って毎日お店の前や家の玄関に必ず小さいカゴにお花を供えるんですよ。だからバリ島でもらったいろんなものを曲の形でお皿（ディスク）に載せてお供えします、っていう意味。レコーディングはもちろん東京でやったけど、バリに一緒に行ったメンバーはすっかり同調してくれる。言いたいことを理解してくれる。「こういうことでしょう?」って。

トラックダウンはオーストラリアのパース。何故パースだったかというと、ポールのワールド・ツアーの初日だったから、わざわざそれに合わせて行った（笑）。景気のいい時代だよね。普通パースでトラックダウンはやらないだろうし。

ライブはそりゃあよかったよ。アルバムで言えば『オフ・ザ・グラウンド』のツアー。ビールを飲みながら見てたんだけど、アンコールのときファン・サービスで後ろにオーストラリアの形の写真が出た。「なんで四国が出るの？」。四国とオーストラリアの形は似てるってそのとき初めてわかった。

コンドミニアムに泊まったんだけど、あの広いパースの僕らの宿のすぐそばのスタジアムがライブ会場だったの。着いたら町中でポールの曲が響いてる。どこのパブでかけてるんだろうと思ったら、そこのスタジアムでリハーサルしてる。聴いてたら「アナザー・デイ」をやってた。このツアーまで生で聴いたことなかったから、慌ててまりやに電話で自慢した。「いいなぁ」って言ってたよ。そこでポールを見てトラックダウンしたのがこの『FLOWERS』。僕の中で今でも1、2を争う好きなアルバム。

バリの「村」

また秋に「僕もバリに行ってみたいです」ってメンバーが出てきて、10人くらいで行った。向こうでコーディネイターをやってくれるのは司くんとマーチン。日本人だけどマーチン。その2人が交互に付き合ってくれる。後に司、マーチン、ロバート・ハリスで、エグザイルっていう、バリのウブドでは伝説になっているかっこいい人が集まるバーを作るんだけど。元ヒッピーの連中は立ち回りもうまいし英語もうまいし、俺もこういうインターナショナルな生き方があったかもしれないなぁ、と思いながら過ごしてた。

年が明けて、当然次のアルバムを作ろうと思ってデモテープを作り出す。年1回ペースになってたからね。

でも結局それは、ソニーをやめます、ホリプロもやめます、ということで宙に浮いて、そのとき作った曲たちは2003年の『LOVE MIX』になる。だから8年くらいあとに発表することになるんだけど、作っている最中に、バリの司がインドネシアの女の子と結婚することになって、結婚式に出るため日本から大勢で行った。

ウブドというのは僕の大好きな村で、ヤシの木より高い建物は立てちゃいけないところ。何故か全員、その村がグッとくるんだよね。九州のうちの田舎みたいなんだけど、蛍が出たり、郷愁を味わえる。そしたらそこで結婚式をやると。

そのときの仲間たちはなんとなく3つのグループに区別できた。元ヒッピー村と言えるグループがあって、村長はロバート・ハリス。ドロップアウト経験がある人たち。物おじしないしガイドとかコーディネイターとかで有名になってる人がいたり、日本でファッション・ショーとかの大きなイベントを仕切る会社をやってたりする人が集まった元ヒッピー村。それからアーティスト村、写真家のHABUくんとか『MADE IN HEAVEN』のジャケットを描いてくれた人平くんとかのアーティストたちのグループ。そして音楽村。僕らミュージシャン仲間が集まっていて、さしずめ村長は僕。

結婚式の何日も前から元ヒッピー村は集まって、頻繁に会合して仕事の分担もされてたはずなんだけど、当日になったら「今まで何してたの？」。なんの準備もしてない。さすがドロップアウトしてた人たち。コーディネイターとかやってるから他人のことはちゃんとできるけど、自分たちのこととなるといい加減。バーベキューをやったんだけど、当日の朝になってそれに使うデカい鉄板を買いに行ってる。しかもデカすぎて工場に行って切ってもらってる。そういうことは前日までにやっとくんじゃないの？　それにバリは水道水が飲めないから当日の朝になって工場まで氷を買いに行って、みんなで森の奥まで運んだり。「前もって言ってくれよな？」って思うでしょ？　今まで何やってたの？（笑）　オールマイティだと思ってたんだけど、全然そうじゃなかった。

アーティスト村の人たちはわりと一匹狼が多い。だから気難しい人の集まりかと思ってたんだけど、彼らは自分1人で個展とかやらなきゃいけないから、行動力が意外とある。そして、音楽村は最低野郎の集まりだろうと思ってたんだけど、バンド経験があるから組織で動いたりできるってわかった。そんな風に人のダメなところ自分のダメなところも見られて、すっごく愉快な経験だった。

山の上のガーデン・パーティー、僕らは生演奏するのでギターとちっちゃいシンセとマイクを持って行ったんだけど、「スピーカーはこれね」って言われたのが普通のコンポーネント・ステレオセットのスピーカーで、「……これ？」。キーボードの嶋田くんがシンセを接続した途端にヒューズが飛びました、代わりのヒューズはありません。じゃあアコースティックでお送りします。それはそれで面白かったけどね。ドタバタの結婚式。映画になりそうな1日。

僕はそこで池に落ちた。広いガーデンの真ん中に1メートルくらい高くなってる住居があって、その周りは幅1メートルくらいの溝っていうか池に囲まれてる。縁側の端っこに立ってたら、その池が光線の関係でエメラルド色の床に見えたわけ。誓ってシラフですよ。かっこいいなぁと思って見てたんだけど、そしたら僕の前で知り合いがニュージーランド人の女の子を口説いてた。じゃあちょっとここから飛び降りてみようと、1メートル上からエメラルド色の床に飛んだ。そしたら、床の中に自分の足が入っていく！　うわーーーーー！　SFの世界、CGの世界。膝くらいまでジャボーンって入ったら、2人がこっち見て、あまりにもすごかったんじゃない？　寄ってきて拍手してハグしてくれた。びしょびしょの俺に、「素晴らしい！」って（笑）。パフォーマンスじゃないんですけど。サリーっていう腰巻がびっしょりになって、みんなが踊ってるところに行って

「落っこちちゃったよー」って言ったらその場の持ち主の娘が「あそこ汚いんだよ？　亀とかいっぱいいて」。だからだんだん臭くなってきて、冷えてきてさ、山道をぴちゃぴちゃ音をたてながら帰った。

転機の年、1994年から

ホリプロを何故やめたかというと、みんなすごくいい人で温室みたいな感じで、かわいがられたし優遇されたけど、ちょっと荒波にもまれたかったのがまずある。相変わらず人にも曲を書いてたしプロデュースの仕事もやりだしてたから、もうちょっと自由にやりたいな、って。会長の堀さんにも思いとどまるように言われたんだけど、当時僕のマネージャーだった坪井くんという人が僕より先にやめちゃったから、「先にやめられた」みたいな感じで、「申し訳ないけど、いいですか？　自由にやりたいんで」ってお願いした。

ソニーはソニーで、人事とかで体制が変わってきて、僕のディレクターが違うところに異動しちゃったりして、「あれ？　なんか自由にできないな」って思い始めてた。親身になってくれるソニーの偉い人が、「ソニーにこだわらなくていいよ」って本音で言ってくれたのが決定打かな。

やめたって言っても両方とも喧嘩してやめたわけじゃないから、このあともたくさん仕事してるんだけどね。でも一応ここでフリーになった。そして未来ミュージックを作った。メンバーは僕、アレンジャーの嶋田陽一、エンジニアの安部徹、そして松尾清憲、小室和之。プロデューサー集団を作ろうと。アレンジャーがいるし、作曲家もいるし、プレイヤーもエンジニアもいる。これで仕事を受けてやろうと。でも結局1年で解散になる（笑）。

みんなアーティストだから、仕事をマネージメントする人が誰もいなかったわけ。「ダメじゃん」ってなった。「そういう仲良しのメンバーでつるんで、お金が絡んでうまくいかなかくなると友達までなくすよ」って言われたんだけど、今もみんな友達。仲良くやってます。

94年は転機になった年だね。アルバムは出してないんだけど、けっこうな活動はしてた。止まったことはないから。

95年3月にまた仲間たちとバリ島に行くんだけど、それは安部（俊幸）さんも一緒だった。安部さんには福岡の高校生の頃からお世話になってて、『MADE IN HEAVEN』の「I'm so sorry」の他にも、『WORLD OF LOVE』の「Welcome to My World」でもかっこいいギターを弾いてくれた。

安部さんは僕のことをよく理解してくれて、「僕はきみのナンバー・ワン評論家やけん」「きみのいいところは僕が世界一知っとるけん」。そう言うんですよ。僕も「はいはい」と言いながら、本当にそうだなと思うこともあった。安部さんと過ごしたこの旅も大きかったなぁ。

今でも覚えてるのは、そのときはまだ世に出てないデモテープで「天使の光」を聴いていたら、最後のフェイドアウトで僕のところに来て「ここできみの声がもう1回聴きたいんよ。寂しいのよ、いなくなって」って言われて、6年後に出した本チャンにはスキャットを入れました。安部さんのアドバイスに従って。

もうひとつは「太陽が知っている」という曲で、〝川のように音のように香りのように流れて行く、それが人生〟っていう僕も気に入っているフレーズがあったんだけど、そこが流れたとき安部さんが来て無言で握手してくれた。実際にこの頃、人生って山のように確固としたものじゃなくて、どんどん流れて形が変わっていくもんだな、と感じていたから、「あ、わかってくれたんだな」と思った。そうやってときどき曲が終わると僕のところに来る。

『FLOWERS』の1曲目の「Love is Magic」をかけてたら、2番の〝ラヴ・イズ・ジャーニー、旅立つ勇気があれば〟ってところで、「これ、僕に言ってくれてるんやろ?」「え?」って思ったけど、「そうじゃないですよ」とも言えないよね(笑)。ちょっとあの曲チューリップっぽいところもあるじゃない? だから安部さんだったらこう弾くんじゃないかな、ってギターのフレーズを考えたから反応してくれたのかな。だから「僕のことやろ?」「そうです」「ありがとう」。で、翌年から本当にインドに旅立っちゃった。

そのときのバリでは田んぼの中の安宿、ハイダウェイってところに泊まったんだけど、帰ってきたら松尾さんがバリ風の曲を作ったたって言うから、「じゃあ僕に詞を書かせてください」って言って、「ハイダウェイ」を書いた。松尾さんとの共作はいつも詞も曲も合作だから混然としてるんだけど、はっきり分かれたのは2曲だけしかない。

一緒に行った友達はその光景を見て「この人たち、本当にあったことをこうやって歌にするんだ、形にするんだ」って驚いたらしい（笑）。僕もバリに行き始めた頃は楽器も持って行かないし、何か浮かんでも帰ってから作るみたいな感じだったけど、このへんから起こったことをすぐに歌おうってなってましたね。

もう1曲は「Love So Deep」って曲で、それも松尾さんがスタジオでの仕事が終わったあとにポロポロ弾いてた曲。すごくいい曲だから「それ何ですか？」って聞いたら「今適当に弾いただけ」「僕が詞を書くからプロデュースさせてよ」。あまりにもホーリーな曲なので神様のことを歌ってみた。

今から思うと、僕も松尾さんも理系だし、神様のこととかを歌うとは思ってなかった。大事なものをなくしたときとか「神様なんているもんか」って思っていたけどだんだん癒されていって、何か大きなものに対する感謝みたいなものが、この時期、形になっている。「天使の光」と「Love

So Deep」と、『たけしの万物創世紀』のエンディングテーマを歌った金沢（信葉）さんをプロデュースした曲「Touch My Heart」が言わば三部作。

渡辺満里奈ちゃんの話が川原さんから来た。満里奈ちゃんを大瀧さんがプロデュースするんで、満里奈ちゃんと大瀧さんと川原さんからメイン・ソングライターとして頼まれた。彼女は音楽マニアだからサバンナ・バンドみたいなのを書いてくださいとか言われて、いくつか書いてどれも気に入られてたんだけど、結局1曲も入らなかった。

まあ残念と言えば残念なんだけど、1曲1曲「それじゃしょうがないな」って理由があった。歌詞の締め切りが間に合わなかった「This Magic Moment」は後に須藤薫が歌う曲なんだけど、みんなも乗ってたし僕もその歌が好きだったから、「もうちょっと頑張りましょうよ」と言ったのに、共作者でレーベルの社長だった川原さんは「あきらめよう」。あきらめ早いー！（笑）

そんな感じであと何曲かあったんだけど、結局いろんなケースで立ち消えになっちゃった。コーラスでは参加してるんだけどね。今から思うとそれも必然だったかなぁ、と。

ピカデリーサーカス結成！

その頃、ピカデリーサーカスが立ち上がるんです。

安部さんとは一緒にバリに行ったこともあって、「ライブを一緒にやろう」と言われてたの。当時池袋にあったアムラックスホールで何日間かイベントをやることになって、僕にも話が来た。この頃は舞台監督をやっていた高島さんが僕のマネージャー代わりだったから、彼が持っていた枠で「やらない?」ってなったんだけど、ソロをやるモードでもなかったし、違うことをやりたかった。BOXは田上くんがミュージシャンをやめてお姉さんの仕事の手伝いで画商になるってことで、抜けちゃったのね。彼がいないとできないから、事実上の休止状態。

じゃあビートルズが好きな人が集まってバンドをやれたらいいなってことになった。ALWAYSの安部さん、上田さん、風祭東、そして僕、松尾さん、苗場でポールそっくりの歌を歌った伊豆田洋之くん、ギターの橋本哲、アレンジャーの嶋田陽一、この8人でやろうと。

伊豆田くんとALWAYSのメンバーはこのとき初対面だった。スタジオで「打ち合わせするより曲を作らない?」って言ってその場で作ったのが「Baby! it's all right」。それぞれが自分のパートを歌ったんだけど、伊豆田くんが歌いだしたら安部さんや上田さんが「ポールがおる!」みたいになって、そこからまた盛り上がった。

続けて「彼女のBrand-new Day」「愛の歴史を始めよう」を作って、そうしたらいろんな人たちが面白いと思って集まってきてくれた。オリジナルは3曲しかないけど未発表曲やそれぞれの曲をやる、というライブをやったんだけど、ボーカリストが5人いるじゃない？　伊豆田くん、僕、松尾さん、上田さん、東。だからクイーンみたいなこともできるし、ソロが変わるから10ＣＣもできるし、ダブル・キーボードだからＥＬＯみたいなこともできる。新しいページが開けて、一過性のものだったはずがみんな「頑張ってやろうよ」ってなって、名古屋と大阪にもライブしに行ったらまたいい感じになってきて、じゃあもうデビューしよう、と。何人かのレコード会社の人が「うちでやりませんか」って話をしてくれた。

でもそこでひとつ問題があった。97年にチューリップ再結成。

ピカデリーにはチューリップのメンバーが2人もいるから、「どうするんだ？」ってなったんだけど、そのときチューリップのマネージメントをした事務所の社長のOさんという人が、「じゃあピカデリーもうちでやりませんか？　そしたら全部丸く収まるし」っていう一見よさそうな提案をしてくれた。

僕がリーダーだったから何回か会って話を聞いたんだけど、「レコード会社も契約金何千万でまとまりました」ってところまでいったにも関わらず、なんかイヤな予感がしたわけですよ。

その事務所がメンバー間のやり取りに全部入ってくれると。トラブルが起こっても全部こちらで解決します、みなさんは音楽だけやっててください。とってもありがたいシステムなんだけど、チューリップみたいにいろんな歴史があった上でみんなの距離感もそれぞれわかってる人たちはそれでいいかもしれない。でも新しく組んだバンドでこれからぶつかり合おうぜ、っていう僕らがそれをやったらバンドじゃないじゃん、って思った。そうやって成功しても最後は仲違いして終わるんじゃないかな、って気がした。考えれば考えるほどそれがだんだん確信に変わっていき、みんなにも相談して「え、杉くん、ここまで来て白紙に戻すの?」って思ったと思うんだけど、「どうも白紙に戻したほうがいいと思う」「わかった、杉くんに任せる」。みんなそう言ってくれた。

このとき俺すごい落ち込んだんだよね。年末だったな。新しいマネージャーの女の子を用意してくれたその事務所に行って、「この話は白紙に戻してください」。マネージャーに決まっていた女の子は泣きだすしさ。胃が痛かったなぁ、あの日。

とにかく白紙に戻してもらい、でもレコード会社の話は復活させようと思ったら、ちょうどCDが売れなくなり始めた頃で、最初に「やりたい」って言ってくれたレコード会社の人たちも「あのときだったらよかったんですけど、今はうち体力ないんですよ」。そんな感じになって宙に浮いちゃった。このグループは絶対世に出したいって思ってたんだけど、これでお先真っ暗になって、もうダメなのかなぁって思いながら毎日を過ごしてた。

安部さんと嶋田くんはデビュー前に脱退。やっぱり安部さんはチューリップと掛け持ちはできないと思ったんだろうね。そのあと山本圭右と小泉信彦が入って、なんとかライブをやりつつ持続してた。これで終わるのかなと思いつつも、でも夢は捨てないでおこうと。レコーディングの話はなくなったけどオリジナル曲は作ろうと思って、そのときにできたのが「Never Cry Butterfly」と伊豆田くんの「Darlin'」。その他ほとんどの曲はそのリハーサルでできた。やってみて、「すごくよくない？」って話になって、これはもうなんとか頑張ろうってなった。

このときに今も僕のマネージャーをしてくれているハコちゃん（筥崎眞由美）が登場する。もともとは高島さんのチームで舞台製作をやっていた人。その頃から僕のツアーの手配とかチケット取りとかやってた。高島さんが「じゃあ筥崎、ピカデリーについてやれ」って言って、彼女がマネージャーになり、「杉くんのファンクラブもやれ」ってなって、腐れ縁で今に至る。

ファンクラブでバリに行こうってことで、ファンの人も連れて4回行ったかな。こういう旅行に行くと同じアーティストが好きな人同士だから、話が合って友達になるみたい。ネット上のグループみたいな感じで、今でも仲がいい。利害関係がないからね。僕らもサービスで毎日パーティーみたいなことをしたり。そしたらみんな飲む飲む。あっという間に予算オーバーしちゃった（笑）、初日から「こんなに皆さん飲むんですか？」。でも楽しいツアーが4年間続いた。

審査員ジョージ・マーティン!?

話の順番が前後しちゃうけど、96年にザ・ビートルズ・クラブ、今で言うプロデュースセンター主催で、全国のアマチュアバンドのコンテストがあって、その決勝が金沢であった。ゲスト審査員長はあのジョージ・マーティン。ジョージ・マーティンがアマチュアバンドの審査員長だなんて申し訳ないなと思いながら、いい経験をさせてもらった。審査員は司会の僕、タケカワユキヒデさん、財津さん、林哲司さん、かまやつ（ひろし）さん、湯川れい子さん、ニッポン放送社長の亀渕（昭信）さんなど、そうそうたるメンバー。

演奏が終わって、みんな別室で審査するわけ。ジョン・レノン賞とかそれぞれの賞がある。「個人賞はジョージ・マーティンさんに決めてもらうのがいいよね」とかこっちで言ってると、さっと手を挙げて、「僕は彼らと個人的に親しすぎるから、それはみんなで決めてね」って日本語もわからないのに先手を打つ。じゃあ誰がいいかってことで、林哲司さんが「〇〇くんがいいんじゃないか」って推薦して、みんなも賛成してたら、ジョージ・マーティンが「彼はサウンド的にジョン・レノンは感じないいんだけど」。みんなシュンってなった。最後に挙手で決めようってことで「彼がいいと思う人？」って聞くと真っ先に手を挙げるんだよ。だからすごいクレバー。そうじゃないとあのビートルズの曲者たち、ジョン、ポール、ジョージ、リンゴをまとめ上げることはできないなと思った。

あとすごく覚えてるのは、なにかの審査のとき、タケカワさんだけが反対だったの。11対1となになったんだけど、そしたらジョージ・マーティンがそこで言った台詞がかっこよかったんだよね。なんて言ったかというと、タケカワさんに「キミは『十二人の怒れる男たち』のヘンリー・フォンダだね」。ちょうど12人いたし、あの映画は陪審員の話で最初はヘンリー・フォンダだけが無罪を主張するんだけど、最後は全員が無罪の判決をするという話でしょう。それをこのタイミングで出してくるウィット。あれにはさすがジョージ・マーティンだと思った。

次の日、野外で財津さん、僕、KANちゃん、タケカワさん、J-WALK、白井貴子さんとかでジョージ・マーティンと奥さんが見てる前でライブをやったんだけど、「ヤバイなぁ」と思うよね。ジョージ・マーティンの前でビートルズのカバーやるなんて、両親の前で女性を口説くみたいなもんじゃない？（笑）、途中MCでつなぐシーンがあって、俺とKANちゃんと誰かで「オブラディ・オブラダ」をコント風に歌うんだけど、「なんて思われるんだろうなぁ」とか考えたら冷や汗がタラ〜。キーボードの嶋田くんなんて「イン・マイ・ライフ」の間奏、いつもは難なく弾けるんだけど、本番のMCの間中1人でヘッドフォンして練習してたから。最後の「アイ・ソー・ハー・スタンディング・ゼア」で、係の人に先導されてジョージ・マーティンはステージ前の通路を通って退出するんだけど、手拍子しながら歩いてくれて、もう本当に紳士で素晴らしい人だと思った。その後打ち上げでみんなでサインもらったんだけど、何を質問しようかなって考えて、「いちばん好きなアルバムは何ですか?」ってファン丸出しの質問をしたら「『アビー・ロード』と『リボルバー』」って答えてくれた。ピカデリーサーカスのデモテープを渡したら、「あ、知ってるよ。ピカデリーサーカス」。地名だもんね。日本で言えば八重洲とか丸の内みたいなもんだからね(笑)。

遡ると、前々日に歓迎レセプションがあって、みんなが帰った後キョードー北陸の人が僕と亀渕さんに「旅館までお送りしますからここにいてくださいね」と言うんだけど、待てど暮らせどタクシーが来ない。亀渕さんとは一応面識はあったけど、昔『オールナイトニッポン』の土曜日は欠かさず聴いてたから、僕のラジオ・ライフは亀渕さんで育んだようなもの。ちょっと緊張してたら、「タクシー来ないね、杉くん。しょうがないから時間つぶしにミュージシャンしりとりでもする?」って言われて、「亀渕さんとミュージシャンしりとり!? ありえない!」って喜び勇んで、「やりましょう」「じゃあビートルズ」「ズ、ないなー」って考えてたらタクシーが来た。そのあと小林克也さんの還暦パーティーで会ったとき「ズ、ありました。ズー・ニー・ヴー」「あったねえ!」。そんな思い出もあります。

須藤薫さんとユニットをやることに。

第11章
世界の中心
いろいろな「始まり」と世紀末

プロデューサー冥利に尽きる「Asian Paradise」

97年の9月には池袋のアムラックスホールでデビュー20周年記念ライブを3日間やりました。初日のゲストが峠恵子、安部恭弘、村田和人、2日目が山本潤子さん、稲垣潤一くん、竹内まりや、3日目がピカデリーサーカス。このとき須藤薫ちゃんは結婚して引退してたんだけど、1曲だけ歌ってもらった。それをソニーの若杉さんが聴いて「薫さん、もう1回やりませんか？」としつこく言い続けて、薫ちゃんは根負けしたように「杉さんがやってくれるんならやる」。若杉さん、今度は僕のところに来て話をして、それが須藤薫の最後の何年間かにつながっていくんですよ。だからこれがきっかけ。

ビクター時代から考えたら激動の20年だけど、この頃は将来的にプロデュース仕事の比重が高くなっていくのかな、と思っていた。加山雄三さんの還暦記念の作品集で森山良子さんの曲をプロデュースしたり。ブロードサイド・フォーっていう、黒澤久雄さんのグループのデモテープからプロデュースして、本番に移ろうってときにお父さんが亡くなったり。そう、あの世界のクロサワ。それでいろいろあって、その話はなくなったんだけど。

ベスト・アルバムも出したけど、ソニーの担当の人がジャケットは切り絵のデザインでいくって言うから「切り絵って純日本風？」「ここはちょっと僕に任せてください」。任せたら「は？」って思うものが上がってきた。だから僕のディスコグラフィでもあれだけ浮いている。

全然知られていないけど、すごく意義深い仕事もしました。

代ゼミの講師をやっている山口さんって人が「話を聞いてください」って来たの。その人はアジアをあちこち旅行している人で、「アジア版『ウィー・アー・ザ・ワールド』を作りたい」って言う。絶対無理だと思ったから「はい、わかりました」って適当に返事したんだけど、その人は本当にアジアのあちこちに行って現地のスタジオと男女の歌手に話をつけてきて、次は曲を持って行ってレコーディングする、っていうことに1年たったらなっていた。「ヤバイ、本当だ」って慌てて書いた曲が「Asian Paradise」で、急いで書いたにしては自分でもよくできたな、と思った。

僕らが作ったオケを持って、山口さんが再び各国へ。

フィリピン、インドネシア、カンボジア、タイ、ラオス、ミャンマー、シンガポール、ベトナム、マレーシア。そういう国の男女の歌手が歌ったＤＡＴをスタジオに持ち帰って、48チャンネルに移し替えた。彼のリクエストで、日本代表は僕と須藤薫。会ったことのない何人ものアジアの歌手たちがそれぞれのトラックで歌ってるわけ。これはプロデューサー冥利に尽きる。Ａメロはこのカンボジアの人でいこうか、サビはマレーシアの娘とハモろうか、とか自分で決められるからね。それぞれの現地語で歌ってるものと英語で歌ってるものもある。会ったことがない歌手たちと最後は大合唱。これには感動した。「Asian Paradise」、話題にはならなかったけど、最高の仕事だった。

その次の年だったか国際協力フェスティバルでこのうち何人かが来日して、日比谷公園のステージで一緒に歌った。「Asian Paradise」はイスラム、仏教、キリスト教などの国が混じり合ってるんですよ。マレーシアからやって来たロック娘のルヒル・アマニちゃんには終演後ハグしそうになったけど、宗教的に無理かもと思いとどまった。でも翌日、吉祥寺でやった後夜祭的なライブでは、達成感から思わずハグしちゃった。そしたら彼女も強く抱き返してくれて嬉しかった。

いい仕事だったけど、プロの音楽業界の人が関わってるわけじゃないから当然プロモーション力はない。アルバムも作った。僕の『WINTER LOUNGE』を山口さんはイメージしたんだと思う。「Yellow Christmas」みたいにみんなで歌いたいって言っていたから。で、『Paradise in ASIA』というアルバムが翌88年に出るんです。

山口さんは今は札幌かどこかにいるのかな。元代ゼミ講師の人がアジアを個人で回って話をつけて来ちゃうんだよ？　彼の熱量がなかったらこれはできなかった。誇れる仕事をしたと思ってる。ときどきライブでやるけど、好きって言ってくれる人がいっぱいいる。そういえば8ミリで彼が撮ってきて合成した素人ＰＶみたいのもある。現地語バージョンの歌詞カードなんて何語かもわからない。

ピカデリーサーカス、「ロマンティック天国」、ゴメス・ザ・ヒットマン……怒涛の世紀末

いい経験をしたけど、その間も常にピカデリーサーカスはどうなるんだろうと思ってた。そうしたらエピック・ソニーが「うちでやりません？」と。川原さんの紹介で鈴木豊康さんが手を挙げてくれた。いちばんいい会社でやれたと思う。待ってよかった。

ファースト・アルバムはとてもいい環境で作れた。覚えているのは上田（雅利）さんの48歳の誕生日をレコーディング・スタジオで迎えたこと。48チャンネルのメーターが48本のキャンドルに見えた。

ピカデリーも、エンジニアは飯尾さんに任せた。スムーズだったよ。ライブでもう何度もやっている曲ばかりだから、レコーディングではさらにその上をいけるように。「Good Friend」ではピカデリーだけでもボーカリストが何人もいるのに、華を添えるためにまた得意のいろんな人にひと声をやってもらった。根本要、ダイヤモンド☆ユカイ、稲垣潤一、竹内まりや、ロバート・ハリス、ユーミン。

ユーミンには「守ってあげたい」を歌ってもらったよ。あのイントロのコーラスを三声で。ぴったりはまった。アイデアが嘘みたいにはまること、僕はけっこうあるんですけど、あれは魔法のようにはまった。楽しかったな。

ところがね、人生思ってる通りにはいかない。さぁピカデリーを出すぞってときに、また別の話が来る。薫ちゃんが復活して、チリドッグスっていうバンドでライブをやってたんだけど、ソニーのセクションが盛り上がって、「新譜を出しましょうよ」ってなった。ピカデリーをやりだしたとこなのに、と思ったんだけど、薫ちゃんと昔の曲ばっかりやってるのもイヤだから、新曲もやりたいなと思った。

気持ちの問題なんだけど、「これをやらなきゃいけない」って思うとすごくプレッシャーになるけど、「これをやるチャンスが与えられた」と思うと、すごい興味がわいてくる。「ライブ用の新曲を書かなきゃ」って思うんじゃなくて、「この機会に薫ちゃんとのデュエットを試してみよう」って考える。

何かの取材のときにライターの人が「80年代の絵空事のような恋の歌は時代遅れで、最近はコンビニの前で愛を語る歌がメイン」みたいなことを言っていて、「なんて夢がない！」と思った。それなら逆張りでロマンティックな歌を書いてやろうと作ったのが「ロマンティック天国」。名義は須藤薫&杉真理。

またそこにゴメス・ザ・ヒットマンというバンドのプロデュースの話が来て、聴いてみたらなかなか面白くて。ボーカルの山田（稔明）くんと恵比寿にあったファンハウスの会議室で2人で曲作りから始めて、気が付けば彼らと一緒にライブをやるようになっていた。山田くんは今は年の離れた弟みたいな存在。今も一緒にやってるドラムのけっちゃん（高橋結子）はこのバンドのメンバーで、ここで出会った。

だからピカデリーは滞っちゃった。でもそれは僕だけのせいではなくて、みんな忙しくなってきたのもある。ライブはやってたんだけどね。2枚目はエピックで担当してくれた鈴木さんがTSUTAYAのレーベルに移って、そこから出すことになる。それが3年後。

こう見ると、98〜99年は忙しかった。というより、ずっと忙しい。忙しくない年なんてない。

隙間バンドとして、ファンクラブ・ツアーでバリ島に行ったときアコースティックでやれるようにモンキー・フォレスト・バンドってのを作った。風祭東、橋本哲、松尾さん、僕、里ちゃん（里村美和）。それはそれで、いろんなところでやれたしツアーもやった。ここではアジアン・テイストの曲が中心だった。松尾さんと新曲も書いた。中でも「ワン・サマー・ガール」は大好きな曲。2023年現在未発表だけど。

1999年に地球が滅亡するっていうノストラダムスの予言は信じてなかったけど、2000

年問題があったでしょう。その年末はゴメスのレコーディングで一口坂スタジオにいたんだけど、とりあえず2000年になる瞬間は機材の電源を落とした。しかも年越しは須藤薫と大宮のNACK 5に出演して生で歌って、またスタジオに帰ってきたのよ。忙しいよね。年越し仕事の掛け持ちなんて。

「思わぬところ」からの始まり

2000年の1月1日に出たミニ・アルバムのメイン曲「君の物語」は同世代の仲間に向けて作った応援歌。〝輝いていた君の物語の続きを知りたくはないかい?〟っていう歌。この曲はテレビ東京の「開運! なんでも鑑定団」のテーマ曲になったから、薫ちゃんと僕で番組に出たこともありますよ。出るつもりじゃなかったんだけど、テーマ曲をやってるから出ることになって仕方なく。ビートルズのアルバムを持って。僕の持ち物じゃなかったんだけど、マネージャーだった高島さんから、1回世に出たけどすぐに回収された『アビー・ロード』のCDを渡されて、それが3000円とかの安い鑑定をされた。でも、そのビートルズ関係の鑑定をする人と楽屋で会ったら「ナイアガラも好きなんですよ」と言われた。ビートルズとナイアガラって意外と重なる部分があるんだな。

薫ちゃんと歌った「I WISH」は本当に思い出深い。お互いに子どもがいたから、「親から子どもへの愛を歌おうよ」ってことで作ったバラード。歌詞は田口俊。結婚～出産を経た薫ちゃんには母性が加わっていた。一番を薫ちゃんが歌って二番を僕が歌うんだけど、ステージだと、薫ちゃんは見事に歌に入り込む。スポットライトを浴びて身振り手振りで歌ってるのを後ろから見てると涙があふれてくるんですよ。逆光のライトの中、慈愛に満ちた天使が歌っているみたいで、「二番を歌うんだから泣いちゃいかん」って、いつも歌うのに必死だった。あの薫ちゃんは本当に女神のようだった。

この頃からかな、年に1回Dear BEATLESが始まった。前身はビートルズ・カレッジというタイトルで、坂崎（幸之助）くんとかリッキーさんとかが出てて、最初は僕はゲストだった。

またファンの人たちから「そろそろソロ・アルバムを」って言われだして、そういえばそうだと。ピカデリーをやってるし薫ちゃんやってるし、毎年出してるような気がしていたら93年の『FLOWERS』から出してなかった。「あ、そうか」と思ってソロ・アルバムを作ろうと。それが2001年2月の『POP MUSIC』になる。

ちょうどプロトゥールスがポピュラーになってきた時代だから、じゃあグレーテスト・デモテープみたいな感じで、僕のデモテープを本格的にやる感じでやってみようと思った。全部じゃないけどベースも弾いたし、コーラスもほとんど自分でやろう。エレキギターのリードも弾いちゃえ。「WAVE」って曲とかがそう。

アレンジは90年代に入ってからは嶋田陽一くんと2人でやってる。一時、京田誠一くんともやってたけど、2人とも僕のドリーマーズのキーボーディスト。予想通り立派に成長した。もともと才能あったんだけど、京田くんは財津さんのお気に入りアレンジャーになったし、夏川りみさんの「涙そうそう」を始め、いい仕事をたくさんしてる。嶋田くんはいろんなところで大活躍。爆風スランプの「大きな玉ねぎの下で」の作曲者でもある。

今回は手作りでいこうと思ったから、嶋田くんのハウス・スタジオで自分でしこしこやってた。プロデュースしてたゴメスは僕がしばらくやってなかった16ビートをやっているバンドだったから、彼らの影響で作ったのが「WAVE」。新しいサーフ・ミュージックみたいな感じ。歌詞のテーマは〝許し〟になったんだけど、思わぬところからそうなっていった。

でもこうして見ると、〝思わぬところ〟から全部始まってるなって思う。そのときは全体像がわからなくても、こうやって振り返ると「あぁ、これがあったからこうなったんだ」って流れが見えてくる。そして今のラッキーの源をたどると、どこかの時点のアンラッキーに見えたことが原因だったりする。僕なんか、高校も大学も志望校には落ちたことで今があるし。人生、一喜はしても一憂はしなくていい気がする。十喜一憂くらいでちょうどいいんじゃないかな。バリ島で年がら年中お祭りをやってるのってそういう訳かも。葬儀も含めてね。

須藤薫ちゃんはこの頃から亡くなるまで毎年2回ライブをやるようになった。彼女は1回やめてるじゃない？ だから吹っ切れてて、「楽しくなかったらやめます。お仕事ではやりたくないです」。そういうモードだから部活動みたいで楽しかった。薫ちゃんの家でコーラスの練習をしたこともあった。

この前も松任谷（正隆）さんに言われたけど、「杉くん、音楽が仕事だと思ったことないでしょう？」「はい」「僕も」（笑）。薫ちゃんなんて特に居直って「好きなことしかやりません、本業は主婦です」って言いながら、あんなすごい歌を歌ってた。バリの管理人でアーティストの人と同じだ。

『POP MUSIC』は新星堂のレーベル「オーマガトキ」から出した。だから新星堂の店舗でインストア・イベントをいっぱいやった。ギター1本でやらなきゃいけないわけ。昔は絶対にイヤだったんだけど、薫ちゃんと2人でやったりしていくうちに変わってきた。知らない人が通りすがりに聴いたりするわけじゃない？ 演歌好きのおっさんが通り過ぎて行ってもどうでもいいんだけど、「これ誰？」って立ち止まる人もいたわけ。こういう人も大事にしなきゃな、知ってる人ばかりじゃなくて、これから知ることになる人に向けてもうちょっと広くやらなきゃいけないんじゃないかな、と思って、自分としては修業の気分でしたね。

気付くのが遅いよね（笑）。「ちゃんとギターを弾かなきゃいけないんだ」とかね。そう、この頃なんですよ。「俺の音楽はレコード通りのミュージシャンがいないと再現できない」とか突っ張ってたけど、実はそうじゃない、それは逃げだった、って認めた。もちろんそうじゃなきゃできないものもあるけど、やっぱりそれをなんとか工夫してやらなきゃいけないんじゃないの、って。伸びしろがあった気がする。まだまだ小僧だと気付かされました。

２００１年には神田沙也加ちゃんの曲を書いた。ＣＭデビューだったのね。アイスの実。今は「パラソルと約束」っていうタイトルがついてる。沙也加ちゃんのお母さん、聖子ちゃんに大瀧さんが書いた「風立ちぬ」が素晴らしかったから、大瀧詠一・ミーツ・神田沙也加、って感じでナイアガラ・サウンドにしようと思って書いたのがこの曲。

沙也加ちゃんは当時15歳だったんだけど、デビューってことで芸能ニュースとかで取り上げられてね。テレビ局から僕に作曲家としてインタビューさせてくれって言われたんだけど、忙しかったからＦＡＸで返事を書いた。たまたま夕方のニュースを見てたら沙也加ちゃんのデビューを特集していて、「作曲者の杉真理さんのコメントです」って俺が昔そのテレビ局に出たときのスチール写真、静止画像が出てさ、コメントが文字で出るだけだったらいいけど、アフレコしてある（笑）。しかも作家の先生だから偉そうな感じだと思ったんでしょうね。アフレコやる人がふんぞり返ったジジイのていで喋ってて、「そんな喋り方しないぞ、俺は！」。見ながら文句言ったけどね。人生でアフレコされたことはこの一度しかない。普通ないよね（笑）。

この頃は、他にもキットカットのＣＭもやってる。例のＯＮ・アソシエイツの仕事で、女性歌手が決まってて、ゴスペル調の曲でって言われたからそれなりの曲を書いた。「あ、いいですね」って言われて、でもスポンサーに聴かせるときに比べるものがあったほうがいいから、ダミーでもう1曲ポップな曲を作ってくれって言われて書いたら、そっちが採用された。「え？　誰が歌うんですか？」「杉さん歌ってください」「俺ですか？　いいんですか？」。歌ったのが、「雨の日はきっと」という曲。よく考えたらリバプール・サウンドなんだけど、リバプール調で雨って、「バカンスはいつも雨」と路線は同じだよね。しかもどちらもチョコレートのＣＭ。メーカーは違うんだけど、もう時効だろう、と。

もうひとつ、自分のソロとは別に松尾さんと薫ちゃんと3人でスリー・ドッグ・ナイトの向こうを張ってスリー・キャッツ・ナイトっていうのを組んで何本かライブをやったんだけど、これがまた好評で。曲によってはベースを弾きながら歌ったりしてる。映像見ると、3人だけでよくやったなぁ、って思うよ。

やっぱりソロは出しておくもんだよね。外でいろいろやるとそれがソロに跳ね返っても来るし。『POP MUSIC』というタイトルだけど、最初は『グレート・デモテープ』にしようと思ってた。でも「久々にソロを出すのにデモテープはないでしょ」って言われて、「もっと大見栄を切ったやつ、『ポップ・ミュージック』とか?」「いいですね」「じゃあそれにしちゃえ」。ジャケットは『FLOWERS』のトラックダウンでオーストラリアに行ったときに僕が撮った息子の写真。みんなから「エネルギーがある」って言われた写真だから、それを使った。

9・11、『LOVE MIX』、ピュアミュージック

2001年には9・11が起こるわけですよ。それでやっぱり「人間どうなっちゃってるの?」ってなるわけですよ。あと同じ頃にジョージ・ハリスンが亡くなる。最期はリンゴとポールが集まって親身になってたとか聞いて、思ったこと、考えたことをまとめてその年の冬に作ったのが「Love like a Xmas day」。〝喧嘩別れした友達の声が聞きたくなって電話した〞って出だしなんだけど、クリスマスのように仲良くなろうじゃなくて、何故クリスマスのように僕らはいつも抱きしめ合えないんだろう、っていう歌。そこから次のアルバムに向けて動き出す。

次も『POP MUSIC』と同じオーマガトキから出るんで、あの流れを汲んで、でももうちょっとグレードアップしようと。そのときに、6～7年前に作ってた『FLOWERS』の次の作品群を思い出した。あれを世に出さないわけにはいかないなと思って、「天使の光」とか「太陽が知っている」「Soul Vacation」とかをもう1回生で録り直した。ここでよみがえったんですよ。ファンクラブで2回目にバリに行ったとき夕陽のビーチで浜に印をつけた、あのときの歌が「世界の中心」。ここで日の目を見る。

ギャラ未払い事件もあったなぁ(笑)。ジョージのトリビュート・アルバムを作りましょうって話が松尾さん経由で来て。「これくらいのバジェット(予算)で」みたいな話をして、BOXで「タックスマン」をやったんだけど、いつまでたってもギャラが振り込まれない。「松尾さん、どうなの?」「来週振り込むって言ってたよ」。またしばらくすると、「再来週になりそう」。松尾さん、煙に巻かれて逃げられた。でも払ってるところもあるみたいだってわかった。どうやら途中で予算がなくなって、弱気な人はだまし通そうって思ったらしい。なめられた。見るからにいい人そうな松尾さんを交渉係にしたのがまずかった(笑)。まぁ、俺でもダメだっただろうけど(笑)。BOXにもうちょっと怖い人がいればよかった。

ピュアミュージックが始まったのも2002年。僕、村田、伊豆田くん、山本英美くんの4人だけでサポート・ミュージシャンを使わないで、自分らの曲とカバーをやるわけ。1人5曲ずつ選んでくる。つまり自分の曲3曲、カバー2曲なんだけど、自分の曲も普段あんまりやらない曲をやろうとする。昔カバーしたかったけどできなかった曲も、このメンバーだとコーラスがみんなうまいからできちゃうわけ。ビートルズは当たり前すぎてやらないんだけど、ビーチ・ボーイズとかにチャレンジする。

自分が選んだ5曲でさえも手慣れてないのに、他の人の15曲なんて初めてやるわけじゃない。ド修業なのよ。アマチュア時代よりリハが大変。言い出しっぺは中台さんっていう人。チッタ（川崎クラブチッタ）のステージ上手《かみて》（右側）に応接セットが用意されるわけ。お茶の間コーナーっていうのがあって、途中みんなでそこに行って雑談をする。冷蔵庫が置いてあって中にはビールが入ってる。ピザを頼んだこともある。配達の人が「ここですか？」って不思議そうに持って来て、でも俺は食べない。みんなも食べない。このあと歌わなきゃいけないんだから。村田だけ食べる（笑）。食べてすぐよく歌えるよね。余ったピザはお客さんに配ったりするんだけど。

だから、ピュアミュージックは緩〜いライブだと思われてるんだけど、今までやった中でいちばんハード。練習は13時から23時までとかの長時間なんだけど、1曲ずつアレンジを考えてパートも考えて、ってやってると時間がなくなって20曲全部通せない。だからトイレ休憩なし。ごはん休憩もなし。誰も言い出さない。誰かが悪そうに「ちょっとコンビニ行っていい?」とか言うまで待つ。伊豆田くんに至っては家に帰ってビールを飲むのが楽しみだから、一口も水を飲まない。ポールとは違った理由で水を飲まない。ずーっとピアノの前にいる。

やってるうちに最初の頃にやった曲とかもうわからなくなってる。頭がウニ。「これは誰のなんの曲?」「俺たちはいったい何をやってるんだ?」。そういう状態になってやっと、「今日はやめよう」。アマチュアでもこんなに厳しくなかったよ。それくらいピュアミュージックはいまだに修業のライブ。しかも伊豆田くんなんてクイーンを持ってきたりするんだよ? 英美くんはイーグルスの「ホテル・カリフォルニア」とか。村田はドゥービー(・ブラザーズ)とか。もう大変。持ってくる人が責任もって譜面を書いてくるんだけど、本人も「難しい……」とか言ってる。

村田が亡くなってやめようかと思ったんだけど、村田の歌をカバーしようってことで、今も続いてます。

『LOVE MIX』を嶋田くんのスタジオでレコーディングしてたとき、4月1日だったんだけど、見事に俺、引っかかったんだよ。

犯人はシンガーソングライターの渡辺かおる。彼女はエイプリルフール女なんですよ。例えば事務所の社長に「今、下でパチンコやってるんですけど、玉が出ちゃって大変なんです。どうやって止めるんですか？」って電話して、社長が慌てて行くと誰もいなかったり。家がクリーニング屋さんなんだけど、お父さんに「今注文が殺到して大変」「本当か？」って行ったらカゴの中に隠れてたりとかね。もっとひどいのはお父さんが屋形船を町内会の集いで予約してたとき。屋形船の会社の人のふりをしてお父さんに電話して「〇月〇日に予約されましたよね？　こちらのミスでダブル・ブッキングしてしまい、女子大生のみなさんと一緒なんですけど、かまいませんか？」「もちろんいいですよー！」。最低だよね、娘には見られたくない側面（笑）。お母さんには「NHKの番組の観覧に当たりました」ってNHKのふりをして電話して、「一応ご本人確認のために1曲歌っていただけますか？」って電話口で歌わせるとかね。

で、僕はレコーディングの休憩でごはんを食べてたの。そしたら電話が鳴って、デスクの人が「FM新潟からです」。マネージャーが「あ、言うの忘れた」って言う。実は2人はグル。生放送だっていうから仕方なく出たら「こんにちは、お久しぶりです。新潟のマッキーでーす」。「知らないなぁ」と思いながらも「どなたですか？」は生放送でマズいでしょう？　俺なんか感じいいのが取り柄の人なんだから（笑）、「あ、お久しぶりでーす」とか言うわけ。後ろで僕の曲がかかってる。「リクエストたくさんいただいてます。ニュー・アルバムのレコーディング中だそうですね。

コンセプトは？」とか聞かれて「そんなの考えてないよ」と思いながら「いやぁ、これこれですかね」とか適当にごまかす。「好きな女性のタイプは？」。聞いてないよ。こんなの咄嗟に答えられないよ。「そうですねぇ、色っぽい人かなぁ」とか適当に言って、「じゃ最後に番組名のコール、『ポップス・ゴー・オン・ナ・トリップ』をお願いします」。

そんな名前は聞き慣れてないから、「え？」「ポップス・ゴー・オン・ナ・トリップ！」「は？」「ポップス・ゴー・オン・ナ・トリップ！」。3回も「え？」をやったらアホだと思われるから見切り発車で「ポップス・ゴー・オン・ナ・トリップ！」「ありがとうございました！　マッキーでした。杉真理さんでした」。電話を切って、ため息をつきながらみんなのところへ戻った。

グルになっている最初の2人以外は「ハコちゃん（マネージャー）、あれはないよ。杉さんかわいそうだよ」ってすごい俺に同情的。僕も「ハコちゃん、ちゃんと教えてくれないと。俺だから乗りきれたようなもんだよ？」くらいのことを少しドヤ顔で言ってたらまた電話が鳴って、「渡辺かおるちゃんからです」。何だろうと思って「もしもし」って出たら「杉さん、聞きましたよ。楽しかったです。ポップス・ゴー・オン・ナ・トリップ！」。

その瞬間、さーっと血の気が引いた。騙されるってこういうことなんだ、ってわかった。それまで俺の味方をしてくれてたみんなもさーっと向こう側に引いていく。騙された1人ｖｓその他大勢。はー、こういうことか。次は騙される前に騙そう。それからエイプリルフール・メールを自分から送るようになった。今も毎年友人たちに送ってます。

第12章

Oh, Pretty Woman

コント職人誕生、そしてオノ・ヨーコが叫ぶ

新潟でコント漬け!?

ビートルズ・カレッジがDear BEATLESというタイトルに変わって、僕がバンマスになったのは2003年だと思う。

ビートルズ好きなミュージシャンは3種類いて、ビートルズのカバー・バンドを組んでたくさんの人の前で歌ってる人、村田とか坂崎くんみたいにビートルズの影響を受けているけど自分の音楽はまた別っていう人、僕とか伊豆田くんみたいにビートルズの影響をもろに受けた音楽をやっている人。それが一同に会するのがDear BEATLESのいいところだと思う。片方に寄っちゃうと、ちょっとまた違うから。

それにビートルズって、手慣れてくるとビートルズらしさがなくなる。ハコバンっぽくなる。だから、ちょうどいい具合にバランスが取れてるのがDear BEATLESじゃないかと思う。今のベースは清水(仁)さんなんだけど、伝説のビートルズ・トリビュートバンド、ザ・バッド・ボーイズの元メンバー。リッキーさんと清水さんは、一山越えて、仲良しなのよ。幼馴染みたいな関係で、僕らも一緒にやれて嬉しい。

このあたりから始まった特筆すべきことは、新潟に通ったことです。FM PORTという放送局で、毎週土曜日、19時から23時まで4時間の生放送『杉真理のポップンロール』。その時間だと終わって東京には帰れないから、新幹線で行って1泊して、次の朝また新幹線で帰ってくる。そういう生活が3年弱続くんです。

とにかくそういう経験は初めて。なのにディレクターの金子さんが、4時間のうち2回コントを作ってやってくれって無茶を言うわけ。「昔やったことあるけど大変なんだよなあ」と思ってたんだけど、東京の仲間で飲んでるときに、ミュージシャンをネタにしたダジャレのコントがいいんじゃないかってことになって、最初の一発目は『巨人の星』。関西弁の星一徹が「客が入らない」って言ってる飛雄馬に向かって「左門を呼べ」「左門で本当にファンの人は来るのか?」「左門でガーッファン来るで」。そう言った瞬間にサイモン&ガーファンクルがかかる。それまでのストーリーは全部そのダジャレのためにある。ボリビアで養豚場をやってるボリビア・ヨートンジョー→オリビア・ニュートンジョンとか、山本リンダが麻雀で上がって「リンダ、ロンしたっと?」→リンダ・ロンシュタットとか、伴宙太が痙攣してバン・ケイレン→ヴァン・ヘイレンとか、インド料理店で「とっととナンくれ」→トッド・ラングレンとか、大掃除にやって来たお兄さんは箒を使ってきれいにする「箒でまぁきれい」→フレディ・マーキュリーとか。そこに持ってくための長いコントを作る。だからすっごい不自然で無理があるわけ。

番組アシスタントの高橋佳奈子ちゃんがすごくうまいんですよ。めちゃくちゃ面白い。どんな役でも、アドリブでどんなことでもやっちゃう。彼女がいたから盛り上がってきて、人数が足りないときはアシスタント・エンジニアを出したり、他の番組のディレクターとかも出てもらったり。だんだん人気が出てきちゃって、他の番組のＤＪの人が「僕も出させてください」って言ってきたり。担当ディレクターの金子さんだけは頑として出なかったんだけど、FM PORTのいろんな人を巻き込んでコントをやって、仲良しの場がそこにもできた。

生放送で本番中に笑いのツボにはまって台詞が言えなくなったことがあったから、それからはコントだけは番組直前に１回読み稽古をやって録る。本番はそれを流す。毎週２本、１２０～１３０本は書きましたね。毎回毎回ミュージシャン・ダジャレを考えるのが大変で、行きの上越新幹線の中でコントに仕上げて台本を書くんだけど、そのうち１週間ほとんどコントのことばっかり考えるようになっちゃって、これはいかんと。考えるのは金曜日からにしようと。

まわりの人たちに録ったものを聴かせると「バカバカしいけど面白い！」と言ってくれる。和代人平くんとかはネタまで考えてくれた。過疎の農家で嫁を募集する番組『嫁っ子さ来い』の最後に、「未来のお嫁さんと何がしたいですか？」って聞かれて、「すたい（したい）ですセックス」↓スタイリスティックス。かなりヤバいことや下ネタも言ってたから、今ではもう放送できないだろうね。「エロです、擦ってろ」↓エルヴィス・コステロとかね。みんな昭和のノリ。

ダジャレまでいくために無理やりその前の部分を作るわけじゃない？　かなり無理があるほうが面白いってわかった。「政府の命令でパーマをかけていない人は処刑します。今すぐパーマをかけなさい。パーマをかけてないのはタバコ屋のレイコさんとあんただけ。今すぐレイコさんとパーマ」。それでエマーソン・レイク＆パーマーの「ラッキー・マン」かなんかがかかる。

ヒサヤ大黒堂みたいな会社が痔を治すベルトを開発して、社員に「みんなつけろ」「俺はやりたくない」っていうコントがあって、「この痔のベルトをしていないなら会社をやめさせる。二者択一だ」「え〜、リストラと痔のベルトですか？」。そこでアストラット・ジルベルトの曲がかかる。家族でそのコントを聞いてた親は大ウケなのに小さい子どもが理解できなくて、「あの社員の人たちどうなったの？」。そりゃそうだよね（笑）。

いろんなキャラクターも登場した。サ行が全部ＴＨの発音になるＴＨ助川。ラジオの交通情報をやる。それからヤマイダレ教授。モチーフは高校時代の地理の竹田弥太郎先生。

わかりきっていることを生徒に言わせようとする。「このようなことは、決して？」。もう「決して」の時点で否定形でしょ。「決して、どうなんですか？」「決して、あり得は、どうなんですか？」「あり得はしな、どうなんですか？」。それをデフォルメして、「どうしてヤマイダレ教授って呼ばれているんですか？」「あ〜いい質問ですね。これは私の、髪型が、どうなんですか？　0

対10で分けてあって、どうなんですか？　あたかも漢字の、どうなんですか？　漢字のヤマイ、どうなんですか？」っていううっとうしい人物像を作ってた。でもこんなのウケないだろうなと思ったらめちゃめちゃウケて、知らない間にヤマイダレ教授のコミュがミクシィでできてたりしてた。これはすごく盛り上がった。そのコント集を坂崎くんや沢田聖子ちゃんはじめいろんな人に聞かせたら気に入ってくれて、CD―Rに焼いてみんなに配った。そんな2年半だった。50歳の誕生日も新潟の居酒屋で迎えました。

「漣健児」さんとの出会い

音楽もちゃんとやってましたよ。ピカデリーサーカスの2枚目のアルバムを作ったし、自分のツアーもやった。スカパーでテレビ番組も始まって、よく身体がもったなぁと思う。

そのピカデリーサーカスのアルバムを、シンコーミュージックの会長だった草野昌一さん、つまり60年代の洋楽の訳詞のほとんどを書いてた漣健児さんがジャケ買いしたんですって。それですっごい気に入ってくれた。その前はまりやがカバー・アルバムで漣さんの詞を歌ってるんで、それも好きで聴いていて、そしたら今度はピカデリーが出て毎日聴いてたらしい。シンコーはビートルズの会社だしね。で、クレジットを見たら、上田雅利がいるじゃない。チューリップのあの上田か！

で、上田さんを通して連絡が来て、面会した。僕と松尾さんと上田さんで。僕が50歳を迎えた次の日で、シンコーの会議室に来てくれって言われて、誰だろうなって思ったら社長室に通されて、「草野です」。漣健児さんじゃん、ヤバイよ、どうするの？　心構えができてない。上田さん、ちゃんと言ってよ。たぶん名前を言ったらビビると思ったから言わなかったんだと思う。このピカデリーサーカスのアルバムに「B列車で行こう」って歌があるんだけど、もちろん「A列車で行こう」のパロディ。そのアンサー・ソングの詞を書いてくれていて、僕に渡してくれた。今でも持ってるけど、「C列車で行こう」。漣健児さんの直筆の詞！

草野さん、とがってることはとがってるんだけど優しくなってて、すごく僕らによくしてくれた。「次のアルバムは是非一緒に作りましょう」って言ってくれた。嬉しかった。一緒に食事に行って、幼い頃の耳に馴染んでいる60年代の漣健児さん訳詞の洋楽曲の話とかもしたかったんだけど、ちょっと振ると「昔の話はいいから」って言う。かっこいいよね。「ビートルズを訳してみたら、これは訳詞する必要ないんじゃないかって思った」って。その通りだよな。さすがだな。実は「オブラディ・オブラダ」の日本語詞、〝太郎が花子に〟って、それはないだろうと思ってたんだけど、『オブラディ・オブラダ』は太郎と花子にして、これは面白いと思ったんだけどね、超不評だったんだよ」って自分から言う。この人さすがだ、器がデカイ。「最近ビートルズをカバーしてるフランスのアーティストがいますよ」って言ったら、お付きの人にすぐに買いに行かせる。

ピカデリーサーカスで出た東京タワーでの小さいイベントも見に来てくれた。赤坂プリンスホテルでやったときはご招待して、まりやと同じテーブルにした。まりやの大ファンって言ってたから。もちろんまりやのほうも大リスペクトしてる。そしたら「この前は呼んでいただいてありがとうございました。まりやさんの隣で聴かせていただいて、天にも昇る気持ちでした」なんてお手紙をくれた。そのあとお礼がしたいからって、僕ら全員を後楽園のアメリカン・スタイルの美味しいレストランに連れてってくれた。

草野さんってお酒は飲まないんだよね。そういうところで盛り上がって笑える話になると、たいてい気が付けば僕が中心にいたりするんだけど、そのときは草野さんが中心でずーっと面白い話をしてるの、楽しかったなぁ。言えない話もいっぱいあるんだけど。

次のピカデリーのレコーディング、本当に一緒にやろうと思ってたんだけど、その何年か後に亡くなられてしまった。

亡くなるちょっと前に四国の桂浜で坂本龍馬の銅像を見て、司馬遼太郎が銅像の下に書いた文章を読んだら、そのとき頭に流れたのがピカデリーサーカスだったんだって。たぶん「King of the

World」だと思う。その文章のコピーを取ってきてくれた。坂崎（幸之助）くんを通して「これをピカデリーのみなさんに渡してください」って。読むと〝武士道について〟みたいなことが書いてある。言われてみたらピカデリーサーカスはある種の騎士道を目指してるようなところがあるから、その共通点を感じたんじゃないかな。それをもらった数か月後にお亡くなりになったんだけど、あの草野さんに認めてもらえたことは僕の中では勲章。

「C列車で行こう」は曲をつけづらいっていうか、草野さんなりのユーモアで、今はこれ通じないだろうなって思う昭和な業界言葉、〝ネカチモ（金持ち）〟とかが入ってたりするんだよね。面白いんだけど、まだそのままになってる。

堂島孝平くんと知り合ったのもこの頃。音楽ライターの角野恵津子さん企画のイベントだったんだけど、堂島くんのバンドと一緒にやることになった。僕は2003年くらいからブルーワンミュージックっていうソニー系の事務所の所属になったのね。堂島くんの事務所もソニー系だったし、そういうのもあって一緒にやってみようってなった。僕の曲を若いメンバーがやってくれるわけよ。小松（シゲル）くんがいたりシュンちゃん（渡辺シュンスケ）がいたり、優秀なバンド。会場は川崎のチッタで、1曲目は作りたての「ジェリービーンズ・ガール」。いいスタートだった。僕の曲は堂島くんが選んでくれたんだけど、81年、つまりトライアングルの前、いちばん注目されてない頃に出したシングル「ガラスの恋人」を「好きです」って言うわけ。

僕としてはこの曲に悔いはなかった。売れなくて当然だと思ってた。あの時期に哀愁のあるリバプール・サウンドなんてウケなくて当然だけど、好きなことをやっちゃえと思ってやった曲。好きなことをやると売れないんだなってわかったから、まぁそういうもんだろうなってずっと思っていたわけですよ。それから20年以上たって、堂島孝平くんが「あの曲好きなんです」って言ってくれて、一緒にやったシュンちゃんたちも「今日はあの曲がいちばんグッと来ました」って言ってくれて、僕もウルッときちゃった。ちょっと報われたっていうか、昔の自分に聴かせてやりたいと思った。

堂島くんたちとやったユニットは後にアルバム『魔法の領域』のときにも参加してくれる。だからやたらまたユニットが増えてきた時期。

2004年の10月に新潟県中越沖地震が起こった。番組が始まる前、「一日署長のあかねちゃん」っていうくだらないコントを録ってるときに揺れたから大地の怒りかと思ったんだけど、本格的に揺れだした。放送局が倒れるようだったらどこにいてもダメでしょう。もうしょうがない、このままここにいるしかないと思った。

CD室のCDは全部落ちて散乱しちゃってる。番組が始まっても揺れてて、「ただいまの揺れは震度いくつで、津波の心配はありません」。でもそれがどの揺れかもわからないくらい何度も揺れて。今と違って携帯もつながらないから、東京でみんな心配してくれてたと思うんだけど、その頃メインのＦＭ局では収録した通常の番組をやっていたらしくて、対応が遅かったわけ。当時 FM PORT はそのＦＭ局にくらべてマニアックだったけど手作り感があったから、そうやってすぐ対応できた。それから一時聴収率が逆転したらしいよ。２０２０年に残念ながら閉局しちゃったけど。

泊まっているホテルに帰るには萬代橋を渡らなきゃいけないんだけど、３００メートルもあるから怖かったよ。次の日、新幹線は止まってるから朝早くにバスで郡山に出て、そこから東北新幹線で帰ってきた。みちのく一人旅。

想像よりも被害は大きくて、次の週もまだ新幹線は通ってなくて、飛行機で行って飛行機で帰る。それが数週間続いた後、関越が越後湯沢まで通ったから、そこまで新幹線で行ってバスに乗り換えて、燕三条でまた新幹線に乗って新潟駅、というのを繰り返した。

新潟は食べ物が独特だよね。イタリアンっていうから普通にイタメシのことかと思ったら、焼きそばにミートソースと刻みショウガがかかってる。学園祭で売ってるようなファストフード。これがまたクセになるんですよ。あとタレかつ丼もね。番組が終わるのは23時とかだからみんなお腹がすいてるわけ。「アー・ユー・チャーハン・トゥナイト?」とか言ってチャーハンを食べに行く。文法デタラメだけど、合言葉みたいになって、じゃあ行くかー！

番組は次の年の秋くらいまでやって、めでたく卒業ということになった。佳奈ちゃんをはじめディレクター、アシスタント、エンジニア、みんな仲良くなって、今もたまに連絡をとってる。最後の日は秋晴れだった。いつも人に恵まれてるなと思う。本当に佳奈ちゃんがいなかったらあんなコントは続かなかった。素人とは思えない演技力だもん。そんな人たちとよく出会えた。

ヨーコさんの雄叫びとロイ・オービソンのトリビュート

伊藤銀次さんと組んだのは２００５年。同じ事務所だったから、今度は銀次さんとジョイントをやろうってことになった。打ち合わせしたら銀次さんが「ドラムは女性がいいな」って言うんで、プロデュースしたばかりのゴメスのけっちゃん（高橋結子）、キーボードは堂島バンドのシュンちゃん、そしたら銀次さんが「最近気に入ってるのはクレイジーケンバンドなんだよね。あそこのベースとか誰か知り合いいない？」って言ったらマネージャーのハコちゃんが「同級生ですよ」。連絡したらＯＫになって、マイルドヘブンというバンドができた。

堂島くんのときも「ライブやるんなら新曲を作ろう」って2人でオリジナルを2曲作ったのね。「Good News」と「君の Paradise」をブルーワンの事務所で何時間かかけて作って、それをライブで初披露して成功したんで、銀次さんともやることにした。2人で考えて、ステッペン・ウルフの「ワイルドでいこう！」のリフをボサノバ調に変えて「マイルドでいこう」。銀次さんも僕もダジャレ好きだからね。もう1曲は銀次さんとやるならロックっぽいのがいいなっていう僕の発案で、ストーンズっぽい「ウィー・アー・ザ・バンド」を書いて、その2曲をやった。だからユニット名もマイルドヘブン。曲ありきの名前。

ピカデリーのあたりから、ライブでまず新曲をトライする。それより前はレコーディングした曲をライブで披露するのが普通だったけど、ライブで初めてやっちゃう。ピカデリーのときは必要に迫られてだったけど、考えが変わってきた。新曲はライブでは分が悪い。お客さんにとって思い入れのある曲にくらべてハンデがあるでしょ。そのハンデを超えるほどのインパクトがあるいい曲を作る。そのトライを続けていけば懐メロ・シンガーにならないでいられる。それは今でも続いてます。

銀次さんとやって面白いところは、阿吽の呼吸。「マイルドでいこう」は僕が主導して作った曲みたいだけど、逆に銀次さんが「杉くんだったら……」って考えて作った曲なのね。もう1曲は僕が「銀次さんだったら……」って考えた。僕1人だったらやらないストーンズ・テイストの曲だから、そうやってお互い補ってるところが面白い。銀次さんのプロデューサー感覚と僕のリスナー的感覚がうまいこと絡まって、相性がいいし、2人ともポップ。それとは対照的に松尾（清憲）さんは仕切りたがらない。どんどんアイデアを出して「あとは任せた」。それを俯瞰して整理するととんでもなく素晴らしいものが出来上がってたりする。これがまた楽しい。

その年にもうひとつやったのは、写真家のHABUくんの個展用にインストの曲を作って、インスト・アルバムを作ったんですよ。タイトルは「風の吹く場所」。空の写真家と言われる彼の美しい写真を見ながら曲を作った。風が吹く丘や、夕焼けに染まる見知らぬ街や、灼熱の海岸にいる気持ちになったらすらすら曲ができた。歌詞がなくても彼の写真が物語っていた。自主制作だから自分でCD―Rに焼いてHABUくんとラベル貼りまでして、手売りした。インストには初挑戦。レコーディングは小泉（信彦）くんと2人で。ギターも小泉くんのスタジオにあったのを借りて僕が弾いた。それまで歌もの以外にはあまり興味がなかったんだけど、会心の出来だったから考えを改めた。後に歌詞をつけてレコーディングした「あの夏の少年」「Forever Young」はこのときに作った曲でした。

暮れにはジョン・レノン音楽祭があったんですよ。この年はオノ・ヨーコさんも来て武道館でやった。いろんなバンドが出たし、宮本亜門さんとかいろんな人が出た。僕は1人のアーティストとしてだけじゃなくて、バンドのメンバーにもなってた。リハーサルをやってたら、スタッフの人に「オノ・ヨーコさんが今回は歌いたいって言ってます。この曲をやりたいそうです」ってMDを渡されて、それを夜中に聴いたら怖くなって（笑）。

心臓の音がドンドン鳴ってて、男と女が怒鳴り合いしてる。1人で聴いてると怖くて、「これを愛と平和の祭典でやるの？」って思った。武道館の当日のリハにヨーコさんがやって来られて、向こうから来た小柄なヨーコさんを見ると、やっぱりオーラが素晴らしい。すごいなぁと思ってたんだけど、そしたら「簡単な曲でしょ？　皆さん。コードひとつだし」。確かにA7ひとつ。どうもその曲はDV、つまりドメスティック・バイオレンスのことを歌った歌で、男性と女性が喧嘩して、男のほうが暴力をふるうシーンを本来は英語でやってるらしいんだけど、「日本語でやりたい」って言いだしたらしくて。とはいえ日本語は最初のところだけであとは雄叫び。「あなた、別れてちょうだい」「何言ってんだ！」みたいなのが始まるわけよ。「演歌じゃないよね？」って思うよね（笑）。シンセがシーケンサーで心臓の音を出して、ヨーコさんがもう1人のギタリストに「わたくしが『殺してやる殺してやる殺してやる』って言ったら弾き始めてくださいね」。すごい丁寧な言い方なんだけど、殺してやる（笑）。「リハーサルではあまり本気でやらないけど、いいわね」。曲が始まると、どうしたらいいかわからない。前衛音楽を理解してないくせに盛り上がりすぎてもいかんなと困っていたら、僕のほうを見て「うおうおうおうー」って迫ってくるわけ。

「どう対処すんの。ポールもエリック・クラプトンも困っただろうな」と思って、気持ちがわかった気がした。最後は合図をドラムのしーたか（古田たかし）に送って終わる。「簡単でしょ？　よろしくね」。そのリハを見てた亀渕さんが「いやー、頑張ってたね」と冷やかす。

本番が始まって、いろんなアーティストが出る。宮本亜門さんがジョンとヨーコの話をしたり、小泉今日子さんが朗読したり。宮本さんが「それでは紹介しましょう、ヨーコ・オノ・レノン！」って言うと登場して、「こんちわ」って言う声が可愛らしいのよ。若いファンの人は「うわあ、可愛い人だな」と思ったと思う。「いつまでたってもＤＶはあるし、世の中よくなりませんよね」「そうだそうだ」「ＤＶの歌を作ったんで、聴いてください」。

みんな感動を期待しているわけよ。シンセの心臓の音が流れ出して、「別れてちょうだい」「何を言うんだ」。みんな凍りついてる。客席全員が息もしないで止まっているのがわかる。違う惑星に来ちゃったみたいになってる。ヨーコさんが喋ってる間「君たち１分後にどうなるかわからないだろ」って僕なんか楽しみにしたてんだけど、案の定暗黒の世界になって、「殺してやる殺してやる殺してやる」。ギターがジャンジャンジャン、「うおうおうおうー」。もうここはどこの惑星？どこに来ちゃったんだろう。誰も息できません。それが延々続くんですよ。

ドラムのしーたかがジャ〜ンってやって終わるんだけど、やっと地球に戻って来た〜。ステージ上のヨーコさん以外の全員が、ふるさとに戻って来られた安心感を味わった。そのあとに出てきた（忌野）清志郎くんが真人間に見えた（笑）。最後は全員で「ハッピー・クリスマス」をやって、清志郎くんとハグしました。

打ち上げがあったんだけど、しーたかがヨーコさんに「合図がよく見えなかったからタイミング見て終わっちゃって、あれでよかったですか？」。ヨーコさんは「あら、あなたたちも会場も飽き飽きしてるように見えたわよ。飽きたから止めたんじゃなかったの？」「とんでもない！」。そういう冗談を言えるんですよ。自分がどう見られてて、どんなに浮いてるかわかってて、あれをやってるヨーコさんはすごい。理解してる人はほとんどいないってわかっててあの「うおうおうおうー」をできる芯の強さ。しかもジョークで返せる。

あとでもらった色紙には、「夢を持とう」って書いてあった。

清志郎くんとも久しぶりに会った。僕のレッド・ストライプスのドラムの新井田（耕造）くんがRCサクセションに入った縁もあるし、前は家が近かったからよくキングタイガーっていう変わったファミレスで遭遇した。「キングタイガーぶりだね。あれから『キング・タイガー』って曲を作ったよ」。調べたら本当にあった。そのときが清志郎くんとの最後になっちゃったけどね。もっといろいろ話したかった。

そうだ、2005年には初めてパソコンを買った。ずいぶん遅いほうだったんだけど、Macのガレージバンドっていう音楽ソフトにはまったんですよ。専門家から言わせればおもちゃみたいなものなんだけど、でもそれを使ってかなりのクオリティのデモテープを作るようになった。最初はコード進行が少ない曲のカバーをまずやってみようと思って、PPMの「ロック天国」をやって、次は「ラヴポーションNo.9」。ポールの「グッドナイト・トゥナイト」をラテンにしたりね。毎日やってたから演歌の曲まで作っちゃった（笑）。

もちろんおふざけだけど、夫婦酒とか夫婦花とか夫婦道とか夫婦坂、これは地名か。そういう夫婦ものを作ろうとして、夫婦でお腹を壊す「夫婦下痢」。かなりの力作だったけど、マネージャーが「これが世に出たら私はやめます」と言うから知る人ぞ知る作品で止まってます。

基本的に僕はデモテープが好きだから、「これは俺のための機械だ」って思ったくらいデモテープの精度が上がっていったわけですよ。そしたら曲がたまっていって、それが2007年から作り始める『魔法の領域』というタイトルのアルバムの下地になっていった。

その2007年で覚えてるのはロイ・オービソンの新しいベスト・アルバム。日本盤だけボーナス・トラックとして1曲何か特別なことをやってくれって、奥さんからのリクエストが回り回って僕のところに話が来たんだって。たぶんいろんな人に話がいって、断られたから僕に来た。ロイ・オービソンの「オー・プリティ・ウーマン」のボーカル・トラックを使っていいと。あとは自由にやっていいと。大好きだけど、こんなことをやったらロイ・オービソン好きの大瀧さんとかに何を言われるかわからないからイヤだと思った。でも俺が断ったら誰かがやるわけじゃない？それもイヤだから、やろうと決めた。

今で言うマッシュアップ。「オー・プリティ・ウーマン」を元にして、そこにロイ・オービソンの他の曲をマッシュアップしていった。日本のミュージシャンはギターの徳武（弘文）さんを中心に、ボーカルで参加してくれたのがムッシュ（かまやつ）さん、南佳孝さん、伊豆田（洋之）くん、僕。それこそ僕の好きなジェフ・リンがプロデュースした「カリフォルニア・ブルー」とか、もっと古い曲とかもマッシュアップした。ロイ・オービソンが「オー・プリティ・ウーマン」を歌ってるときは僕らがコーラスで「クライング」とか違う曲をバックで歌ったりね。たとえばムッシュが後年のヒット曲「ユー・ガット・イット」を歌うとロイ・オービソンが「プリティ・ウーマン〜」って合いの手を入れる。これがまたね、なんかいるんじゃないかなと思うくらいはまる。使えるところが限られてるのにね。名曲「ブルー・バイユー」を佳孝さんが歌って、そこにロイ・オービソンの〝イエイイエイイエイ〟ってところを貼ってみたら、キーが違ったりするのに、ピッチも変えてないのに、ぴったり来る。魔法みたいだった。まるでロイ・オービソンからOKをもらった気さえした。本当にロイ・オービソンがすぐそこにいて、合いの手を歌ってるみたいなの。最初に勘ではめたところがピタっとはまる。「これどういうこと？　まあいいや、理屈を探すよりやろう」。出来上がったのが『オー・プリティ・ウーマン～トリビュート・トゥ・ロイ』。日本盤だけに入ってる。

まぁよくできたなと思ってたら、奥さんからおほめのお言葉をいただいたらしい。ヨーコさんの雄叫びを浴びたこと、ロイ・オービソンのトリビュートでいい仕事ができたこと。この時期の自慢できる出来事です。

第13章

So Long Dad

父親の死、魔法の領域で起こったこと

親父に背中を押されて

2007年は僕の30周年だったから、何かやろうってことで、2か月おきに僕のいろんなユニットでライブをやることになった。まず4月にピカデリーサーカス、6月に当時の僕のソロのメイン・バンドだったカルパッチョス、8月に須藤薫ちゃんとのチリドッグス、10月にBOX。メンバーも内容も違うライブをやった。そうこうしているうちに親父が亡くなった。

アルツハイマーでずっと入院してたんだけど、8月に亡くなった直後アルバムのレコーディングを始めた。30周年で紙ジャケが発売になったりいろいろあったんだけど、自分の集大成をやりつつ新曲も作ろうと。ピカデリーサーカスで「Make Love Not War」、堂島バンドで「君のParadise」と「Good News」。レッド・ストライプスからは青山純、安部（恭弘）くん、まりや、僕、ベースの高島くんはもう亡くなってたから僕が弾いた。その「僕らの日々」はまりやとの共作。BOXで「Lennon = McCartney」、村田とのアロハ・ブラザースでやったキャットフードのCM曲「君にしてあげられること」、薫ちゃんとのチリドッグスでは「Welcome Home」、銀次さんとのマイルドヘブンで「マイルドでいこう」、ピュアミュージックのメンバーで「Chapel in the Sun」、カルパッチョスでは「君はしらない」「シャローナに片想い」。HABUくんの個展用に書いたインストの「あの夏の少年」に詞をつけた。僕の形態の集大成にして、アルバムのタイトルは『魔法の領域』。

親父に背中を押されたような気がしたんですよ。5年くらい入院してたな。最初は普通の入院だったけど介護施設に移った。アルツハイマーで現状は把握してないんだけど穏やかで、僕が人間関係でちょっとイライラしてたら「大きくなりなさいよ」とか言われたり。

50年以上親父を見てきたけど、一度も激しているところを見たことがない。毎日晩酌してたのに酔っているところも見たことがない。僕と違いすぎる。物事を手放しで賛美することは少なかったけど、頭ごなしに否定することは絶対になかった。そこだけは受け継いでるつもり。大学時代、街頭アンケートの「尊敬する人は？」に迷わず「父親」と書いたけど、その思いは今も変わらない。

亡くなる前に、親父が僕の3歳の誕生日に書いた日記が見つかった。結核で入院していたときで、「生活の基盤を失ったら坊やを大学に入れてやる希望は難しくなる。そう悲観することもなさそうだが」と案外楽観的なところもあることを知った。ちなみにその坊やは大学に入ったにも関わらず8年もいたあげくにやめて、ミュージシャンになっちゃいました。

お葬式の日もちょうどスケジュールが空いてて行けた。帰ってきた次の日、坂崎くんの番組『お台場フォーク村』にゲストで出た。

本当に親父に背中を押されてるようだった。出来上がって来たアルバムジャケットを見たら男の子とお父さんが飛行機に乗ってるじゃない？　これも不思議な縁だなと。弟はパイロットだしね。

『魔法の領域』〜『世界のアロハ・ブラザース』

スーパー・サイエンス・ハイスクールに指定された広島国泰高等学校は、国から支援金をもらって科学を勉強する高校。広島の知人を通して講師の三浦郁夫先生から依頼が来て、DNAミュージックを作ってくれと言われた。アメリカに渡った大野乾博士の提唱なんだけど、遺伝子の塩基を音符に換算するアイデア。「主題が少しずつ変化しながら繰り返す」という音楽の属性は遺伝子にも観察されるから、DNAは音楽に換算できると。その広島の高校はオオサンショウウオのDNAを解析したんだって。だからその配列から曲を作ってくれと。科学は好きだし面白そうだなと思って引き受けた。

どういう法則かっていうと、人間も猿もオオサンショウウオもDNAは4つの塩基から成り立ってる。アデニン、チミン、グアニン、シトシン。これの組み合わせが暗号となってDNAを形成している。それを例えばアデニン＝ドみたいに音符に割り当てて、メロディを作るわけ。ただ音階は1オクターブに12個あるので選択の幅はある。でも制限もあって、最後がドで終わらないとメロディが収束しない。ドを選べる塩基じゃないと収まらない。塩基っていうのは、A↓G↓C

↓Aとか来て、しばらくするとまた似た組み合わせが来る。だから音楽にできる。「これの次はミかな」「その次はラかソだとしたらラだな」とか選んでやっていく。そしたらブライアン・ウィルソン調のいい曲ができちゃった。最後「ここでドで終わってくれたらいいな」って思ったらそれに対応する塩基だった。曲にしてコードもつけて、ＤＮＡだから「どこから来たの　懐かしい愛の調べ」ってタイトルをつけて、広島のその学校の発表会でみんなで聴いた。

これが音楽になるんだって僕もびっくりしたし、さらに思ったのは、どう選ぶかによって不快な音楽にもなり得る。だけど、たまたまチョイスしていったら美しいメロディになった。ということは、生物界、自然界にはチョイスの幅があって、何をチョイスするかによって雑音にもなるし、美しいハーモニーにもなる。これって大事なことで、人間が何をチョイスするかによって、地獄にもなるし天国にもなる。天国になる可能性がちゃんと自然界には残されてる。戦争を選ぶか平和を選ぶか、そういうメッセージまで感じた。しかも広島で。

北欧かどこかの学会で大喝采を浴びました、って聞いたりもした。僕にとって理科系出身で音楽もやっててよかったなと思った瞬間だった。

『魔法の領域』というタイトルは、ロバート・Ｒ・マキャモンの「少年時代」という小説からの影響もある。〝ある歌に得も言われぬ懐かしさを感じたとき、光の中の塵の踊りに見入ったとき、遠くの機関車の音に郷愁を感じたとき、あなたはもう魔法の領域に踏み込んでいる〃。ロッド・サーリングが『トワイライト・ゾーン』で語る最初の言葉だと思うんだけど、音楽を作っているとき、聴いてるときは魔法の領域にいるんだなって思って、それをタイトルにした。

このアルバムが完成したのは２００８年で、ツアーもやった。最初は「魔法の入り口」から始まって、５月には「魔法の中心」というタイトルで。これはブログに書くのを途中であきらめちゃったくらい、いろんなことがあったライブ。持ち越した30周年の意味もある。渋谷のO-EASTで、僕の曲をいろんなアーティストと共演するっていう企画。須藤薫ちゃんはバック・コーラスもやってくれて、僕が作った「開演前の注意ソング」も歌ってもらった。

薫ちゃん、根本要くん、村田、黒沢（秀樹）くん、堂島くん、銀次さん、安部くん、松尾さん、特別ゲストで佐野くんが出てきて「Bye Bye C-Boy」と、銀次さんと3人で「A面で恋をして」。この曲をやるのは81年のヘッドフォン・コンサート以来。佐野くんの〝夜明けまでドライブ〜〜〜〟で大歓声だった。最初佐野くんはC-Boyをやるモードじゃなかったみたいなんだけど、リハーサルで、「僕らせっかく練習したから、最後に一度、佐野くん聴いてくれる?」って演奏したら佐野くんもマネージャーに「ちょっと歌詞カードある?」とやる気になってくれた。楽しいライブだったな。

2008年からは鎌倉の老舗の洋菓子屋さん、歐林洞のサロンで、杉松格っていう僕と松尾さんとギタリストの渡辺格くんの3人でやるライブが始まった。またユニットが増えた（笑）。木へんトリオ。2022年にはけっちゃん（高橋結子）が入ったから木へんカルテットになったんだけど。

BOXは、2007年の最後に渋谷のBOXXっていうライブハウス（現在閉店）でやったら面白いんじゃないかってことで、ライブをやった。田上くんがずいぶん前に抜けたんだけど、画商の仕事で出世して、時間が作れるようになったからガンガン新しいギターを買ったりしてた。ライブの前に松尾さんとどんどん次のアルバムにつながる新曲を作っていった。完成形のハードルを上げておいて、レコーディングではさらに上を行くって感じになってきた。BOXの復活です。

2009年になってから、CMでゴスペラーズが「ウイスキーが、お好きでしょ」を歌って、それからハイボールブームが来て、あの曲が復活。「ハイボール始めました」ってお店も増えて、まるで「冷やし中華始めました」的な気もしたけど、いつの間にか有名曲になってました。

それから途中で止まってたアロハ・ブラザースをやろうってことになって、村田くんと新曲を作りだした。ロシア風コサック・ロックに間奏はチャイコフスキーのピアノ協奏曲を絡ませた「恋はボリショイ」。最終的にどんどんテンポが上がっていって最後は〝君と食べたい　キャビアに

ボルシチ　ザワークラウト　ストロガノフ　ピロシキもＨＥＹ！〃。インド風ラーガ・ロックの「チャイは投げられた」。さんざんインドを彷彿とさせる歌詞を歌って、最後のオチは〃祖母の名は田島春（タージマハール）〃。レゲエの「とりあえずジャマイカ」、バリ島ガムランの「テレマカシ・バニャ」。サウンド的にも濃い曲を作り出してアルバムにしたんですよ。そうしたら僕も村田も付き合いが多いし、レコード会社の人は派手にしたいでしょう。だから「ゲストを呼んでください」って言われたんだけど、歌に他の人が入る余地がないのよ。テーマが決まっちゃってるから。で、考えたのは途中のコント。ヤマイダレ教授の復活ですよ。山下久美子さん、坂崎幸之助、佐野元春、根本要、伊藤銀次さん、須藤薫、サントリィ坂本、伊豆田洋之ほか、数々の人たちがコントだけに参加してくれたのが『世界のアロハ・ブラザース』。リリースは２０１０年。

村田和人と2人ツアー

有線でのラジオ番組が始まった。『杉真理の歌の昭和人』。４時間番組で、１アーティストを掘り下げる。佐野くんはもちろん、小坂忠さんが来たこともあったし、石川さゆりさんが和服で来たときはビビリましたよ（笑）。そんな濃い人たちの歴史を聞くという楽しい番組。録りが２か月にいっぺんとかで、とにかくいろんな人がゲストに来てくれた。来生たかおくんは冤罪事件マニアだと知った（笑）。

福岡のCROSS FMでも『フィールド・オブ・マジック』が始まった。そっちもコント入りだったんで、ヤマイダレ教授を全部ひとりでピッチ変えてやった。ここでもあのＭａｃの音楽ソフト、ガレージバンドが大活躍。自宅で「ですから、あり得は、どうなんですか？」なんて大声でやってたから、きっと近所に丸聞こえだったはず。

この頃村田が「２人で回ろう」って言いだして、ここから２人のツアーが始まる。２人で回るのなんて初めてだったし、村田はかなり小さなライブハウスにも行くし、大変なんじゃないかと思ってたんだけど、実際にやってみたらとても面白かった。しかもアロハ・ブラザースの曲だけじゃなくてお互いのオリジナルとかもやりだした。頑張ってハモって２人でやれるようにするじゃない？　村田はだんだんコーラス・マシンを駆使するようになった。１人なのに三声入れたり。そのかわり、村田はリードギターは弾かないから、全部僕が弾く。「ギター・ソロ、杉ー！」とか無茶ぶりされて。だから村田とツアーやったあとはいろんな人に「杉くん、ギターうまくなったね」って言われた。あれでずいぶん成長させてもらったし、村田は歌がうまいから、ハモりでもけっこう鍛えられたところがある。

それまではツアーを少人数で回るなんて、怖くてできなかったのね。彼はB型でマイペースだから現地集合で現地解散。それがすごく気楽だった。でも結果的には一緒にいる時間が多かったけどね。

ブッキングも村田がやった。いろんなところに電話してた。あのバイタリティはすごかったなぁ。「感謝還暦ツアー」とか名前を変えて、村田が亡くなる前の年まで続いた。

よく「行けるときに行っとかないと」って言ってたけど、もしかしたらどこかで寿命を思ってたのかもね。やりたいことやって死ぬぞ、みたいなね。今から思うと、村田にはずいぶん急かされたし教えられた気がする。「チャンスがあればなんでもやる」っていう。好き嫌いがはっきりしてるから、嫌いなことはやらないけどね。村田が昔ロスにレコーディングに行ったとき、スタッフが「今度のバックはＴＯＴＯに頼めそうですよ」「ＴＯＴＯはいいや（笑）」。村田にとって世間の評価は関係ないの。自分の評価だけ。彼の中では「今さらＴＯＴＯって……」だったんじゃないかな。あいつはそういうところがはっきりしてるから、世間的に有名な人でも自分が興味なければそれまで。正直な人。

アロハ・ブラザースにハワイアンの曲は1曲しかないのに、レコード会社の人が「『ハワイ・パパイヤ大使』っていう親善大使を誰かやってくれませんか」って言われたらしくて、俺らに回ってきたの。自由が丘で任命式みたいのがあって、パパイヤをもらったりした。ハワイから現地の人も来てるしプレスの人もたくさん来てる。俺なんか調子いいから「これからパパイヤの広報をひたすら務めます」みたいな適当なことを言ったりして。その唯一のアロハ・ブラザースのハワイ曲は「PAKALOLO は愛の言葉」っていうんだけど、パカロロって現地語ではマリファナのことなんだよね。何故パカロロにしたかっていうと、『ハワイの危ない語辞典』って本を本屋で見つけて、語呂がいいパカロロって単語を使っただけ。〝パ～カロロ～美しい愛の言葉～〟。ハワイから来た人は絶対わかってたはずだよね（笑）。「こんなの大使にしやがって」と思ってたかもしれない。

村田がライブでコーラス・マシンを使うとき「これはワイドショーで衝立の後ろでわけありの人が喋るとき〝音声は変えてあります〟ってテロップが出るときの声だよね」ってＭＣをする。そんなとき僕は決まって「午後は○○おもいっきりテレビ」の司会者だったみのもんた氏の話をする。「ちょっとわざとらしいところが好き」とか失礼なこと言ってたんだけど、ある日、野田幹子ちゃんのワインバーに行ったらご本人が息子さんとやって来た！　気が付けばみのさんとワイングラスを合わせて談笑していた。めっちゃいい人だった。その満面笑みの2ショットを村田に送ったら「杉、調子がよすぎる」と呆れられた。

この年の暮れにまりやが武道館と大阪城ホールで久々のライブを2日ずつやった。オープニング・アクトで最初の日はセンチメンタル・シティ・ロマンス、2日目にＢＯＸが出演。たぶんまりやの中の縁があるバンドのアメリカ色とイギリス色ってことだったんだろうけど。

リハーサルまでいい調子で来てた。ステージ袖で出番を待ってたら、英語のナレーションが流れた。「ビートルズが44年前にライブをやった武道館で今日はＢＯＸが……」っていうのを聞いた瞬間、突然アガった。「すごいことなんだな」と思ったらアドレナリンが出すぎちゃって、「ヤバいよな、ここでビートルズがやったんだ」って上ずってきちゃって。1曲目が「Tokyo Woman」で、イントロの回数が決まってるんですよ。ＢＯＸはアドリブが入る余地がないんだけど、お客さんがすごい乗ってくれてたんで、マー坊が手拍子とかで煽りだして、そのうちに回数がわからなくなって、「おい、どうするんだ」。ゲストで呼ばれた1曲目で、「ごめんなちゃい、もう1回やらせて」はないでしょう。メンバー間で顔を見合わせたとき、「こういうときの島ちゃん（島村英二）だろう」ってドラムを見たら何事もなかったかのようにまとめてくれて、始まった。

松尾さんもかなり緊張してて、冗談をオチまで言わずに話をやめちゃって、「えーっ！（笑）何なんですか、それー。何の話だよー」。そんな感じで。

自分のバンドでの初武道館だからね。大阪城ホールでは少し慣れてリラックスできたんだけど、あのアナウンスはねぇ。ビートルズって聞いた瞬間、「うわーっ」て思っちゃった。

まりやのライブをしみじみ観て、改めていいシンガーだなと思った。あと達郎くんがかっこよかった。スタイルがいいじゃない。足が長いし、「あの2人はお似合いだな」と、改めて思った。

3・11とエンターテイメント

２０１１年は東日本大震災が起こりました。

その数日前は佐野くんの30周年で、大阪城ホールでライブをやった。いろんな人が出て、僕と銀次さんも出たし、打ち上げには野茂投手もいた。次が国際フォーラムだったんだけど、その間に地震が来て、延期になった。

話は逸れるんだけど、この間大阪に仕事で行ったとき、野村雅夫くんっていうイタリアとのハーフのＤＪの番組に出たの。「僕はこの仕事をする前、佐野さんのあのライブに行ったんです。楽屋に行って、『ナイアガラの大ファンなんです、佐野さんとか銀次さんとか杉さんとか大好きなんです』って言ったら、杉さんがハグしてくれたんです」。嬉しかったよね。今彼はＤＪという仕事で音楽に関わってる。

震災で、エンターテインメントが全部ストップした。音楽に何ができるかとか、一度は考えるよね、無力だとかね。確かにそれはあるんだけど、人を癒す、治すには、大きく分けて外科と内科があるでしょう。手術で治す、薬で内側から治す、この両方が必要。怪我したときは外科ですよ。だけどそのあとは内科が必要で、音楽はどっちかと言ったら内科でしょ？　内科医が無理に手術をしようと思うのではなく、自分の出番を待って薬を処方して、歌うのが僕らの役目だと思う。だから虚無感に苛まれないで、ちゃんといい曲を作って待っていようと。もちろん歯がゆいけど、できることはやった上で、僕の役目は内科、手術は外科に任せる、というスタンスで耐えたんだと思う。

1か月ぐらいたった頃、形になりだしたのがモメカル。モーメント・ストリング・カルテット。女性の弦楽四重奏。モメカルと僕だけのコンサートをスイートベイジル（現在閉店）で4月に。アコースティックだからやれたっていうのもあったんだけど、思い出に残ってる。自分の曲に違う方向からスポットライトを当てられた気がした。

そのあとから村田とのツアーが再開された。新幹線が動き出した4月の終わりくらいに仙台に行った。そのツアーでは村田と僕で傷ついた被災地と日本を思って「ふるさと」を歌ったんだけど、毎回歌うたびに2人とも泣きそうになる。仙台で歌ったら唄屋っていうライブハウスのマスターのサニーさんがPAをやりながら泣いてるのを見て、もらい泣きしそうになった。震災1か月後だから、新幹線が動いたとはいえ、昔泊まってたホテルは遺体の安置場になってるし、いろいろショックなことがあった。でも次の日に仙台の商店街を歩いてたら、〝私たちは負けない〟って垂れ幕があったんだよね。こっちは「負けないで」なんて軽々しく言えないじゃん。だけどいろいろ見て、本当に東北の人たちってすごいなと思った。尊敬の念を抱いた。そのことが次の年のまりやのシングル「Dear Angie あなたは負けない」につながる。

『杉まつり』というのがあるんですよ。村田が言い出したんだけど、正月早々たくさんのミュージシャンが出演する、吉祥寺のスターパインズ・カフェでの6~7時間に及ぶライブ。

お正月の1月2日って意外とミュージシャンは家にいる。しかも村田の誕生日。「このへんで生存確認のためみんなで集まっておいたらいいんじゃない?」って。どこまで自分の死期をわかってたのか知らないんだけどね。なのに名前は杉まつりにするわけ。僕に責任をかぶせる(笑)。だけどまぁ村田祭りでもある。でもあいつは仕切るのがイヤだから僕に仕切りをまかせて、12年の1月2日に第1回目が実現する。

その直前、2011年の忘年会で新宿の屋台村みたいなところでみんなで飲んでたら、須藤薫ちゃんが「杉さん、私の古い友達に遠藤響子がいるんだけど、今度の杉まつりに出してくださ い」って、会ったこともないのにいきなり携帯を渡された。「初めまして」「はい、わかりました」みたいな会話をした。

薫ちゃん、本当にこういうのが多いんだよ(笑)。だから杉まつりで初対面。でもディレクターが川原さんだったり、共通項はいっぱいあったことがわかった。ピアノの弾き語りだったんだけど、もーのすごい感動した。「始めます」ってピアノを弾き出した瞬間、空気が変わる。違う人になる。映画の主人公になっちゃう。ピアノもジャズからクラシックまで弾けるし、アイドルをやっていたこともあるらしいし、役者もやってたんだって。「1人が好き」って曲なんだけど、空気が変わったのがわかった。音が出た瞬間に僕以外のみんなも見入っちゃった。途中でピアノのソロがドビュッシーの「月の光」になる。間奏が終わるとそのドビュッシーに歌のメロディが乗ってくる。ピアノを弾きながら、音程は全然狂わないしマイクからもはずれない。最後はまるでシンフォニーを聴き終えたような余韻。「何これー？　遠藤響子すごーい！」。

そのビデオはもう何回見たかわからない。その主人公に恋しちゃうくらい。ピアノが弾けるオードリー・ヘップバーンになったんじゃないの、って思うくらいだった。全部の仕草も含めてすべてが音楽だった。ちょうど須藤薫ちゃんのアルバムのプロデュースを頼まれてたから、響子ちゃんにも曲を書いてもらった。

その薫ちゃんのアルバムはテイチクから出た『恋愛同盟』なんだけど、3月までに作らなきゃいけないのに、今まででいちばんギリギリ。自転車操業どころじゃない曲芸操業だった。

半分セルフ・カバーをやってくれって言われたんだけど、僕はセルフ・カバーが好きじゃない。

もう出来上がってるものをやりたくなかったんだけど、そのレーベルは他の人も全部そうやってたからしょうがなく、半分カバーで半分オリジナルのアルバムを作った。それが２０１２年。次の年の3月に薫ちゃんが亡くなるとは夢にも思わないよね。

そのレーベルのコンピレーション・ライブがあって、そこで同じ楽屋だったのが鈴木聖美さん。薫ちゃんが「杉さんに曲を書いてもらうといいですよ」って言ってるのが聞こえた。知らないところで話がついてる（笑）。聖美さんのことはもちろん知ってたし、バックメンバーに共通の清水淳もいるんだけど、いつの間にか曲を書くことになってた。でも結局、薫ちゃんはその出来上がりを聴かずに逝っちゃったんだけどね。「Precious Friend」という、後に出る僕の提供曲集の１曲目に入る重要な曲はこうして生まれました。

不思議につながる交遊録

杉まつりでいちばん苦労するのは交通整理。すごいよ、あれ。毎回奇跡だと思ってる。本番は1アーティスト2曲。だからそれぞれのいちばんおいしいところを全部見られる。それに加えて、パーカッション5人でラテンの曲をやったりとか。今はそんなことできないじゃない。80年代だったらキーボードが2人いたところを、今は１人でやらなきゃいけない。でも杉まつりはそれを3

人でやったりするわけ。最後はブラスも入ってくる。この人のバックをこの人がやるとか、自分は監督だから決められる。

リハーサルは年末の忙しいときにスタジオを3〜5日間押さえて、この日だったらこれをやれるっていうのを調整する。20分おきに人が入れ替わる。超難解パズルで、この30分はこのバックメンバーでこの人のリハ、ってやっていくんだけど、なんとなくうまくいっちゃうんだよね。終わったあとの達成感もすごい。

ギャラもみんなで頭割りするからお年玉程度。つまりお仕事をしに来てる人は誰もいない。ただ単に音楽を楽しみに集まってくれてる。

最初はもっと地味だったのに、だんだん「俺も入れて」ってのが増えた。ミュージシャンはミュージシャンに見られると燃えるじゃない？　だからみんなけっこう本気を出す。レオン・ラッセルとジョー・コッカーみたいに、70年代はギターを何本も入れてやってた、あの感じ。次の年は大瀧さんの曲をこのメンバーならできるんじゃないかと思って「君は天然色」をやったら「うお〜っ！」ってなったもん。ナイアガラ・サウンドを再現できちゃう。よし、来年は大瀧さんにも見に来てもらおう、って思ってたら亡くなられてしまった。

コロナ禍前の2020年まで9回開催された杉まつり。フィナーレでは狭いステージの上に総勢40名のシンガー、ミュージシャンが肩を組んで歌い、演奏する。あの「密」の味と大団円は格別だった。

まりやに頼まれてた曲を考えてて、ちょっと寝ようかなと思って寝て、「よし」と思って夜起きて、「できた」と思ったら12時を回っていて、震災からちょうど1年後の3月11日だった。これはそういう曲だなと思って書いたのが「Dear Angie」。本当はまりやがプロデュースをする他の人に書いたんだけど、ボツったんですよ。合わなかったらしくて。「えーっ、こんな名曲を?」って僕もまりやも思ったんだけど、そしたらまりやが「私が歌うよ」って言ってくれた。バックはBOXでやりたいってことで、あの曲が完成した。

その流れでBOXのアルバムを春くらいからレコーディングを始めた。タイトルは『マイティ・ローズ』。ジャケットからつけた。戸田さんっていうデザイナーなんだけど、BOXを知らなかったのに聴いたら大好きになってくれた。まりやは「Save Me」っていうやはり3・11のことを歌った歌にコーラスで参加してくれた。まりやと、まりやのデビュー当時のプロデューサー宮田さんと牧村さんが3人で試聴会に来てくれて、盛り上がった。どの曲もぎゅっと美味しさが凝縮されてて、歌詞も考え抜かれてる。サウンド志向から始まったBOXの音楽にメッセージが加わって、より強くてカラフルになった。色のついた『リボルバー』みたいで、僕は大満足のアルバムです。

いちばん好きかも。

これをやりつつ須藤薫のライブもあった。薫ちゃんが活動再開したのはソニーの若杉さんのおかげなんだけど、その若杉さんがライブの2週間前に亡くなってしまって、薫ちゃんは最後に若杉さんを思って「Forever Young」を声を詰まらせながら歌った。これが薫ちゃんとチリドッグスとの最後のライブになった。翌年の3月には僕が薫ちゃんのお別れ会でこの曲を歌いました。

福岡で2007年から「風音」というライブが始まった。KBC（九州朝日放送）の岸川（均）さんがお亡くなりになって、お世話になったミュージシャンたちで岸川さんの追悼コンサートをやろうってことで、石橋凌さんが音頭をとって始めた。最初はいろんなライブハウスとかでやってたんだけど、岸川さんも卒業した西南学院大学のチャペルでやったときは「チャペル・イン・ザ・サン」をそこで歌えたことが嬉しかった。

凌さん主催だからチャボさん（仲井戸麗市）とか鮎川（誠）さんとかチャーとか、山口洋くん、宮田和弥くんとか、他にもロック系の若いバンドが出るところに俺がいる（笑）。1人で弾き語り。音楽はポップでもロック根性を出すのはここだなと思って、1人でロックをやってたわけ。他の人たちはバンドでやる。面白いでしょう？ 飲み会とかで話すとみんないい人だしさ。石橋凌さんは太っ腹だから、「よかったらうちのピアノ使ってください」って言ってくれてピアノの伊東ミキオくんと2人でやるようになったり。サックスの梅津（和時）さんを入れて3人でBOXの「ブルーベリー・ヒルへ帰ろう」をやったり。

凌さんが、移動費の関係でスカイマークを利用できないかってことで、当時のスカイマーク社長を紹介した。井出くんっていうんだけど、実は僕の西南高校の同級生。もう退職しちゃったけど。銀座のお寿司屋さんで会った。井出くんはジャック・ニコルソンみたいな顔してるから、凌さんと3人で撮った写真を見ると俺はまるで強面な2人にカモにされてる奴みたい（笑）。

そのとき聞いたんだけど、凌さんは高校を出て料理人になろうと思ってたのに、岸川さんが「オーディションあるから受けてみんね」って言ってくれたのがARBだったんだって。

僕は高校時代にクリスマス・コンサートで元グリー・クラブだった岸川さんが歌う「ホワイト・クリスマス」のバックを務めたことがあった。僕がデビューしたときビクターに電話がかかってきて「初めまして。君のレコードいいね」って言われたんだけど、「僕はバックをやったことあります」「あの高校生ね？」。それからもずっと応援してくれた。

そしたらなんと井出くんも昔福岡でミュージシャンやってて、自主制作のシングルがけっこう売れたから岸川さんにプロになるべきか相談したら、「君は向かんから他のことやったほうがいい」って言われたんだって。それで航空業界に入ってスカイマークを立ち上げた。だから岸川さんはやたらと人の背中を押すだけじゃない。ちゃんといろんなことを見抜いている。やっぱり岸川さんはすごかった。そういう逸話です。

第14章
最高の法則
ラジオスターの喜劇

ラジオで大爆笑

２０１１年からエフエム世田谷のラジオ番組『アフタヌーン・パラダイス』通称アフパラが始まって、今も続いている。三軒茶屋のキャロットタワー26階にあるスタジオで、４時間の生放送。僕は木曜日担当です。

２０１３年の暮れに大瀧詠一さんが突然亡くなって、年明けすぐの第3回杉まつりで銀次さんは「ここで大瀧さんの曲をやるのはどうなんだろうか」ってナーバスになってたけど、僕は逆に「やりましょうよ」。結果、みんなの大瀧さんへの気持ちがひとつになった。このライブでは毎回新曲を発表してた。薫ちゃんも青山純も亡くなってみんな落ち込んでたんだけど、このときに発表したのが「最高の法則」。後に『Music Life』に入る曲。〝Good Good Music　分かち合える　そんな君と一緒なら　生きてる事は最高さ〟って歌なんだけど、今から思うと意味があったと思う。この世を卒業していった人たちに対して、残ってる俺らも頑張るからっていう。あのとき「最高の法則」をやれてよかった。

２０１４年はモメカルでレコーディングをやった。ちょうどポールの『キス・オン・ザ・ボトム』を聴いた直後だったから半分スタジオ・ライブみたいにしようと思って、ファンクラブの人を何人かスタジオに入れたのね。でもスタジオでレコーディングしてるところなんて普通の人は見たことないじゃない？　だからすごく緊張して、息ができなくなるんだって（笑）。咳払いもできないしね。僕らもその緊張が移って最初のうちは焦ってた。最終的には成功したんだけど、やっぱり違うね。細かいところに入ろうとすると、「だったらこれをライブでやる必要はないんじゃないの？」っていう気持ちになるし、お客さんがいてリラックス感を出そうとするならやり直しなんて考えちゃいけない気がして、その間を取るのがすごく難しかった。

タワーレコードのレーベルだったんだけど、ライブでやる曲はそれまでの僕のカタログから選んで、「いとしのテラ」とか「ウイスキーが、お好きでしょ」とか「春がきて君は…」とかを全部モメカルのストリングス・アレンジでやった。1曲だけ「STRINGS OF GOLD」を書きおろした。〝愛の勝利は近い〟という力強いテーマ。モメカルとやる弦楽四重奏って、普通の弦楽四重奏用にアレンジし直すのとちょっとスタイルが違うわけ。どう違うかというと、僕のレコードのオリジナル、そのフレーズをそのまま弦楽に置き換える。ビートルズとか、あのフレーズが入ってないと曲にならない、っていうのがあるでしょ。それがなくなっちゃうとその曲の魅力もなくなっちゃうと思うから、例えばギターの大事なリフはバイオリンかビオラで弾いたり、ベースのラインをチェロでやるとか、つまり置き換えて演奏する。だから逆にオリジナルにイメージが近い。僕の曲はギターもベースもシンセもそういう重要なフレーズで成り立ってるんだなって、モメカルでやって気が付いた。

村田くんとの2人ツアーはアロハ・ブラザースから毎年続いてた。2014年は僕も村田も還暦になるんで、『感謝還暦ツアー』というタイトルで春と秋に回ったのね。本当にたくさんのところに行く。

アフパラはコミュニティFMで15時から全国ネットしてる。沖縄の石垣島、サンサン・ラジオでアフパラのパーソナリティが日替わりで現地に行って一週間放送する企画があったので、僕もHABUくんと前々乗りして遊んでた。村田のツアーともスケジュールが合致したから村田が来て、ホテルでアフパラ主催のライブをやった。村田は『ピーカン』ってアルバムをレコーディング中で、パソコンを持ち歩いて仕事してたんだけど、僕は石垣島が初めてだったから観光にいそしんだ。前の日にアフパラのディレクターの野口さんとHABUくんとマネージャーと西表島から竹富島に行って、そこで村田とアシスタントのクーちゃんと待ち合わせした。そのとき僕の前の日の放送は小室等さんが担当してた。だから番組中に竹富島から電話で「明日出る杉ですー」と言うつもりだったんだけど、ビーチで待ってたら暑くてぼーっとしちゃって、電話が来たとき「今、竹富島にいます」と言おうとして「今、竹島にいます」（笑）。その頃すごくナイーヴな時期だったから、まわりのみんなが「違う！　竹富島ー！」「誰も聞いてませんようにー！」。生放送であれは焦った。

生放送でやらかしたことなんていっぱいありますよ。

アフパラにＥＰＯが出てくれたときなんだけど、ＥＰＯも俺も笑い上戸で、ツボにはまると止まらなくなる。そのときも大したことない冗談をＣＭの間に言ったら、何が可笑しいのかツボにはまって、笑いを止めるためにＥＰＯと目を合わせないようにして、チェックする必要もない台本のページをめくって考えてるふりをして。ＥＰＯは平静を装ってバッグの中のものを探すふりをして、ごまかしてるわけ。アシスタントのクーちゃんが風街オデッセイの話を振ってくるんだけど、笑うの我慢してるから鼻が「フゴッ」て鳴っちゃったのよ（笑）。それでまた「やめてくださーい」みたいに笑いだして、クーちゃんもさすがに呆れて「そろそろツボから出てきてください」。もう何が可笑しくて笑いをこらえているのかもわからない状態で、ライブの感想を聞かれたＥＰＯはさんざん考えた末に振り絞って「……よかったです」。小学生の感想かよ。

新潟のFM PORTでも佳奈ちゃんが天気予報を読んでるときに、風雪注意報、大雪注意報、なんとか注意報ってあまりにも多すぎてなんか可笑しくなっちゃって、下を向いたらまた鼻が「フゴッ」って鳴った。ニュース読んでる佳奈ちゃんはカフに手をかけていつでも音声を切れるようにしてるし、それ見たらまた可笑しくなっちゃって。絶対吹き出しちゃいけないじゃない、警報や注意報のときは。そんな不謹慎なこと。風雪注意報のときは「風雪ながれ旅」が頭に浮かんで極限状態。それから天気予報のときはスタジオの外に出ることになった。

生放送で笑いのツボに入ると汗かくね、嫌な汗。悲しいことを思い出そうとしても無理だし、悲しいことを考えようとしている自分がまた可笑しくなる。ちなみにそのとき浮かんだ悲しい想像は「桃太郎に出て来る洗濯しているお婆さんに襲われるシーン」で、さらにお腹がよじれそうになった。

曲提供百花繚乱

２０１３年と15年に土橋（一夫）さんがプロデュースした猫をテーマにしたアルバムが出た。1枚目の『猫と音楽の蜜月』では濡れネズミ状態で捨てられていたクゥとのことを曲にした「He's a Cat」。〝表向きはキャット、見えないところじゃギャング、いつだってヒー・イズ・マイ・フレンド、本当は彼はエンジェル〟。2枚目の『猫と音楽の休日』のときは病気だったんで「君が元気になれば」を書いた。今でも好きな曲で、最後の〝言葉はいらないから、心は通じ合うよ、だけど言わせてよ大好きさ、何度も言わせてよ大好きさ〟を歌うとウルッと来ちゃう。ジェームス・テイラー、キャロル・キング風の曲なんだけど、飼ってるワンコやニャンコが弱っているときは今も心の中で歌うようにしてる。

レコーディングの話って分散して来ないよね。忙しいときはまとまってくる。モメカルのレコーディングがようやく終わったと思ったら、ホリプロ時代からのプロデューサーの天平さんが「コラボのアルバムを作りませんか」って言うわけ。それが徳間から出した『THIS IS POP』。

前の年に安部恭弘とライブをやったときに作った曲があった。「音楽の女神」っていう僕と安部くんのとのストーリーを歌ってて、〃まともな仕事に就いたあの春の日　あなたが音楽をやればって言ったから誘いに乗って始めちゃった　そして今でもギターで歌ってる〃事実そのままの歌詞。最後は「つづく」で終わる曲。気に入ってたからレコーディングしよう。銀次さんとも『魔法の領域』に入らなかったストーンズ風の曲があるし、黒沢秀樹くんと作りかけてた曲もあったし、「じゃあやります」ってことになった。スケジュールが厳しくて12月に出すのは到底無理なんじゃないかと思ったんだけど一応やってみようと。

野田幹子ちゃんと共作して彼女がライブで歌っていた曲「泣き顔」は彼女名義なんだけど、コラボってことで入れちゃえ。バリに行ったとき、松尾さんと作ってライブではさんざんやってた「ハイダウェイ」も入れた。根本要とは絶対共作しようと思っていた。何となくこんな感じがいいなっていうのがあった。それは「ミュージシャン行進曲」ってやつ。〃もてたくてなったミュージ

シャン　ハッタリはいつまで続くのか　親戚縁者は止めたけど　今ではこれが生き甲斐〟っていう詞を、昭和のクレイジーキャッツ的な行進曲ロックにした。また嶋田くんのアレンジが素晴らしくて、本当に運動会のブラスバンドみたいなのが入る。そのスケッチを作って要くんに送って、電話で「一緒にやってくれない？」って言ったら、「これもうほとんどできてるじゃないですか」。じゃあコラボで作曲するのは次回にして、歌は歌いますってことで、ツアーで忙しい最中参加してくれた。自分の技としては初めてだったんだけど、途中で「かっとばせー！」ってフレーズを入れたかったのね。みんなで、大声で叫ぶ。ライブでもみんなが「かっとばせー！」って言うんですよ（笑）。野球の応援みたいですごく楽しい。

Dear BEATLES でずっと一緒だった坂崎くんはビージーズがものすごくうまい。あのビブラート、バリー・ギブのあのコーラスをよく弾き語ったりしてるから、じゃあビージーズっぽい曲をやろうと。時間がないから僕がスケッチを作って聴いてもらったら「これでいいじゃないですか」って言われて詞を書いてできたのが「長い休暇をもう一度」。「マサチューセッツ」ぽいフレーズがあったり、ビージーズの要素がたくさん入ってる。坂崎くんが、普通そこまでやらないだろうってくらいのビージーズ風ビブラートの裏声コーラスをやってくれて大ウケだった。そして２人には共通項があった。坂崎くんは尊敬する加藤和彦さんとユニット、和幸をやって、僕も尊敬する大瀧さんとナイアガラトライアングルをやったでしょう。その2人ともいなくなってしまった。だから、「長い休暇をもう一度」。ロングバケーションと「あの素晴らしい愛をもう一度」を合体させたタイトルの曲を作った。この前初めて坂崎くんのテレビ番組でやったんだけど、中西圭三くんも加藤いづみちゃんもいたからばっちりのコーラスができた。

あとEPOに「Aメロを書いたからBメロの展開をお願いします」って言ったにも関わらず(笑)、僕がサビを書いたと思ったらしく、行き違いが続いてできたのが「君なしじゃ笑えない」。これもかなり自信がある大好きな曲。須藤薫ちゃんはもう亡くなってたんだけど、ラジオに出たときのテープがあった。弾き語りで歌ってたからそれにコーラスを入れて、薫ちゃんとの合作ということで。僕の単独ではキャベジンのCMで「やさしさにおかえり」がちょうどその頃オンエアされてたんで入れた。

村田くんとアロハ・ブラザースのアルバムのあとにできた似非イタリア・ソング「あの日にダルセーニョ」は最高に人気がある曲。〝世界中どこにいっても〜ピザやスパゲッティはあるよ〜〟ってカンツォーネ風に歌う。〝浮気が君に〜バレンチノ〜〟とか〝フェラガモの群れが飛んでゆく〟とか。フェラガモは飛ばないだろう(笑)。イタリア人に「こんな感じ、ダメ?」って聞いたら「あぁこんな感じこんな感じ」って認めてくれた。ライブで大ウケだったのは、最後の転調で2人揃ってギターにカポをつけて、〝ほら今ギターに付けた道具　このカポタストもイタリア語なのさ〜〟。そのためだけにレコーディングではカポをする音まで入れた。ライブでは「ブラボー！」って歓声が飛んでた。

最後に遠藤響子ちゃんと共作をして、須藤薫ちゃんをテーマに書いた。メールでやり取りして作ったんだけど、大サビのメロディを思いついて送った。でも譜面が苦手だしどう表記していいかわからなかったから、「あそこなんだけど、チュンチュン、チュン、チュンチュンっていうのはどうでしょう」「それはスズメですか？　さっぱりわかりません」（笑）。そりゃそうだよな、譜割りをわかってくれるかなと思ったんだけど。最後に薫ちゃんがライブをやったのはモメカルとだったから、モメカルの小野瀬さんにアレンジしてもらったんだけど、ハリウッド調で素晴らしい。小鳥が飛んでるような感じで、響子ちゃんも僕も歌うとき涙ぐんじゃう「Little Bird」ができた。モメカルの仕切りをやってる寺澤さんが「感動しました」って夜中にわざわざメールをくれた。

チュンチュンのところは「花いちめん夢いっぱい」「LOVE AGAIN」「セカンド・ラブ」「涙のステップ」「PLANETARIUM」「あなただけ I LOVE YOU」「I WISH」「No Plan」「Forever Young」と思い出深い彼女の曲のタイトルを歌った。あの曲も特別な曲。

２０１４年がこうして終わっていって、次の年も村田くんと『ずっと還暦ツアー』。60歳の感慨は特に何もなかったなぁ。そのとき人に書いた曲だけのライブをやったのが後に提供曲集『Mr. Melody』につながる。

２０１５年になると周年ライブを毎年のようにやることになる。このときは『SYMPHONY #10』で、前の年は『mistone』、その前は『STARGAZER』。そのくらいからコロナになるまで毎年続いてた。だから大瀧さんの周年がすぐやって来る気持ちもわかる。

国際フォーラムでの松本隆さんプロデュースのライブ、風街レジェンドがあって、僕と佐野くんと銀次さんで「A面で恋をして」、僕と銀次さんで「君は天然色」を歌うことになった。銀次さんと僕がマイルドヘブンで一緒にやってることを松本さんは知らないと思うんだけど、やると不思議に流れが来るんだね。流れが来てるから僕らがやったのかもしれないけど。はっぴいえんどとしての演奏もあったんだけど大瀧さんはいない。ノーウエア・マンの大瀧さんだったけど、でも確かにそこにいた。ナウ・ヒア・マンだった。僕がここにいるのも大瀧さんのおかげなんだなぁと思いながら「君は天然色」を歌ったら、佐野くんが「あの日ナンバー・ワンだったよ」と言ってくれました。

なかの綾ちゃんにも曲を書いた。彼女には注目してたのね。昭和ポップスや演歌をラテンのいい感じでやってたから。そしたら綾ちゃんとスタッフが「『ウイスキーが、お好きでしょ』みたいな昭和とお酒の香りがする曲をお願いします」って言ってきて、「わかりました」。「ウイスキーが、お好きでしょ」は昔の恋人と偶然会ってありふれた昔話をする歌じゃない？　じゃあその前日譚をテーマにしたら面白いんじゃないかってことで、別れる前の話。「スターウォーズ」で言えばエピソード1。詞は田口俊と共作で書いたのがなかの綾ちゃんの初めてのオリジナル曲になった。綾ちゃんから「タイトルどうするんですか？」って迫られて、「いっそのことエピソード1でどう？」「え〜！　マジですか？」。結果タイトルは「エピソード1」。けっこう気に入ったみたいで、次の新曲は副題に「エピソード2」ってついてた。

由紀さおりさんのシングル「人生という旅」も書いた。路線バスの旅のテレビ番組があるでしょ。その映画版のエンディングテーマって言われて、曲先なんだけど詞はきたやまおさむさん。高校時代フォークル（フォーク・クルセイダーズ）をコピーしてたから「これは緊張する」と思ったんだけど割とさらっとできた。由紀さおりさんの曲をきたやまおさむさんと書くとはね。中学の頃大好きだった人たちだもん。きたやまさんにはお会いできなかったんで、何年後かにDear BEATLESの舞台袖で会えてご挨拶したら「あの曲いい曲だねぇ」って言ってもらえた。最近モメカルをバックに自分のライブでもやったから聴いてもらいたいなと思って音源を送ったらお返事をいただいた。「由紀さおりさんもよかったけど、弦楽四重奏で作曲者が歌うのは説得力があり、『あ、また面白い』という体験でした」。嬉しかった。歌詞のフレーズを引用してうまいこと言うな、さすがきたやまさん。

この年の暮れにTBSの佐野くんの番組に僕と銀次さんで出たんだけど、隣のスタジオで爆笑問題が収録してた。田中さんが「夏の歌と言えば杉真理の『素敵なサマー・デイズ』！」とかいろいろ言ってくれてるのを聞いてたから、初対面だったけど5人で写真を撮りましたよ。太田さんは「NOBODY」が好きって大瀧さんから聞いた話。

村田との最後のツアー

2016年の杉まつりは絶好調の村田の62歳の誕生日だったんだけど、1か月後に亡くなってしまった。3年前、村田はピュアミュージックを肺の病気で1回飛ばして入院した。嫌な噂も聞いてたんだよね。余命何年みたいな話が聴こえてきて心配してたんだけど、村田はその年も新しいアルバムを作ろうとして曲まで書いてた。絶好調な日もあったけど具合悪いのは知ってたから心配していたら、2月に亡くなってしまった。

村田がブッキングしていたツアーが春からあって、続けようと思った。キャンセルになったのも1～2本あるけど。村田のことが好きなミュージシャンに声をかけた。僕はさんざん村田とやってるから村田の曲はほとんど弾けるわけよ。村田の歌も自分の歌も歌う。村田バンドの山本圭右と小板橋と一緒に仙台に行ったのに始まって、場所によって毎回違う人が来て、半年間いろいろ回った。最後から2番目の静岡に根本要がわざわざ自腹で来てくれて、2人で村田の歌を歌って、楽屋で抱き合って泣いちゃったけどさ。

このツアーを回っているときにできたのが、この後の『Music Life』に入る「平和な人へ」。〝君と出たライブハウス　今仲間達と　君の歌を連れて旅してる〟っていう歌。村田だったらこんな複雑なコードは使わないな、とか思いながら作った。村田のフィーリングを内側からわかってたから、村田との共作みたいな気がしてる。ギターの橋本哲から電話が来て、「村っちゃんが夢に出てきて、チッタの楽屋のところでこんな曲できたんだよね、って聴かせてくれた。起きてすぐそれを録音した」って。短いフレーズなんだけど、そのメロディをイントロと間奏に使った。だから「平和な人へ」は本当に村田との共作かもしれない。

暮れには銀次さんと僕とで村田くんの歌を歌うツアーをやった。ドラムはうちの息子。「平和な人へ」や「一本の音楽」をはじめとする村田の名曲たちもやれたし、杉ファミリー総動員で村田のツアーをやれたのはすごくよかった。

村田が亡くなるのと前後してなんだけど、鎌倉の歐林洞で僕の80年代のレコーディング・メンバー、ギター鈴木茂さん、ピアノ中西康晴さん、ドラム島村英二さん、ベース岡沢章さん。この黄金の4人と、初めて2日間ライブをやった。好評だったからそのあとも何回かやった。達人たちだってのもあるけど、その4人が集まると、あの音が出るんだよね。僕のファンの人たちも「うわぁ、レコードの音だ」って。例えば「内気なジュリエット」とかイントロが始まった途端、レコーディングしたスタジオにタイムスリップする。決してレトロじゃなくて、フレーズもビートも息づいてる。今のバンドのメンバーもみんな見に来て、「うおー、すごすぎる！」。

「ジャスト4リズム」、たった4人のリズム隊と名付けたこのバンドとの企画は今も続いてる。しばらくコロナでできなかったけど。2019年にはこれにキーボードの松本圭司くんを交えてビルボード東京でやったことがあって、松任谷（正隆）さんや竹内まりやも観に来てくれた。またやりたいなぁ。「昔この人たちとこんないいことやってたんだ」ってそのときのスタジオを思い出して、またちょっと新たな視点で自分の曲を見るきっかけになった。何かをなくすと新しいものが必ず出て来る、それがいつもの流れ。

次の年の1月にめまいが急に起こって、これはヤバいなと。総合病院に行ったら、結局耳の石がはがれたのが原因で、大したことなかったんだけど。実を言うとそれまで健康診断をやったことなかったのね。お医者さんに笑われたけど、やってみたらかなり大丈夫だった。肉ばっかり食べてるのにコレステロール値も大丈夫。でもそのめまいの原因になる石は、なくなるかまたどこかに出るかわからない。分泌物だからなくなったりするんだってね。それが三半規管の違うところに行くと違う信号が出て、動いてないのに「動いてますよ」って信号が脳に行くと、もうぐるぐる。横になると起こって、縦になると止まるっていう。変でしょう？　それは耳の構造からなるんだって。

案の定10日間くらいで治ったんだけど、その途中にＢＯＸのライブが下北沢であった。ＢＯＸはロックバンドだから立ってやらなきゃいけないんだけど、エフェクター踏むために下向いたときにグラって倒れたらイヤだし、ラジオも1回休んでみんな心配してるのわかってたから、ちょっと高い椅子をニトリで買ってきて、僕だけ座ってやったことがある。でも基本的に大丈夫だから自分のギターの聴かせどころになると立ってアピールして、終わると座るっていう（笑）。クララが立った、みたいな。

この頃も例によっていろんな人から一緒にやろうって声をかけていただいて、タケカワユキヒデさんのライブが盛岡であった。新聞社主催だったんだけど、前説の人が「今日はこういうコンサートで……」、って説明するの。僕は楽屋で聞いてたんだけど、「今日の出演者は（たどたどしく）タケカワユキヒデさん」。タケカワさんは全部カタカナなのにここでつっかえてたら俺の真理なんて読んでくれないなと思ってたらちゃんと読んでくれたから安心してたら、「この方はＣＭソングの、『ウイスキーは……』」。正しいのは「ウイスキーが」なんだけど「が」でも「は」でも気にしないことにしてた。そしたらその人、「ウイスキーは、お好きですか？」。違うだろう、それじゃただのアンケートだろう（笑）。

嬉しいことに「ウイスキーが、お好きでしょ」はいろんな人がカバーしてくれた。ジャズ・シンガーの桃井まりさんのバージョンはアレンジが前田憲男さん。大巨匠。その受賞パーティーに呼んでもらったら同じテーブルに前田さんと雪村いづみさん。「うおー！」って思った。前田さんは他の機会にも会っていたからとても気さくで、今から思えば前田さんとお話できてよかった。それもこれも、ウイスキーのおかげでしょ（笑）。

ビルボード東京でギルバート・オサリバンのライブがあった。四国にギルバートのファンが高じて家族付き合いしてる人がいて、来日すると「行きませんか？」って誘ってくれる。ライブはもちろん最高だった。終わったら「楽屋に行きませんか？」って。「いやいや、とんでもない」「大丈夫ですよ」。連れてってくれて、オサリバンの娘さんとか紹介してくれて。どうもモメカルとやった「STRINGS OF GOLD」を前もって渡してくれてたみたいで、彼が「あのＣＤよかったよ」って言ってくれたんだよね。そのＣＤの3曲目には「Romancing Story」というギルバート・オサリバンに影響を受けた曲が入ってる。家から持っていったファースト・アルバムにサインしてもらったんだけど、「I Like Your CD」って書いてくれて、もう頭真っ白。「どうしよう」と思いながら帰った。ファンの心理ってこうだよね。

その春、5月に鈴木茂さんのツアーにゲストで呼んでくれた。別府と広島で、メンバーが茂さん、小原礼さん、林立夫さん、キーボードの柴田俊文くん。茂さんがレコーディングでギターを弾いてくれている「夢みる渚」をやったのね。茂さんはコーラスをやりながらあのスライド・ギターを弾いてくれた。僕もこのレコーディングのことはよく覚えてるんだけど、スタジオでリズム隊を録るときは曲のタイトルも詞もまだなかったりするわけ。林さんがトッド・ラングレンの「アイ・ソー・ザ・ライト」のタムのフレーズ入れてくれたらすごいポップになった。リハのとき「この曲のレコーディング、覚えてるよ」って言ってくれて、すごく嬉しかった。スタジオ・ミュージシャンは忘れることも仕事なところがあるからね。

打ち上げで、茂さんはお酒を飲まないんだけど小原さんと林さんから昔のミュージシャンたちの音楽的な武勇伝を聞いた。「このときは尋常じゃなくベロンベロンで演奏したよ」とかね。そんな話を聞くと、それだけ肝が据わってるんだなって感じましたね。

広島ではスタッフも交えて打ち上げをやったんだけど、座敷だったからどうも違う人のスニーカーを履いて帰って来ちゃったらしくて。翌日マネージャーが「新しいのに変えたんですか？」って言うから見たら、同じメーカーなんだけど違う。サイズもどうも違うような気がしたんだけど（笑）、「まぁいいや」と思って、全員にCCでお疲れさまメールを送ったとき「この前誰かの靴を履いて帰っちゃったんだけど知りませんか？」って書いたら楽器担当の田中さんが「僕です」。お互い事務所に送り合いましょう、ってことでパッキングして宅急便で送ったのね。届いたその靴を履いて下北沢に向かった。家の近所を歩いてたら道の向こう側から誰かが「杉さん！」「田中さん、どうしたの？」「ここの倉庫に楽器取りにきたんです。杉さんかなぁ、と思ったんだけど靴見てわかりました」「じゃあここで交換すればよかったねぇ」。そんなことがあるのか。ここで会うか。ちっちゃな偶然だけど、偶然が起こるときは正しい流れに乗ってるときだと思う。「偶然は神様が出すゴー・サイン」というのはインドの高僧スーギーの言葉。

この年からアフパラのアシスタントは山口マーナちゃんになった。クーちゃんは本当にとても丁寧なんだけど、いい感じで突っ込む人。失礼にはならず優しく突っ込む。僕の94歳のお袋はアフパラのヘビー・リスナーで、パソコンを買ってネット経由で聞いている。「木曜日は家に来ないでって友達には言ってるんだけど、来ちゃうのよねぇ」。クーちゃんがやめちゃうってことでお袋にもショックが走って、僕も「どうなるのかなぁ」と思ってたら、来たのがマーナちゃん。僕とは30歳以上離れてるのにビートルズが好きで、笑いのセンスやいろんなものが似てて、今やマーナちゃんなしではできないくらい。新潟の佳奈ちゃんのときもそうだけど、本当に僕は恵まれてる。必ず適材な人が現れてくれる。

今だから言うけど、この年にコンペで書いた曲がある。誰のコンペかというと、マッチ（近藤真彦）。「ロッド・スチュワートの『セイリング』みたいなみんなで歌える曲」とか、いくつかリクエストが来て、わかりやすい曲にしようと考えているうちにいいのができちゃった。「うわー、ちょっともったいないかも」と思って出したらボツったんですよ。「え？ これがボツるんだ？」って思ったんだけど、自分で歌うことにしたのが「コロンブス」。今や僕のライブの定番で、新しい代表曲とも言われる。だから流れで僕の元に帰ってきてよかったな。よくあることだ。逆にあそこで「いいのができたからあげるのやめよう」って思ったらこうはならなかったと思う。経験上それはわかってるから、惜しみなくいつもあげるようにしてる。

翌年の杉まつりで初めてみんなで「コロンブス」を歌ったんだけど、テーマ曲みたいになった。初めて聴いた人でも歌えるからね。サビは〝大丈夫さ〜〟の大合唱。気に入ってるところは最後の〝大丈夫じゃなくても大丈夫さ〜〟。ギャグっぽいけど真髄を突いてる。僕の中でコード数がもっとも少ない曲の部類に入る。最初から自分用に書いたらこんなにシンプルにできなかったと思う。後にジャスト4リズムの茂さん、中西くん、岡沢さん、島村さんで『Music Life』用にレコーディングした。達人はシンプルな曲ほど素晴らしさが際立つ。

NHK FM『ディスカバービートルズ』収録時。

第15章

An Old Fashioned Love Song

チャレンジが続き、コロナがやって来た

ソロ集大成！

２０１８年になってソロの集大成が続くわけですよ。各アルバムの30周年がやって来て、モメカル・ツアー、Dear BEATLES、ピュアミュージックもある、ＢＯＸもたまにある。それとは別に数年前からサッチャナイツっていうグループができた。ブレバタの幸矢さんの提案で、楽器を持たないコーラス・グループ。幸矢さん、僕、（鈴木）雄大、あとトカトっていうグループをやってるトラちゃん（平澤成基）。彼が面白い。トカトはほとんどが米米ＣＬＵＢのメンバーで、トラちゃんもソロ・シンガーで、ダンサーで、他にもいろんなユニットをやってる。

とにかく伴奏は誰かに任せてコーラスをやる。コーラスはいくらでもうまいグループがいるから普通じゃ面白くない。他人がやってないような曲をやろうということで、まずは『キテレツ大百科』の「お料理行進曲」。コロッケの作り方のやつ、いい曲なんだ。あれを雄大がまた難しいアレンジしてくるわけ。「ウイスキーが、お好きでしょ」ものすごいジャズ・アレンジしてきて、もう特訓。スタジオに集まってクラブ活動みたいな厳しい練習が続いた。僕が提案したのは「スパイ大作戦」のテーマ。映画『ミッション・インポッシブル』のあの曲。５拍子。あれに日本語をつけて、〝スパイ～稼業～命がけ～、トム・クルーズなんて映画だけ～〟みたいな。途中で同じく５拍子の「テイク・ファイヴ」になって、〝５拍子は複雑、手拍子もしづらい〟〝ご病気になりそう、区切りはどこなの〟って歌詞で歌う。インスト用のメロディに無理に日本語の歌詞でめっちゃ面白い。だけど今までやった中でいちばん難しい。しかも5拍子だから隣で幸矢さんがズレてきちゃう。絶対に持っていかれないように指で5拍子数えながらやってた。

あとは「ラジオ体操第一」に僕が歌詞をつけて「ラブソング第一」と題して体操をしながら歌うすごい前向きな歌詞で、〝愛は健全な心に宿る、ハートの体操第一〜〟から始まって、〝理想目指して背伸びしよう〟〝憂鬱なときは空を見上げて、星はあんなに美しい〟。その間トラちゃんは「まずは背伸びの運動〜」っておなじみのMCを入れる。最後は〝大きく息を吸って、胸いっぱいにアイ・ラブ・ユー〟の深呼吸で終わる。誰もが知ってる曲だから一緒に体操しながら聴ける。著作権の問題でどこかにアップするにはハードルが高くて、まだライブでしかやってないんだけど。

サッチャナイツは面白い。「ふるさと」を真面目にハモったりもするんだけど、とにかく着想が斬新。最近はキーボードを遠藤響子さんがやってくれてて、遠藤響子の無駄遣いって言われてるんだけどさ。ときどき夜遅く幸矢さんから電話かかってきて、「もっとサッチャナイツやろうよ」って言われる。「やりますとも」「じゃあオリジナル作ろう」。幸矢さんも雄大も作ってきた。僕とトラちゃんが共作したのは、ムード演歌をユーロビートで料理した「腰のフラメンコ」。出だしの歌詞は〝骨盤、腰をくねくねさせて〟。それにコーラスをつけて、歌いながら踊るんですよ。

幸矢さんなんて全然ついてこられないところが可愛い。でもものすごくキャッチーでダンサブルで、スティーヴィー・ワンダーの要素も入ってる。一度聴いたら忘れられない。もうひとつはヘビメタ・ハワイアン。ウクレレにディストーションをかける。「馴れ馴れしい奴」ってタイトルで、最初は〝アロハ〜〟な感じで、〝初々しい奴　仰々しい奴　甲斐甲斐しい奴　いろんなタイプがまわりにいるけど　さしずめキミは馴れ馴れしい奴！〟。そこからヘビメタになる。

アロハ・ブラザースなき今、おふざけ的なんだけど音楽性は高いぞってところに、このサッチャナイツがいる。

相変わらずいろんな人がライブにゲストで呼んでくれるんだけど、遊佐未森ちゃんとも一緒にやった。未森ちゃんも「ウイスキーが、お好きでしょ」を歌ったんだけど、またそれが他の人と全然違うんだよね。身体と心にいい魔法の水の歌に聴こえる。バリのことを歌った「君と浜辺を」は小学唱歌みたいな曲だから絶対彼女には合うと思って歌ってもらったらばっちりで、レコーディングしたいくらいだった。長いことやってるといろんな道が広がって楽しい。

そのちょっと前から長江健次カフェっていうのを神戸のチキンジョージで毎年やってて、10日間くらい毎日違うことをやる。そこに僕を呼んでくれて、銀次さんと行ったり野村義男くんとロックなことをやったり、曾我泰久くんと一緒にやったり。

長江健次くんはタレントさんの部分もあり、自分とはかなり違うところもあるけど、昔日産のCMの「Catch Your Way」を見て僕を知ったそうでカバーしてくれると、なかなかいい歌を歌うんですよ。そんなこともあって数年前、彼に曲を書いた。「恐怖のミステリーガール」っていう曲なんだけど、途中で「ハイスクールララバイ」みたいな関西弁の語りを入れてほしいと思って、デモテープにでたらめな関西弁を入れたの。〝君はホンマにアホやな　ぎょうさん食べなはれタコ焼き〟とか。そしたら本当に〝屁ぇこいて寝るわ〟とか〝自分そういうとこやで〟とか健次くんが普段よく使う関西弁フレーズを入れてくれた。そこまでは望んでなかったのに(笑)。面白い友達ができたなと思っています。

村田がやり残した、レコーディングする前に逝っちゃって間に合わなかったアルバム用の曲があった。作詞家にももう発注してたのね。それを作ろうって話になって、村田バンドの(湯川)トーベンが「俺が仕切るよ」と音頭をとって数か月で作った。

亡くなる2か月くらい前に村田が「もし死んじゃったら杉と圭右で作っといてよ」「何言ってんだよ」。でも本当に亡くなって、圭右と2人で、「言われたよな」と。村田のトリビュート・ライブやると大勢集まる。みんな「ノーギャラでいいからレコーディング手伝いたい」って言ってくれるから、ゲスト満載の豪華なアルバムにしようと思ってたんだけど、あるとき圭右から電話がかかってきて、「村田はそういう派手なの望んでないと思うんだよね」「そうかも。夏の曲ばっかのいつものやつが望みかも」。じゃあ村田バンドと僕と、あと（根本）要くんとゴメスにも手伝ってもらって、村田の息子の彼方くんも一緒に作ろうってことになった。

要くんに聞いたら、昔村田に「コーラスやってくれ」って呼ばれて行ったら、コーラスじゃなくてデュエットだったんだって。それはレコード会社の契約的にどうなんだって思ったけど、コーラスだってことで押し通して歌ったと。そんなことがあったのに、また今回も要くんに歌わせた（笑）。

村田が最後に作ったアルバムは『ピーカン』っていうんだけど、次作のタイトルは『ド・ピーカン』って決めてた。だからそのタイトルにした。村田バンドには村田臭が残ってて、村田の声が聴こえる気がする。同じバンドの人ってそうじゃない？　僕が歌ったのは「南の島の結婚式」と「Smiling　思い出にはできない」の2曲だった。

それが終わると僕が作りためていた曲をレコーディングする『Music Life』っていうアルバムに取り掛かる。

前の年の僕のライブに、80年代の僕のアルバム・ジャケットを全部やってくれてる田島（照久）さんが来て、「なんかあるなら言ってね」って言ってくれたから、田島さんに頼んでできたのがあのジャケット。昔を思い出した。打ち合わせしても、田島さんが急に思いついたものに変更になるんだよね。自分のウクレレを銀色に塗って、「これ持ってみて」とか。好きなジャケットがまた増えた。

このアルバムにはレコーディング前からライブで人気がある「Your Kiss」や「最高の法則」「コロンブス」など最近の僕の代表曲と言える曲が入ってる。まりやに書いた「Dear Angie」は今度は彼女がバック・コーラスを歌ってくれた。「君を想って」では自分史上最高のギター・ソロを弾くことができた。これも村田の無茶ぶりのおかげかも。この先、このアルバムを超えるのも大変だろうな。

この年は友達がやっている会社の社歌を2つ作った。ひとつは僕のアマチュア時代からの友達で、ＩＴ関係のネクストっていう会社を始めて大きくした本間さん。昔さんざん一緒に自堕落で非生産的な時間を過ごした友達なのよ。日本人なんだけど通称ダリさん。お父さんはジャズ・ミュージシャン。彼の家族が六本木でボリビア料理の店をやってた。ジョンの訃報を知ったのもその店。社長やりながら自分でインストとかレコーディングしたりする。今でも仲よくて、彼と打ち合わせしたときに「どんな社歌がいいの?」「ギルバート・オサリバンの『キャント・ゲット・イナフ・オブ・ユー』みたいなの」ってまたマニアックな曲を言うわけ。で、作ったのが「イマジネーション」って曲で、〝君に降るイマジネーション　叶わぬ妄想とゴミ箱に捨ててしまわないで　君がアクセスしてるのは宇宙のどこかの夢のファクトリー　デスクトップを花で埋め尽くそう〟というIT企業も意識した歌詞をつけた。彼に聴かせたら「すべてのクリエイターに聴かせたい！」って喜んでくれた。若い頃ほとんどプー太郎だった友達とこんなクリエイティブなコラボができるなんて、誰も想像しないよね。この音源はギルバート・オサリバンに会ったときにも渡した（笑）。「これはあなたの音楽から受け取ったものでできました」って。

もうひとつは大学時代の後輩の吉沢くん、軽井沢で一緒にジョン・レノンと会った人。彼が富山で富山県トラックっていう大きな運送会社をやっていて、そこの社歌を頼まれた。ビリー・ジョエルの「アップタウン・ガール」風の元気がいいやつを作ったら、今はそれが向こうのCMでも流れてるみたい。別に媚を売るつもりはないんだけど、蜃気楼とか「富山と言えば」というのを歌詞に織り込んで作った。鱒寿司は入れなかったけど、これも会心の出来。

実は自分に社歌は無理だろう、と思ったんだけどね。吉沢くんはまりややHABUくんの同級生だし、音楽をよくわかってる奴だから。彼に言わせると「いつか杉さんに社歌を作ってもらいたかったんですよ」って。学生時代からそう思ってたらしい。

2020年は最初に杉まつりがあった。9回目の。年々すごいことになってきたんですよ。最初はこんなはずじゃなかったのに、だんだん「出たい」っていう人が増えた。基本1人2曲なんだけど、最長7〜8時間近くやっていたこともある。僕はずっと出っ放し。でもお客さんのテンションも落ちない。他じゃ観られない組み合わせとかが楽しめるからね。その杉まつりにブラス隊が何人か加わった。「吉祥寺に住んでるから観に行っていいですか？」「じゃあ出てよ」。あの狭いステージに乗せられるだけの楽器を乗せた。最後はアーティストが全員上がって歌い、演奏する。あれをできなきゃ杉まつりをやっても意味がないと思ってるから、密になれるまで杉まつりはお休みです。今は落ち着いた正月を迎えられてる（笑）。

奥深きビートルズの世界

2020年の2月の終わりに緊急事態宣言が出たよね。そのせいで計画していたピカデリーのライブが飛んで、まわりでもライブ中止が頻発しだした。

4月からNHK―FMで『ディスカバー・ビートルズ』が始まった。毎週1時間で1年間。これはコロナ禍じゃなかったらできなかった。マニアが多いビートルズだから下手なこと言えないでしょう。できる限り調べ直して、コードも取り直した。レポートも書いた。全部聴き返すといろんな発見がある。これにかなりの労力を費やした。月に1回はTRICERATOPSの和田唱くんがやってくれるから、その週はちょっと休める。

和田くんとの初対面はDear BEATLES。もちろん前から知ってたけど、思った通りにフランクな人だったし、音楽の好みが似ていた。ビートルズに関する立ち位置も近いから、この人とは友達になれるなとすぐに思った。

『ディスカバー・ビートルズ』は1年やったんだけど、ときどき和田くんと2人でやった。この盛り上がりがすごくて、番組が賞を2回取ったんだよ。夏にやった特番でひとつ、1年たって編成局賞っていう相当すごい賞をいただいた。リスナーの熱い反応も毎週たくさん来る。『I Love Beatles』ってコーナーでは毎週いろんなビートルズ好きのアーティストがコメントをくれる。国府弘子さんはお会いしたことなかったんだけど、そこで「いつか一緒にやりたいですね」って言ったら2022年に一緒にやれた。この番組のファンだと公言してくれた赤坂泰彦さんや、ポールの大ファンの藤田朋子さん、最終回の財津和夫さんまで実にいろんな方がユニークなコメントと選曲をしてくれた。

基本的にはアルバムを毎週片面ずつ解説していく。1年間の番組だからできること。贅沢っちゃ贅沢。とにかくやればやるほど、ビートルズの奥深さがわかるし、初めて発見したこともたくさんある。特集で自分でも面白いなと思ったのは、ビートルズのシャウトだけに注目した回。途中でシャウトがなくなる時期がある、復活するのはどこだ、とかね。ギターのリフに注目したときもあったな。１９６０年代当時のヒット曲はギターのリフが印象的な曲が多く、時系列で並べていくといろんなことが見えて来たり、「ペイパーバック・ライター」の後にその影響下にあるモンキーズ「恋の終列車」がヒットしたりとか。縁起でもないんだけど、『レット・イット・ビー』特集をやってる最中にフィル・スペクターが亡くなったり、アストリッド・キルヒャーが彼女の影響を受けたジャケットの『ウィズ・ザ・ビートルズ』の特集をやってるときに亡くなったり、不思議なことも起こった。

不思議なことで思い出したんだけど、アフパラで宇宙特集があって、加山（雄三）さんの「夜空を仰いで」をかけることにしてた。15時くらいになった頃、26階のスタジオがある展望台のフロアにテレビ・クルーがドドっと来たわけ。奥のレストランに入って行くから、見に来ていたファンの人に「誰?」って聞いたら「加山雄三さん」「えーっ！　このあと曲をかけるんだけど」。ちょうどテレビの収録が終わってフロアに出て来たときにかかって、加山さんが「これ俺の曲だ！　FM世田谷？　よく聞いてるよ！」。それで「加山さん！」って出て行ったら「おお」「加山さんを見てかけたんじゃないんですよ」「本当?」って握手してる写真ありますよ。びっくりでしょ？ちょうど来るってどういうこと？　普通のラジオ局のスタジオならまだしも、ここはキャロットタワーの展望階だよ？

話は『ディスカバー・ビートルズ』に戻って、ビートルズが落ちたデッカのオーディションの特集をしたことがあったのね。「ティル・ゼア・ウォズ・ユー」もそうなんだけど、ポールが歌ってる「セプテンバー・イン・ザ・レイン」はハリー・ウォーレンっていう作曲家の曲だった。ディレクターの本田さんが「ハリー・ウォーレンのソングブック（CD）ありますよ」って言うから借りてきたら好きだった曲がたくさんあって、それを聴きだしたらちょっと温故知新ムードになった。俺が知らないいい曲がいっぱいある。

それでハリー・ウォーレンから始まって、アーヴィン・バーリンっていう作曲家に僕はずっぽりはまることになるんですよ。

彼は「ホワイト・クリスマス」を書いた人で、他にも「チーク・トゥ・チーク」とか、フレッド・アステアの曲とか、ミュージカルでも名曲をいっぱい書いてる。転調もすごいしコード進行も凝ってるんだけど、この人は譜面がまったくダメ。ジョージアの移民の子で、ガーシュインとかと同じ時代なんだけど、他の作曲家と違って詞も書くんだよね。勝手に親近感を感じて調べてみたら、ピアノも下手くそでみんな最初は「は？」と思うんだけど、ちゃんとアレンジされると「こんないい曲なんだ！」って感じなんだって。ビートルズも譜面読めないのにあんないい曲作ってる。それ以前にこんな人がいたんだよ。「ショウほど素敵な商売はない」、有名だよね。ミュージカルの持ち上げソングぐらいに思って歌詞を読んだら、〝最後にお辞儀をするときの幸せな気持ち　どんな金塊を積まれてもショウを止めたりしないわ　好きだった人の死や両親が離婚しても　心はボロボロでもショウは続けるわ〟。エンタメ業界の人たちみんなのことを歌ってるようで沁みた。コロナでツアーとかできない人たちがこれ聴いたら泣けるよなぁ、って歌詞だった。「よし、これを歌おう」と思った。ポールの「レディ・マドンナ」風のピアノに上田雅利さんのドラムロールをサンプリングして録音し、人に聴かせたら「このノリで作ってよ」って言われて、調子づいて他の曲もやってみた。

そんな風に入り込んでみたら山のようにいろんな人がアーヴィン・バーリンの曲を歌ってる。それがアレンジによって全然違ったりする。それこそポールとかクラプトンとかボブ・ディランも歌ってる。知れば知るほど見えなかった流れが見えてきてさ。例えば「ハウ・ディープ・イズ・ジ・オーシャン」は1行を除いて全部ハウから始まる。これって『風に吹かれて』のスタイルじゃない？　そしたらディランが最近これをカバーしてる。うわぁ、ディランが種明かししてる！　他にもダイアナ・クラールとかがカバーしてる「レッツ・フェイス・ザ・ミュージック・アンド・ダンス」って曲がある。ミュージカル映画の劇中歌で、人生に絶望したフレッド・アステアが身投げしようとしているジンジャー・ロジャースに向かって歌う曲なんだけど、詞が〝これから困難がやって来るかもしれないけど　音楽と月の光と愛とロマンスがあるうちは　音楽に向かい合って踊ろう〟っていう。コロナ禍で殺伐としていて、ロマンティックなものに飢えてたから、この歌詞にもグッと来た。

調べてみたらフェイス・ザ・ミュージックって、音楽に向かい合うって意味と同時に、現実と向かい合うっていう意味もあった。何故かというと、ミュージカルで舞台に出るとお客さんの前にオケピ（オーケストラ・ピット）があるでしょ。音楽と向かい合う＝お客、つまり現実と向かい合う、なんだって。そこから〝現実と向かい合って　それでもやっぱり歌おう〟っていうのがコロナ禍での僕のテーマになった。「レッツ・フェイス・ザ・ミュージック・アンド・シング」。僕のYouTubeチャンネルのテーマ曲なんだけど、それはこの人との出会いのおかげ。

そのとき作った僕のアーヴィン・バーリン作品集がある。ボサノバにしたりリバプール・サウンドにしたりハワイアンやディスコやラテンや弦楽四重奏にしたり。弦はモメカルの郷田さんにオンラインで音を送って弾いてもらって、うちでミックスした。完全にあの音楽ソフト、ガレージバンドで作った。発売の予定なんかなく、純粋に音楽を追求した。楽しくて仕方なくて、寝る間も惜しんでやった。ＣＤ―Ｒに焼いたら要くんとか佐橋くんとか大絶賛してくれた。佐橋くんが家で聴いてたらミュージカルに詳しい奥さん（松たか子さん）が「何聴いてるの？」「杉さん」「えーっ！」って驚いてたって。

コロナ禍で得たもの

２０２１年は立ち止まって考えたよね。それまではルーティンのようにやってたんだけどちょっと立ち止まったことは、僕にとって大きかった。映画とかを家で見る機会も増えたじゃない？人に薦めといて「これどんな映画？」って聞かれても何も答えられない自分がいるわけよ。シーンひとつも思い出せない。自分の頭の中で〝面白い箱〟には入れたけど、それで終了っていう。これはいかんな。いいレコードは何回も聴いて沁みてくるもの。１回聴いただけだったら情報でしかなくなるなと思った。本棚に新聞は入れないじゃない。本棚には情報じゃなくて自分の好きな小説を入れる。サブスクとか配信とかものすごく便利で宝物を探すコンパスや地図にはなり得るんだけど、僕にとっては宝物にはなり得ない。僕のような奴はサブスクならいつでも聴けると思って安心して、いつまでたっても聴かない。人間の処理能力とこのシステムは必ずしも合ってないなって気がした。もう１回立ち止まろう、知った気でいるのをやめよう。サブスクとか配信で音楽の楽しみ方の選択肢は増えたはずなのに、逆に減ったんじゃないかなって気がした。情報で終わって、それは僕がイヤがってた、ヒット曲しか知らないのに満足した気になってるもったいない感じ。ヒット曲しか知らないなんてもったいないんだぞ、っていう気持ちをもう1回思い出させてくれた。音楽とか本とかのエンターテインメントは何回も味わうべきものなのに、「いいもの」って箱の中に入れて安心してちゃいかん、って思った。

オリジナルも今しか歌えない曲ができた。〝愛する人に触れる冒険を忘れないで　未来の子どもたちよ〟っていう、ちょっとスティーヴィー・ワンダー調でソーシャル・ディスタンスの向こうを張った「ヒューマン・ディスタンス」という歌や、「2021年ラプソディ」では〝君と青空に輪を描いたのを見たあのファイザーの夏〟っていうオリンピックが行なわれた夏のことを自分なりに書いた。〝禁酒法の時代に逆戻り〟とか。結局言いたかったのは〝自由の儚さ　自由の尊さを痛感した年だった〟って歌。曲調はアーヴィン・バーリン。あとは頼まれてもいないのに大谷翔平選手の勝手に応援ソング「It's Show Time」とか、作ってみたかった「サウンド・オブ・ミュージック」みたいな大きな曲。〝もしも音楽のない世界なら　愛しい君を思う心を何に託せばいいのでしょう〟っていう、その名も「ミュージック」とか。

坂崎くんのお台場フォーク村に何回かゲストで出て、それも本当にソーシャル・ディスタンスを必要以上に取って放送したんだけど、そのときにももクロの（玉井）詩織ちゃんと坂崎くんがベッツィー・アンド・クリスの「白い色は恋人の色」とかやってるのを聴いてすごい新鮮だったから、「オリジナルないの?」「ないんですよ」「僕作ろうか?」ってついつい言っちゃった。そしたら次の放送のときプロデューサーのきくちさんが「今度発表しましょうよ」「え、生で発表?」。困ったときの田口頼みで、こういう曲調なんだけどコロナのことも反映させた詞が欲しいって頼んだら、次の朝歌詞が届いた。それがまたいい詞で。〝ある朝突然に世界が変わったよ　花は揺れているのに少女が怯えてる　いつか集まってみんなで手を取って　途中で止まったあの歌の続きもう一度歌おう〟。デモテープを作って坂崎くんに送ったら「まさかのスリー・フィンガーですか、杉さん!」。もっとポップな曲が来ると思ったらフォークが来たから驚いてた。詩織ちゃんもギターを頑張ってくれた。番組にも田口と僕がゲストで出てみんなで歌ったんだけど、それから毎月その曲をいろんなゲストとやってくれてるみたい。その坂崎くんがこの前コロナになっちゃったから、僕が代役で出たんだけど、バンドとゲストの山崎ハコさん、クミコさん、コアラモードとかとでみんなで歌ったら、ちょっとグッと来ましたね。

実際に濃厚接触者になったことがあるんですよ。2021年の夏のライブを神戸と東京でやるはずが、リハーサルが終わって神戸に行く数日前にメンバーの1人が発熱。他は全員大丈夫で、舞台監督の八木沢くんが保健所の人といろいろやり取りをして。もしかしたら誰か濃厚接触者になってライブがダメになるかもしれなかったから、僕だけ前乗りした。例えメンバーが全滅しても俺1人でやろうと思って、新曲のカラオケとかいろいろ用意して行った。そしたら当日八木沢から電話があって、「杉さんだけが濃厚接触者になりました」「はあ？」。保健所の人に「リハーサルのときマスクをはずしてた人はいましたか？」って聞かれて、「ボーカルの人がはずしてました」「申し訳ありませんがその人だけが濃厚接触者です」。笑えるでしょう？　で、神戸は延期になって、次の東京のライブは隔離期間が明けた後だったから無事にできた。

神戸でやるつもりだった企画がもったいないってことで、暮れに渋谷クアトロで1人でライブをやった。ほとんどが新曲。みんなが知らない曲。いいのかなぁと思ったんだけど、すごくウケた。

11月に松本隆さんの風街オデッセイ2021が武道館であって、なんとトップバッター。僕と銀次さんと鈴木茂さんで「A面で恋をして」を歌った。大瀧さんの役は茂さん。本番が始まる直前に茂さんの楽屋に集まって3人でハモる練習をしてたんだけど、気が付いたら動画を撮ってる人がいる。松本さんだった。面白かったなぁ、あれも。あと僕が歌ったのは「Do You Feel Me」。そう、あの「こんな甘々な歌詞でいいのか」て思った曲。松本さんの前で歌ったのは初めて。それも銀次さんとハモれて、あのとき文句を言わないでよかった。今じゃ僕も大好きな曲。

あと、この年は、TBC（東北放送）のイベントに呼ばれて仙台に行った。そのときに山寺宏一さんと初めて会ったら「僕、須藤薫さんが大好きなんですよ」って。こんなところにも須藤薫ファンがいたのかって驚いた。薫ちゃんに教えてあげたかったな。

ボヘミアンズに「いとしの真理」って曲があるんですよ。どうも僕のことを歌ってるらしいと。前にも歌詞に「まさみち」って出てくる曲の話を聞いてたから、ギターのビートりょうくんをラジオのゲストに呼んだ。〝君はピンクのジャケットまとってた　あの頃の三角関係で君の声だけ残ったよ〟ってトライアングルのことを歌ってるんだよね。すごく僕好みのいい曲。でも当時彼はまだ生まれてない。その日着ていた上着も僕の「Catch Your Way」の写真を意識してだって。そんなのよく知ってるねぇ。

２０２２年には漫画家の江口寿史さんとお会いする機会に恵まれました。この年はトライアングルＶｏｌ．２の40周年で「Ａ面で恋をして」のＰＶが作られ、インドネシアの若いアーティストが江口さんのイラストをふんだんに使って80年代を表現した。それを見た直後、江口さんが渋谷で個展を開かれていて、たまたま僕もその日渋谷にいた。および腰で個展に足を運ぶとちょうど江口さんの誕生日でケーキが登場し、ちょっとしたセレモニーとなったのでタイミングよく挨拶する隙ができ自己紹介すると、江口さんに歓迎してもらいました。その年末にゴメスの山田くん、ベースのイトケン（伊藤健太）さんと４人で飲みに行き、３軒はしごした。江口さんは歳が近いのもあるけど、フランクでとてもいい人、大先生なのにね。

その年の1月には国府弘子さんと吉祥寺のジャズ・バー、サムタイムでライブをやれた。僕が若い頃、背伸びして行っていた店で、今から46年くらい前に出来たんだって。つまり僕がデビューの頃。そこで数十メートル離れたところにあった千歳カメラでバイトした頃に作った歌「バイ・バイ・ウサギ君」をやった。この曲には〝吉祥寺〟って歌詞が出てくるしこの町の思い出が詰まってる。まさかこんな日が来るなんて。国府さんと若いベーシストとドラマーと、全員この日が初対面だとは思えない息が合った演奏。国府さんのライブのゲストに僕が出る形だったんだけど、「ウイスキーが、お好きでしょ」は当然やった。「『ディスカバー・ビートルズ』にコメントをくれたとき『レディ・マドンナ』を選んでくれましたよね」って言ったらちょっと弾いてくれて、一緒に「ハニー・パイ」をやった。アンコールで『STARGAZER』に入ってる「君は天使じゃない」をやったんだけど、国府さんのピアノを弾いてる表情が素敵で、間奏もまたいい感じで弾いてくれた。昔この店でレーズン・バターとウイスキーで大人の雰囲気に浸って、勝負かけた女の子を連れてきたけど全敗だった。「ああ、ここで本物のジャズ・プレイヤーとやるとはなぁ」とちょっと感慨にふけった。またいつかやろうと思ってます。

第16章
君といた夏

須藤薫。大滝詠一。村田和人。HABU。

薫ちゃん、そして大瀧さんとの別れ

須藤薫ちゃんは2013年の3月3日に亡くなりました。

前の年にアルバムを出したんだけど、そのあとに医者から骨髄の難病らしいって言われた。数値があまりよくないいって聞いて、僕が知ってる民間療法にも連れていった。薫ちゃんの車で。薫ちゃんの運転ってすごく怖いの（笑）。あんなに怖い人は他に知らない。よく擦ってたし、助手席に乗ってるときはずっと足を突っ張ってる。友達全員、怖がっている。そのときも「安全運転でね」って言ったら「そんなこと言われたの初めてです」。みんな怯えて言わないだけだよ。

帰りに麻布でお蕎麦を食べて帰った、その数日後に数値がよくなった。でも検査入院をしたら、その入院中に軽い脳梗塞になって、年末年始もそこにいることになって、「じゃあお見舞いに行くね」って電話で言ったら「来なくていい」。お見舞いに行ったときは腎臓まで弱ってて、少し長くなるのかなと心配していたら亡くなってしまった。正式な病名は、骨髄異形成症候群。

3月3日にレコーディングに行く途中に旦那さんから電話があって、「薫が今、亡くなりました」「え？」。茫然自失。そのあと、薫ちゃんの家に行ったらみんな集まって来て、薫ちゃんはそこで寝てる。面白い思い出話しか出てこないわけよ。薫ちゃん、ああだったね、こうだったね。「やめて」って笑いながら起きてくるかと思った。

大瀧さんに連絡をしたら、長いメールが来た。電車の中で読んだんだけど、薫ちゃんと大瀧さんとのストーリーが書いてあった。「あなただけ I LOVE YOU」でロンバケのサウンドの方向性が決まった話。「君は天然色」から「うれしい予感」につながる話。大瀧さんはそれを薫ちゃんにカバーしてもらいたかった。『やってくれないかなぁ』と思ってたけど、でも『やってくれ』と言わないのが私なんです」って。

大瀧さんは薫ちゃんの歌が大好きだったんだよね。でも薫ちゃんと大瀧さんの縁は『あなただけ I LOVE YOU』で使い尽くしてしまったのかもしれない」、って。大瀧さんが亡くなったあと、改めて「うれしい予感」を聴いてみたら、大瀧さんの声が入ってるし、2人と同じ年に亡くなった青山純のドラムもある。薫ちゃんが歌ったのを聴きたかった。〝みんなここにいるんだよ〟っていう歌詞を書いたさくらももこさんも今はあっちへ行っちゃった。

ちょうどトライアングル30周年の翌年だったでしょう、薫ちゃんが亡くなったのは。前の年には大瀧さんと久しぶりに会ったり、佐野くんと3人で座談会とかの取材があったんだけど、最後の1回の取材は大瀧さんの独演会みたいだったのね。六本木で夕方から始まって、もう電車がなくなる時間までいろんなことを話してくれて、そのとき話に出たのが薫ちゃん。大瀧さんと須藤薫の関係、僕と須藤薫の関係は知られてたんだけど、佐野くんはもっと僕らより前から薫ちゃんと知り合いだったのが判明した。

そんな話初めて聞いたんだけど、アマチュア時代に知り合って、佐野くんがスタジオを紹介したり、面倒を見てた時期があったらしくて。あるとき薫ちゃんがスタジオにラジカセを忘れていったんだって。「それどうしたの?」って佐野くんに聞いたら「それを使って『SOMEDAY』とかいろんな曲を作ったんだよ」。何その話? そもそもなんで返さないの? (笑) 薫ちゃんはそれを聞いて「佐野さんはもう売れたんだから返してくれてもいいのに」って言ってたけど (笑)。

その30周年のとき大瀧さんがくれたメールにはナイアガラ年表が書いてあって、「あのラジカセがそのあとどうなったか確認してくれ」って宿題をもらってたんだけど、結局果たせないまま。そして最後に「薫ちゃんが私に杉くんと佐野くんを連れて来てくれたんです、トライアングルを作ってくれたのは須藤薫だったんです」ってあの大瀧さんが書いてた。それを読んだらもう電車の中でボロボロ泣けてきちゃって。

亡くなった次の年に、スイートベイジルで薫ちゃんのトリビュート・ライブがあった。いろんな人が出てくれた。村田は「恋の最終列車」っていう僕が作った歌を歌いたいって言ってくれたし、鈴木聖美さんは一度しか会ったことがないけど「Precious Friend」を僕に書くきっかけをくれた薫ちゃんを偲んで参加してくれた。最後の「心の中のプラネタリウム」ではサプライズ的に、薫ちゃんのボーカル・トラックを流して僕らは演奏することになった。ピアノの嶋田くんだけオケを聴いて、薫ちゃんの歌がそれに乗る。リハーサルで何回もうまくいってたのに本番では薫ちゃんの声が出ない。お客さんは知らないから、「どうしたんだろう」って思ってるんだけど、俺なんて焦っちゃって、途中で止めてMCで場つなぎして、スタッフは「原因不明で薫ちゃんの声が出ない、いなくなった」。大騒ぎ。そしたら5分後になんの問題もなかったかのように直った。でもマイク・スタンドのピック・ホルダーにピックをはさんでるでしょ。僕が喋ってる間にそれがボロボロ落ちるわけよ。桜吹雪みたく。「なんだこれ」って言いながらつないでたんだけど、ねえ？一体何？　たぶん薫ちゃんのことだからアピールしたいんだけど人が歌ってるところを邪魔しちゃいけないと思って、自分のところで「来てるよ」って言ったんじゃないかと思った。その他にも不思議なことはあったんだけど、薫ちゃんだから怖くもない。

薫ちゃんは本当に控えめを通り越して「私なんか……」みたいなところがある。それはまりやにも共通するんだけど、前に出て来ない。出るとすごいのに、「いいですいいです」って。さっき言ったトライアングルの取材のときも顔を出そうかと思ってたみたいなんだけど、「やめときます、私のことなんて忘れてるだろうし」。そんな感じだった。

お正月までは電話で話せたんだけど、入院中に倒れてからは喋れなかった。親友の遠藤響子を紹介してくれて逝っちゃうとか、流れができすぎてるなって思うところがいっぱいある。『恋愛同盟』って前年のアルバムもね。ギリギリ間に合ってよかった。

その２０１３年の暮れに映画を見て、映画館から出てスマホを見たら、ネット上に大瀧さんの訃報が流れてた。お正月明けの1月2日の杉まつりのリハもしてて、観に来てくれないかって連絡しようかどうしようか迷ってたときだったのね。あのときは銀次さんがライブの途中で言葉につまっちゃって。他の人たちも全員大瀧さんから直接的間接的に育てられたようなもんだからね。大瀧さんのために頑張ろうって出たミュージシャンもたくさんいた。最後「君は天然色」で終わったんだけど、みんな泣いてた。大瀧さんに会ったことのない、僕らよりも若い世代のミュージシャンたちさえも泣いてた。大瀧さんが撒いた種は確実に広がってることを確信した。

亡くなる１か月前かな、銀次さんと黒沢（秀樹）くんがやってたアンクル・ジャムが青梅のほうのライブハウスに出た。その当時のドラムはうちの息子。それを大瀧さんが聞きつけて、ライブが終わってから来てくれたんだって。息子が帰ってきて「大瀧さんが来てくれた」って興奮して言うからお礼のメールを書いたら、「杉くんの息子が家の近所に来るから、これは行っとけって天から言われた気がして会いに行きました。ナイスガイでした」って書いてあった。銀次さんと

3人でトライアングルVol.1のポーズで写真を撮って、「これをお父さんに見せてやれ、うらやましがるから」って言ったんだって。その1か月後なんですよ。

今から思うと意味深い出来事だった気がしちゃう。大瀧さんってそれこそ「1年の間に会うのは数人だよ」って言ってるくらいだったから。

大瀧さんとは笑いのチャンネルが似てるところがあって、大瀧さんのラジオ・プロモーション用のコントを太田裕美さんと3人でやったことがあった。ラジオの番組制作の佐藤輝夫さんが書いたギャグなんだけど、「ロシアの麻雀師にはイカサマが多い。おまえツンドラ」とかさ(笑)。「うわ、昭和丸出しの親父ギャグ」とか思いながら読み稽古をしたんだけど、大瀧さんが僕を普通に指さして「おまえ」って言うのが妙に可笑しくて、「ツンドラ」って言うその瞬間大爆笑。太田裕美さんは冷静なんだけど、僕らはツボにはまって30分くらい笑っちゃって笑っちゃって。太田さんに「まだ笑ってるの?」って呆れられながらずっと笑ってた。別の打ち合わせでは須藤薫ちゃんの話になって、「フーリッシュ」の「コザマ(ビコーズ・アイ・アム)」のところを「外様」って言いだして、どうってことないんだけど2人ともツボに入ったりとかね。

大瀧さんには聞きたいことがいっぱいあった。でもいろんなことを「これはわかってるだろうな」っていう前提で話すから、勉強不足だと失礼だと思って聞かなかったことがたくさんある。

たぶん大瀧さんにとって僕と佐野くんは息子に近いもの。銀次さんや達郎くんは兄弟。だから僕が「これって○○ですか？」って聞くと「そうだよ」って答えるんだけど、銀次さんが聞いたら「おまえ、そんなことも知らないのか」って言われると思う。坂崎くんは孫みたいな感じなのよ。だから坂崎くんが基本的なことを聞いても丁寧に教える。僕が聞くとなかなか教えてくれない。

初めて福生に行ったときにビートルズの話になって、「アンナ」はアーサー・アレキサンダーがオリジナルで、原曲が出て1年もたってないのにカバーしてるんだよね。「オリジナル知ってるか？」「いや、聴いたことないです」「これがいいんだよー」「聴かせてください」「今は聴かせん」（笑）。「え〜！」でしょ？ 今推測するには、大瀧さんがそこで聴かせたとするじゃない。「おー、いいですねえ。でもジョンのほうがいいんじゃないですか」って俺は絶対言うと思う。大瀧さんはそれを読んでた。きっと大瀧さんも本音ではジョンのほうがいいと思ってるから、あれだけアーサー・アレキサンダーを持ち上げた手前、ちょっと聴かせるわけにはいかなかったんだろうと思うんだよね（笑）。ナイアガラ30周年の取材が終わって帰るとき、別れ際に「前前から聞きたかったんですけど大瀧さんはニルソンはお好きですか？」って聞いた。はっぴいえんどの「外はいい天気」はニルソンみたいだと思ったし、クルーナー唱法の大瀧さんのビブラートにニルソンっぽいところが出て来るから聞こうと思ったんだけど、よく考えたら大瀧さんがニルソンを好きなのなんて決まってるじゃん。フィル・スペクターの流れもあるし、はっぴいえんど『ゆでめん』の謝辞にも書いてあった。なんだけど、聞いたら「好きだよ」ってあっさり言われて別れた。本心は「今頃気付いたのか」って思ったと思うよ。「今さら言うか?」って。

あと大瀧さん、トニー・ハッチっていう作曲家を研究してたのね。ペトゥラ・クラークの「ダウンタウン」の作曲家。すごくいい曲をいっぱい書いてて、イギリスのバート・バカラックと言われてるんだけど、キャロル・キングの昔の曲にテイストが似てる曲があって、「これってどうなんですか?」って聞いたら、あとからメールで「題名からしてそうだなあ、お題拝借って言えるんじゃない? トニー・ハッチはキング＝ゴフィンのファンだから」って大瀧さんと妙に納得した曲がある。そういう話をもっとしとくべきだったし、バカバカしい話もしたかった。

ナイアガラトライアングルをやることが決まって、川原さんの家で、3人で打ち合わせというか雑談をしたことがある。雑談に真髄が入ってたりするからね。大瀧さんといろいろな話をしてたときに、自分のことを「俺たちロックはさ」って言ったの。「え? 俺たちロック? 大瀧さんが?」。そんなことは言わないイメージでしょう。音楽の形態はポップだけどマインドはロックなんだ、だからポロっと言っちゃったんだなってわかって、僕は嬉しかった。

僕もマインドはロックだと思ってる。「俺たちはロックだ」って言いながらマインドは権威的で保守的じゃんって思う人がいっぱいいたから、そういう言葉は絶対使いたくなかった。でも大瀧さんの一言から、ロックは音楽の形態じゃなくて、反体制を目指すものでもなくて、自分。自分の可能性に挑戦していく、それがロックだって思えた。狭い意味では外の何かに向かっていくのもロックだと思うけど、いちばん厄介な自分に向き合って超えていくことだなって思った。だから大瀧さんのあの一言は大きかった。

「竜の頭を捕まえようとするから捕まらないんだよ」って言われたこともある。どういう意味かっていうと、頭を捕まえようとするから竜は逃げていく、まず尻尾を捕まえて、気が付いたらそれは竜だった、っていう捕まえ方をしなさいと。有名な人ばかり追っかけてたんじゃダメで、今は名もないけど、「この人は何かあるぞ」って思う人と知り合ったり親しくなったりすると、その人が竜だった、といういい話を聞いた。実際、竹内まりやも青山純も僕は尻尾のときから捕まえていた。今でこそみんな竜だけどね。あれは名言だと思ってる。だから誰と出会っても、「もしかしたらこの人は竜かもしれない」って思うようにしてます。

「もっと音楽やってくださいよ」って言ったよ。トライアングル30周年のときに3人でトーク・ショウをやって、それぞれがお題に対して曲を持ってくるっていうギャグみたいのがあったのよ。大瀧さんなんて完全なこじつけでヘンテコな曲紹介に持ってく。佐野くんのラジオ番組『元春レイディオ・ショー』の特番としてやったんだけど、とんでもない音源を見つけてきて……あのセンス好きだったなあ。

そのときも「大瀧さん、ライブやりません？」て言ったけど、「もう何年も歌ってないんだよ、この気持ちわかる？」で逃げるわけ。「死ぬまでに1回どこかで3人で歌いたいな」ってずいぶん言ったんだけどね。佐野くんはそうじゃない方向から攻める。刑事で言えば厳しく取り調べする人とカツ丼を薦める人、みたいな。どっちがどうだかわからないけど（笑）。そうやって「なんとかやりましょうよ」って言っていた矢先に逝ってしまった。

野球も好きだったよね。沖縄までキャンプの取材に行ったりして。大瀧さんがニッポン放送かどこかの野球中継のゲストに出て、「ここはスクイズですよ」って言ったら解説者に鼻で笑われたらしいんだけど、大瀧さんが言った通りスクイズしたんだって。それで「おみそれしました！」みたいになった。何かのときに「あのときのピッチャーは？」って話になって答えられたのがうちのマネージャー（笑）。野球大好きだし、彼女は高校時代に大瀧さんのラジオにハガキを書いて読まれた人だから、大瀧さんに気に入られてたみたい。ナイアガラにはそういう細かいところを覚えてる人が集まってくるんだな。

葬儀にも行きました。最後に棺を運ぶときに「男性の方」って言われてパッと立ち上がったのがはっぴいえんどのメンバー。細野さん、松本さん、茂さん。まさか高校時代に夢中で聴いてた大瀧さんの棺をこの人たちや銀次さん、佐野くんと一緒に運ぶことになろうとは夢にも思ってなかった。

遺影に語り掛けたよ。とにかく感謝。感謝しかなかった。あのとき僕を選んでくれて、ナイアガラ・ファミリーに入れてくれたことへの感謝しかなかった。もっと感謝しておけばよかった。あれも言えばよかった、これも言えばよかった。もっと言葉にしておくべきだった。

葬儀の帰りにふと例の渡辺満里奈ちゃんプロデュースのときの僕と川原さんの共作に大瀧さんが途中のメロディを書き加えた曲、宙に浮いたままのリバプール調の曲を形にしたほうがいいんじゃないかと思いついた。銀次さんと佐野くんにCメロとちょっとした部分を作ってもらえれば、川原、杉、大瀧、銀次、佐野の共作曲になる。トライしてみる価値はある。佐野くんも銀次さんも快諾してくれて、それぞれのパートを送ってくれた。そしたら佐野くんが曲の一部というより丸々1曲成り立つようないいメロディを書いてきて（笑）、さすがだった。でも結局いろいろあってお蔵入りになってる。いつかなんとかしたいと思ってます。

ちなみに佐野くんが書いてきたパートは彼のシングルとして発表されました。埋もれさせるには惜しいいい曲だったから。

村田との別れ

村田は数年前から肺の病気を患ってて、余命がどうのこうのって話も聞いてた。本人も生き急いでるのかどうかわからないけど、とにかくやれることはやっておこうって感じで、もともと地方のライブハウスでもどんどん自分でブッキングしてライブしに行く人だったんだけど、もっと行くようになった。それは無茶なスケジュールだろうってこともガンガンやりだして、自分1人のツアーだけじゃなくて僕とのツアーもやろうってことになって。

アルバムも毎年作り出した。それまではしばらく間があったんだけどね。いつも「ライブは好きだけどレコーディングは嫌い」って言ってたのに自宅で作りだして、圭右にダビングを頼んで、エンジニアの安部くんがミックスして、っていうあまり時間をかけないレコーディング。詞は基本自分では書かない。それが村田の力だと思うんだけど、人に発注してもあたかも村田が書いたような詞が上がってくるんだよね。元パラシュートの安藤（芳彦）くんがメインの作詞家で、田口（俊）くん、ゴメス・ザ・ヒットマンの山田（稔明）くん。三者三様なんだけどどれも村田色。

1回入院してピュアミュージックを飛ばしたんだけど、復帰してもまた無茶をするのよ。そんなスケジュールで回ったら健康な奴でも倒れるぞって心配してたんだけど、2015年が最後のツアーになってしまった。そういう少人数のツアーは初めてだったけど楽しかった。いつだったかツアー最終日の神戸から村田は四国へ行き、僕は東京へ帰る新幹線の中でメールが来たんだけど、「ムラタは杉が日本一のメロディ・メイカーだと思ってるよ」って書いてあった。嬉しかったよ。

2016年1月2日の杉まつり、あいつの誕生日なんだけどね、息子の彼方くんと2人で出た。彼方くんはヘビメタ・バンドのドラムなんだけど（笑）、村田はアコギの5弦6弦にベースの弦を張って、ベースラインも弾く。もともとベーシストで、Dear BEATLES のベースも当時は彼がやってた。それをアンプに通して、弾き語りでもベースラインをちゃんと弾く。それでツェッペリンとかやるわけ。ドラムと2人だけで。村田の声がまた絶好調で、他のミュージシャンたちも「すげーっ」って言ってた。

本当はこの杉まつりで前述の自分の新譜を発売するつもりだったらしい。でも具合が悪くて。それぞれ作詞家にメールを送って、安藤くんには「どうも僕は長くないみたいで、相当具合が悪いから巻きでお願いします」って明るいメールが来たんだって。「病気のことは一切無視して、いつも通りのを書いてね」。村田らしいでしょう？　安藤くんはそう言われたけど、「村田くんには悪かったけど人生を振り返るような詞を書きました」。山田くんはやっぱり体調を知ってたんで、

「ノーウエア・マン」の反対で「EVERYWHERE MAN」って歌詞を書いて村田にOKもらったらしい。田口は早くに書き上げていたから催促がいかなかった。だから亡くなってから病気のことを知った。ショックだったと思う。今もパソコンの中には村田用のアイデアがいっぱいあるらしい。

そのとき田口が書いた詞が「Tシャツにアロハ」なんだけど、何も知らなかったのに〝あの世まで旅するときさえ見えなくなるまで手を振っていてくれ　懐かしい友よ〟っていう歌詞がある。トーベンが歌ってるんだけど、〝新幹線から乗り換えた在来線が今　夏の鉄橋を風に乗って渡る〟。鉄橋じゃないけど、京都から在来線に乗り換えて奈良に行くときのシーンをいつも思い出すんだよね。村田はいつも本当にTシャツかアロハだし。

亡くなった2月22日は圭右から電話がかかってきた。次の日から村田がベースを弾くDear BEATLESのリハーサルだったんだけど、「村田が今、亡くなりました」って言われて。そのとき家ですき焼きを食べていて、そしたら消してあるテレビが点いたんだよ！　逆はあるよね。点いてたテレビが消えるってのは。家族がすぐ消しちゃって、あとで「あれは村田からのメッセージかもしれない」って思ったんだけど遅かりし。達郎くんがサンプラのライブのアンコールで村田の「一本の音楽」を歌ったときにギターの佐橋くんのエフェクターの電源が飛んだり、いろんなところでいろんなことが起こった。霊は伝えるために電気を使うって話があるじゃない。村田は電気屋の息子なんだよねえ（笑）。だから「あいつはそのあたり詳しいよ」って話になったんだけど。

その他にも、村田バンドで京都に行ったとき、アンコールで照明が消えたんだって（笑）。普通ライブハウスで消えないよねえ？　またすぐ点いたらしいんだけど、あれは村田の仕業だとしか思えないようなことがたくさんあった。

村田の曲はシンプルなんだけど実にいいのね。キーボードの小泉（信彦）くんが言うには「松尾さんとか杉さんとかは、ミュージシャンが牛だとして、放牧で言えば〝ここからここまでの草を食べていいよ、でもこっちの草はダメ〟。でも村田さんは〝ぜ〜んぶ食べていいよ〟。だからミュージシャンは自由にやれて楽しい」。確かに村田の曲は1回合わせただけでいい感じにまとまる。前にも言ったけど、「俺だったらここはもっと複雑にするな」って気持ちを抑えて作ったのが村田のことを歌った「平和な人へ」。

ミュージシャンってやっぱり、曲をかけるとそこにいるんだよね。音楽を聴けばその人の存在とかその人の気配を思い出すことができて、「ここにその人がいたらなんて言うだろう」ってのも大体想像できる。残像なのか、もしかしたら今のこの世のほうがバーチャルで、そっちのほうが本体なのかもしれないなって思うくらい。ジョン・レノンの「ノーウエア・マン」ですよ。どこにもいないんだけど、ナウ・ヒア、今ここにいる。

弟分　HABUとの突然の別れ

そして、今までの話に何度も出て来る空の写真家HABUくんがつい先日亡くなりました。彼はまりやと同期で大学に入って来たから、48年の付き合いなのね。クラブの仲間でも何年も会わない奴もいるけど、彼と会わない年はないくらいだった。まりやと違って入ったときから尊大だった。「僕のバックをやってくれる人を探してます」。「イヤな奴が入って来たな」と思ってたんだけど（笑）、妙に僕のことを慕ってくれて、レッド・ストライプスのドライバーを買って出てくれたし、2枚目のアルバムでは「マドンナ」でコーラスもしてる。

卒業後はSUZUYAに勤めるんだけど、公私ともにマメな奴だったから、みんなで旅行するときは貸別荘を手配してくれたり。脱サラしてオーストラリアを1年間さまよって、写真家になって、僕に会わせたい人がいるってロバート・ハリスを紹介してくれた。和代人平もそう。バリに行ったのも彼と一緒だった。そのとき作った僕の「WORLD OF LOVE」は、同じ浜辺で同じ景色を見て感じたことを彼は写真に残して、僕と嶋田は曲とアレンジで表現した。だから合体したのは当然だったわけ。写真集を出す前も撮った写真をいつも見せて意見を求めてきた。彼とはいろんな体験をした。竹島（竹富島）事件のときも一緒にいた。本当に血のつながってない弟、お酒が入るとダメな弟分になる（笑）。

リハーサルに出ようとした朝、奥さんから電話がかかってきて訃報を知った。娘の空海《そらみ》がしっかりいろいろ連絡とかをしていると聞いた。

彼女が生まれたのは２０００年の11月10日。病院に会いに行ったら赤ちゃんが寝かされてる部屋でひとりだけ上に手を伸ばしてる子がいて、それを見て書いた曲が『POP MUSIC』に入ってる「君がいるから」。〝最初は小さな指で何かをつかもうと君はその手を宙に伸ばした　生まれてきた日のことを覚えていられたら　優しさのほか何も見えなかっただろう〟って詞で、大きくなって結婚式で歌ってもいいような歌。そんな曲を書くような間柄になってた。ちなみに彼女は美大卒で、才能あるイラストレーターの卵。

空海ちゃんがパソコンのフォルダを見たら家族のところに僕の名前があったらしい（笑）。本当に家族だと思ってたんだ。

肺気胸とかも患ってけっこうガタが来てたらしいんだけど、突然倒れて亡くなってしまった。うっすら微笑んでたって聞いた。家族、友人、旅、作品に囲まれていい人生だったと思う。家族も「ＨＡＢＵちゃんらしいね」って。いつも自分が見つけてきた特等席に僕を座らせて、「先生、どうよ、この景色」とか言いながら「はい、ビール」。僕を喜ばせるのが趣味だったみたい。お別れに行って、「向こうで絶景の場所をロケハンしといてくれ」って心の中で言った。もう1回この世界で旅をしたかったなぁ。

本当に、会いたい人には会っておこう。村田も言ってたからね。「観たいコンサートは観ておかないと、いつか観られなくなるよ」ってしつこく言ってた。「平和な人へ」の歌詞にも〝いつか伝えようと思ってる事は今伝えなければ〟ってあるけど、それはまったく村田の言った通り。美味いものを食えるときに食っておこう。

HABUのおかげでいろんな人に会えた。コーラスの谷口守くんが都庁の上から写真を撮ってSNSに上げて、「空の大好きな旅立った友に、冥福を祈る」って書いてあってちょっと泣けた。あ、そうか、ミュージシャンの友達もいっぱいいるってことは、俺のおかげなんだな、そういう役目を僕はできたのかな、って。もらったものばかりじゃなかった。弟分だからついつい叱ることが多かったんだけど、あんなに長く家族付き合いするとは思わなかった。

昨日のアフパラでHABUと作ったインストのCDをかけようと思った。後から作った曲がひとつあって、それはそこに入ってない。パソコンの中を探してもない。それは歌詞をつけて「Forever Young」っていう薫ちゃんの曲になるんだけど、その原曲。困ったなと思っていたら、あのサテライト・スタジオにあった。みんな「たぶんＨＡＢＵさんのリクエストだったんじゃない？」って。

そして直後のライブで鈴木聖美さんに書いた新曲を歌った。〝愛しか行けない場所、やがてはここに帰るよ〟〝二度と来ない今を記憶の岸辺に焼き付けて〟。ＨＡＢＵくんが逝く数か月前に書いた曲。天国に行ってしまった人たちへの想いと、天国から僕らへのメッセージみたいな、「奇跡のような日」。まるでＨＡＢＵちゃんの次の写真集のタイトルみたい。

彼が荼毘にふされた日、おそらく空海ちゃんからＳＮＳを通じて「2時に空を見上げてくださ い」とメッセージがアップされた。ちょうどその時間、僕らはこの曲をリハーサルで歌っていた。

彼へのレクイエムみたいに。

第17章
魔法を信じるかい
奇跡はいつでもすぐそこに

『Mr. Melody』制作秘話

２０２２年の暮れに出した６枚組の提供曲集『Mr. Melody』は僕にとってとても意味のある作品です。

春くらいにソニーを退社する鈴木由美さんと、昔僕の宣伝担当だった加納（純）さんと３人でごはんを食べに行った。そのとき何気なく、「最近提供曲で気に入っている曲もあるから、２枚組くらいでこういうの出せないかな。レコーディングされていない曲もあるからそれを機に録りたいし」って話をしたら「うちでやりましょうよ」って。加納さんはこの企画に最適の人だった。今は筒美京平ボックスとか伊東ゆかりさんのシングル・コレクション・ボックスとかいろいろやってる人だから。

でも「３００曲も作ると忘れちゃうでしょ？」ってよく言われる。数年前に僕のファンクラブに入ってる男性が、ＣＤ－Ｒで10何枚組かのセットをプレゼントしてくれた。これにそれまでの僕の提供曲がコンプリートされていた。アナログでしかないものも含めて。これがあったから昔の曲も思い出せた。だから実は彼のおかげ。スペシャル・サンクスに名前が入ってる。彼も他の杉真理マニアも、僕より僕のことに詳しい。忘れてた曲も全部入ってるから、すぐにそれをリストアップして加納さんに送ったら、「なんて仕事が早いんですか！」って驚かれた。最初は５枚組の予定だったんだけど、加納さんは「『Yellow Christmas』は入れないんですか？」とか言ってくるわけ。そんなこと言ったら「Holiday Company」も入れたいでしょ。「6枚組でもいい？」って聞いたら「悔いのないようにしてください」。

（神田）沙也加ちゃんの世に出てない曲は絶対入れたいけど権利関係で難しいだろうなと思ったら、いろんな人のご尽力で出せることになった。サン・ミュージック系の方や沙也加ちゃんの事務所からもOKをもらって、そのときいただいた言葉が「沙也加のことを忘れないであげてください」。それでまたジーンと来ちゃって。

そうこうしてるうちに、全曲のライナー・ノーツを書くことになった。偶然なんだけどその頃にポールの『ザ・リリックス』という本が出て、読んでみたら同じようなことをやっていた。いや、同じことをやってるのは俺のほうなんだけど（笑）、シンクロした。ポールも覚えているうちにやろうと思ったんだろうね。あの人記憶力いいじゃない？ 捻じ曲げてるのもあるけど（笑）。僕も書いてるうちにいろんな人との出会いとかを思い出して、1回自分の年表をコンプリートしようと思った。僕のホームページの年表も途中で切れてるし、じゃあということで書き出した矢先にこの自伝本の話が来て、これはあまりにもタイムリーと思ったわけ。人生回帰して俺はもう死ぬのかなぁ、と（笑）。

まだ世に出てない曲、今回の提供曲集に間に合わなかった曲が何曲かあるのね。昔はそんなことしなかったんだけど、頼まれてないのに書いた曲とか。前の章で話した新曲、（鈴木）聖美さんに書いたバラード「奇跡のような日」は桑野（信義）さんとかが「名曲ですよ」って言ってくれて、トランペットのためのパターンを入れたりした。あとアイサちゃん、ブレバタの幸矢さんの娘さんに書いた曲がある。アイサちゃんが杉まつりに出たときに発表した曲で洋楽っぽいバラード「ビューティフル・デイズ」は、「あぁこれはいい曲書けたな」って思った曲。これは絶対形にしなきゃと思ってます。野田幹子さんに最近書いた曲もあって、これはカントリー調で大好きな曲。あと前に話したけど坂崎（幸之助）くんとももクロの詩織ちゃんのフォーク・デュオ「しおこうじ」に書いた「歌はどこへ行ったの」。これも初めてのフォークっぽい曲だけどエバーグリーンだと思うんで。さらについこの間安部恭弘くんと作った、その名も「シティポップ」。自分たちをネタにしちゃった。こういう曲たちが世に出るまではまだ生きてられるなと思ってるんだけど。

ライナー・ノーツを書いてみて、やっぱり人との出会いが結晶となってる気がする。加納さんが、ジャケットは赤川芳之さんっていう人がいいって言って、紹介された。すごく若い人なのに作品集を見たら僕が持ってる洋楽のレコードのジャケットとかが描いてあった。「夏の浜辺で風とともに流れてくるグッド・ミュージックを聴いてるイメージ」と伝えたら、その通りの素晴らしいジャケットをデザインしてくれた。

パッケージ産業はもう終わったとか言われて何年かたってるけど、やっぱりパッケージってすごく大事だと思う。イメージを伝えるために大事。ビートルズからそうだったでしょう。パッケージは自分のイメージを押し広げてくれるじゃない？　きっかけを与えないとなかなかイメージが広がらないのが人間の特性で、テクノロジー的にはいろいろ便利になっていいんだけど、人間の機能はアップデートをそんなにしていない。だからまだまだ人間の感性にはパッケージがやっぱり必要だと思ってるわけ。今アナログが売れてるのもわかる。曲解説、クレジット、雑誌やウェブのインタビュー、音楽ライターの必要性を今頃わかった。「そうなのか」って共感するともう一歩踏み込めるじゃない。僕らはそれによって踏み込んで踏み込んで、音楽の深い森に迷い込んで行く。そうすると違う小道と出会ったりする。それが音楽を聴く醍醐味。

だから、逆にこれからは厳選された「物」が大事かもしれないね。それこそ断捨離的なことが今まで多かったけど、物を残すことの大事さ。ＣＤが出た頃は「ＣＤ以外は売れません、売りません」みたいなことだったでしょう。企業っていうか、ソニーなんだけどさ（笑）。東京駅だって古いから建て替えるって話もあったんだってね。建て替えないでよかったよね。今はあれがいいんだってことになってる。イギリスなんていつもどこかをリペアしてて、それを伝統と言うのであって、日本の伝統も人間の伝統もあるはずなのに、便利なほうにいきすぎちゃってるなと思って。だから今回ジャケットとかパッケージにこだわったら、すごくいいものができた。よかったなぁ。

聴き返して思ったけど、須藤薫とハイ・ファイ・セットは作家としての僕にとって別格だった。薫ちゃんには50曲、ハイファイには17曲くらい書いてるからどれも捨てがたいんだけど、薫ちゃんは絞って20曲にした。「あれ入ってないんですか?」とかよく聞かれるの。「『フーリッシュ』は?『雨の遊園地』は?」とか。嬉しい反面、だったら薫ちゃんのアルバムを聴いてくださいな（笑）。ハイファイの（山本）潤子さんのボーカルはやっぱり際立ってるんだよね。感情過多にならないクールな魅力。アドリブや節回しでメロディをこねくり回さない。だから曲のよさが出る。

この提供曲ＢＯＸは資料じゃないから、この曲順が僕のプレイリスト。「この順番で聴いて」っていう作者のお薦めコースなので、まずはこれで聴いてほしい。それは作り手の責任。「どんな順番でもいいよ」って聴き方もあるけど、僕はやっぱりこの順番で一度は聴いてほしい。あとは勝手にやっていいから。前にも言ったかもしれないけど、リスナーってのは作り手に押し倒されたいと思ってるところがあると思う。「やられたー」「一本とられたー」「完敗ですー」ってなりたがってると思う。少なくともリスナーとしての僕はそう。本を読んでても、ラストでどんでん返しされて「うわ、やられた」を期待しているわけで、やっぱりまず作り手は上から闘いを挑む。

今は曲を飛ばされちゃう時代だから、上からいっても「ダメ」って言われたらしょうがないけど、「そういうことでしたか」って言わせるような自信というか、確信犯でないといけないんじゃないかな。だから「皆さんのリクエストに任せます」とかよくそんな気になるなと思うのよ。そんな風になれないもん。ビートルズから「皆さんのリクエストでベストを決めます」って言われても決めたくないよ。あなたたちの順番で圧倒されたいし、圧倒されてきたからね。という感じでこのアルバムは作った。まぁみなさん歌うまい、表現力がすごい。シンガーってこうも一人ひとり違うのかな、って。最初に書いたのは竹内まりやだったんだけど、こうしてまとめることで人に曲を書くということの大事さも振り返れてよかった。

大事さっていうのは、要するに人に曲を書くっていうのはその人と一緒に旅に出るようなものじゃない？　旅に出るとまた違う側面がわかったり、一歩踏み込めるじゃない。けっこういろんな人と旅に出た。それこそ川原さんから昔「お前は出会いの才能がある」って言われたんだけど、やっぱりこれだけ出会えた、その結晶であり記念写真であり、それがこのBOXセット。

職業作家の人でも大好きな人はいっぱいいますよ。でもある意味スタジオ・ミュージシャンと一緒で、忘れることが仕事なんだってね。終わった仕事に引きずられてたら次ができないから、どんどん忘れていく。僕はどれも忘れたくないほうだから。1曲1曲覚えていたいから、そのスタンスは違うと思う。僕は自分のシンガーソングライターっていうフィールドがあるからそれができた。「この人とはこれが最後かもしれない」って捨て身になれた。それができたのは、僕が職業作家じゃないから。そうだったらこんなにできなかったかもしれない。逆説的な意味でね。

ついでに言うと自分用の曲も含めて「よくそんなに何曲も書いて覚えていられますね」って言われるけど、曲を書くとき僕は、その曲に恋をしている。「今この曲が世界一好き」と思って作る。その曲に夢中になる。エネルギーをぜ〜んぶ注ぎ込んじゃう。だから時がたっても愛しいし、覚えていられるんだと思います。

人生って思いもよらないところにいきますね。「奇跡なんかない」って高校のときは言ったけど(笑)、充分おつりがくるくらいの奇跡はありました。そう思ってる。「チャペル・イン・ザ・サン」に〝僕らの道は奇跡にあふれてる〟って書いたんだけど、実際に信じられないことの連続。こんな自分が音楽を作り続けていること自体が超奇跡。謙遜とかじゃなくてマジでそう思ってる。自分がいちばんわかってる、「あり得んだろう」って。デビューしてちょっと注目されてた頃は「もしかしたら俺は特別かもしれないな」と思ったんだけど、それは尊大な考えだから特別だとか思うのはやめようと思った。でもあるときから、エブリバディ特別って思えるようになった。会う人全員特別。だから俺も特別でいいんだ。特別をせっかくくれた天に恥じないようにやろうと思い始めた、開き直りともいうけど（笑）、それからさらに人生は楽しくなった。もともと楽しかったけど、楽しいことが増えたし、出会う人出会う人、素晴らしい人ばっかり。悪役にしろ何にしろ、僕にいろいろ教えてくれたり、いい方向に向かわせてくれたんだなと思いますね。本当はヒール（悪役）ほど感謝しなくちゃいけないんだろうけど、まだそこまではいってません。

全日本八方美人協会の会長

僕は本当に人付き合いが多いんだけど、作った曲と同じで、一人ひとり忘れたくないのね。その他大勢とは考えられない。そこが弱点でもあるんだけど（笑）。誰かがちょっとでも悲しんでるとその人が気になってしょうがない。自分のペースも乱されちゃうみたいなところもあるんで、それは若干課題なんだけど、でも課題が残ってるってことはまだ生きてていいってことだからね。さっき言った新曲とコロナ禍で作った曲たちを形にしないと。毎回これが遺作だと思って作ってるんだけど、まだ形にしてないのがあるからそれまでは頑張ろう……頑張るっていうのも変だな。こんなに楽しい音楽をやらせてもらって文句を言ったらバチが当たるよね。しかも少なからず僕を支持してくれる人がいる。大売れしたことがないからここまでやって来られたのかもしれない。全然売れなかったらまたダメだったろうけど、大売れしてたら大変なプレッシャーとかでここまで自由にはできなかったと思う。楽しくやれるくらい支持してくれる人がいたからここまでできたんだろうなぁって思ってます。

そう、僕は全日本八方美人協会の会長なんですよ。坂崎くんが「俺を副会長にしてください」「いいよ」。とにかく「イイカンジ光線」を振りまく。ミュージシャンって「なんかよくないよ」とか言われたらテンションが下がるけど、「いやぁ、いいねぇ、ここを変えるともっとよくなるよ」って言われたら調子に乗るほうだから。プロデュースするときはまず、「いいね」って言うところから始める。これが八方美人協会（笑）。

見え見えかもしれないけど、最終的に自分の好きなところに持ってくためのひとつの方法なんですよ。そしたら川原さんが「おまえはね、感じがいいだけ」って。さすがよくわかってる（笑）。「僕もその協会に入れてください」って人がけっこういるよ。同時に優柔不断協会の顧問もやってるんだけど、その二つに属している人は信用できないって言われる（笑）。

昔からの信条として、ネガティヴなことは歌にしない。怒りは古くなることにあるとき気が付いた。ジョンがポールと仲違いしてるときに作った「ハウ・ドゥー・ユー・スリープ」とかね、いい曲だけどああいうのって今僕らが聴いてもちょっと恥ずかしいし、ジョンも「あのときはさ……」みたいなエクスキューズしてる。怒りは古くなる。ボブ・ディランが古くならないのは、怒ってないからなんだと思う。当時アングリー・ヤングマンって言われてたでしょう。怒れる若者。顔は怒ってたけど、「風に吹かれて」も怒りよりもっと奥の普遍的メッセージがあるじゃない。だからいつまでもあの歌は残る。「ライク・ア・ローリング・ストーン」も怒ってるようで、なんか違う気がする。そこに詩的なものがあるから古くならない気がする。

いつそれに気が付いたかというと、『ナッシュビル・スカイライン』っていうアルバムは全曲カントリー。すごく澄んだ声で歌ってる。ジャケットはにっこり笑ってるボブ・ディランの顔。歌の内容は甘々のラブソング。これを聴いて、「この人はこういうチャンネルもありながらあの曲を歌ってたんだ」ってわかった。怒りってのは全体の一部分であって、もしかして必要だけど、そういう役目の人がいてもいいと思うけど、俺はそこだけを歌うのは嫌だなと思ってる。例えば味でもさ、甘いだけがいいわけじゃない、辛いだけがいいわけじゃない、両方混じって美味しいわけでしょ。僕の「So Fine, So Good」でそう歌ってる。僕はいつも全部の味を駆使して美味しい料理にしたいと思うし、賞味期限も長くいたいと思うから、そこにはフォーカスしない。フォーカスする役目の人もいると思う。前にも言ったけど、内科医外科医で言えば外科医はそういうネガティヴなことを突きつけなきゃいけないかもしれないけど、僕は体質的には八方美人協会の会長だから、そこはお任せします。

魔法を信じるかい？

この本の最初のほうの子ども時代の話を読むと、僕が癇癪持ちで暴れん坊だったことに驚く人もいるかもしれないよね。いやぁ、今もときどき、瞬間的に爆発を起こします。ムカッとくるんだけど、その場はやり過ごして害のないところで発散する。エネルギーを違うところで発散する。完全にはできないけど、ふと冷静に戻れるようになってきた。

爆発したり言い過ぎたりしたあと、謝るのはエネルギーがいりますよ。でもそこでまた八方美人協会が出て来るわけですよ（笑）。誰かの悪口をみんなが言ってると、ついつい弁護しちゃうの。そこにいない人のことをあれこれ言うのはフェアじゃない気がして、かばっちゃう癖がある。その逆もあるんだけどね。みんなが褒め称えてると「そうか？」って言っちゃうとこもあるんだけど、みんなが「あいつはひどい」とか言ってると「待って、あいつの立場になると」ってつい言っちゃう。だから歴代のパートナーからは偽善者と呼ばれてます（笑）。まぁ言われてもしょうがない。甘んじて受けます。

人生において、魔法はめちゃめちゃあります。「魔法を信じるかい？」って聞かれたら「信じます」と即答する。『魔法の領域』ってアルバムを作ったくらいだからね。こうやって振り返ってると、どこから魔法の領域に入ったかがなんとなくわかる。やっぱり親父に買ってもらったラジオから流れたビートルズを聴いたときから魔法の領域に足を踏み入れたし、それがどんどん中心に近づいてる気がする。僕にとっては、音楽は魔法の入り口。そして魔法そのもの。今でもそう。

魔法の領域に入ってから人との付き合いもちょっと変わったし、その癇癪っぽいところも、エネルギーの向け方が変わったと思う。怒りも褒め称えるのもエネルギーは同じで、向いてる方向が違うだけのような気がする。なかなかできないんだけど、その向いてる方向を変えれば武器が楽器に替わると思う。いろんなことが変わっていくと思う。そうするとみんながよりハッピーになれるんじゃないかな。アインシュタインのあのエネルギーを表すシンプルな方程式は物質だけじゃなくて精神にも有効な気がする。アインシュタインと誕生日が同じな僕は魔法の方程式に思えて仕方ない。

僕らは何年もかけて「この世界に魔法なんて存在しない」と言われ続けて大人になっていく。だけど科学を知れば知るほど、自然界の不思議さにふれるたび、ありえない偶然を体験するたび、音楽を聴いて涙が自然にあふれるたび、その洗脳が一瞬解けて「自分は魔法が張り巡らされた世界に住んでるんじゃないか」って気になる。

燃えるような夕焼け空に立ち止まったとき、祈り忘れるほど流星に見入ってるとき、桜が舞い散る春に懐かしい人の髪の香りを思い出したとき、雨に煙る摩天楼が自分を見つめてるように感じたとき、2時間の映画や3分の歌の中に我を忘れて迷い込んだとき、果てしない宇宙の中で出会いの奇跡を感じたとき、部屋の片隅のラジオが自分に語り掛けたとき、僕らは既に魔法の領域に踏み込んでいる。僕はそう思っています。

あとがき

佐々木美夏

「杉真理さんってどんな人?」と聞かれたとき、必ずする話がある。

それは08年のこと。私がライターとして長らく仕事をしてきたバンドのひとつにレピッシュがいる。そのキーボーディストだった上田現が癌で亡くなってしまった。3月9日の夕方、たくさんの友人、家族に見守られ、自宅で息を引き取った。その中には私もいた。葬儀は13日。お骨を拾い、西麻布のレッドシューズで初七日の法要をし、夜遅くに帰宅した。

翌日は3月14日。私が「友達が亡くなってとても悲しいけど、今日は杉さんの誕生日だと思ったらちょっと元気が出ました」とメールをすると、しばらくして「みんな集まって。僕の誕生日なんだから飲もうよ!」と一斉送信メール。急な招集にも関わらず、その頃お気に入りだった渋谷にあるピザが美味しいカレー屋さんに10人以上がやって来た。

宴は楽しく盛り上がり、やがてお開きのとき。杉さんはいつものように一人ひとりにハグをする。私の番になり、杉さんが耳元でささやいてくれた言葉は「元気になった?」。

初の自伝という、こんなメモリアルな仕事に携われたことを心から幸せに思います。DU BOOKSの筒井奈々さん、中井真紀子さん、本当にありがとうございました。杉さんがデビューから45年を経てなおたくさんの人に愛される理由がここに詰まっています。

杉真理

24歳で大病をしたときから何事にもベストを尽くそう、と心がけています。特に楽しいこと、遊びなどには。

ベストを尽くすと、宇宙のどこかの銀行にチャリーンと預金されます。ベストを尽くしてもすぐに結果が出ないときは何年もしてから、たっぷり利息が付いて戻ってくる。逆にすぐ結果が出たことは利息が付かなかったこと、そんな僕の「宇宙銀行説」にいたく賛同したスタッフが、家に帰ってカミさんに伝えたのですが、説明が悪かったらしく、「宇宙銀行？　そんなのあるはずないじゃん。変な宗教？　アンタ騙されてるよ！」と言われたそうです（泣）。

ベストを尽くすのはいいのですが、僕はどうも小さい頃からしつこいらしく、親戚からは「マムシのマーちゃん」と呼ばれてたそうです。

マムシがしつこいかどうかはわかりませんが。

なので、僕に付き合ってくれるスタッフや友達、関係者の寛大さには本当に感謝してます。

今回も僕の取り留めもない話を紡ぎ直してくれた佐々木美夏さん、インタビュー後のエネルギー補充をしてくれたワルンBさん、今まで応援してくれたファンの皆さん、家族、そしてリパプール出身の4人組にはビッグバン規模の感謝を捧げます。

加えてこれから関わる人たちにも感謝の前払いをドカーンと。

とはいえ今回書かせてもらったのはアナログ盤で言えばA面です。当然B面もあります。僕の世界一好きなホワイトアルバムにはC面D面まであります。話す機会は、飲み会以外きっとないと思うけど。

杉真理 活動年表

	Album, Single	Live, Event	Experience	Regular Program
1954			3／14誕生	
1955			父結核で入院	
1958			那珂幼稚園入園	
1959			3／10 弟、成紀誕生 4月 福岡マリア幼稚園入園	
1960			4月 西高宮小学校入学1年1組	
1961			4月 那珂小学校へ転校	
1962			父転勤のため一家、東京へ引越 大田区立池雪小学校へ転校、3年3組 クラスで手品を披露	
1963			新井先生担任の4年4組へ	
1964			5年生の春、理科実験室の台に飛び上がり失敗して両脛を縫う、この時から脛の骨が窪む スパルタ塾へ通い始める 父にトランジスタ・ラジオを買ってもらう、文化放送『ハロー・ポップス』等を聴く 「オー・プリティ・ウーマン」に痺れる	
1965			5年3学期 密かに好きだった仲山さんと学級委員に初シングル盤購入「のっぽのサリー」「ロックンロール・ミュージック」～「サティスファクション」「ラヴ・ポーション#9」ジャン&ディーン、ベンチャーズ等 氷川丸で行方不明事件	

9月 初アルバム購入『ヘルプ！』
11月 映画『ヘルプ！』有楽町で父と観る
12月 アルバム『ビーチボーイズ・パーティ』購入、若干失望

1966

3月『ラバー・ソウル』購入
卒業式で「杉……ミチサト」と呼ばれる
4月 大田区立貝塚中学入学
ガットギターを買ってもらう、クラスメートの中川一省とグループを組む
6月 ビートルズ武道館チケットはずれる
貝中バスケ部初勝利
10月『リボルバー』同級生の村田君の父の社販で購入

1967

森山良子さんのコンサート、楽屋で色紙にサインもらう
生徒会書記
8月『サージェント・ペパーズ』聴きまくる
EP『マジカル・ミステリー・ツアー』

1968

中3の夏、ラジオ関東『キョーリン・フォークカプセル』公録@日比谷野音に中川君と飛び入り
この頃から『オールナイトニッポン』土曜亀渕昭信、『那智チャコ・パック』は欠かさず聴く〜大学入学まで
父の転勤で福岡に引っ越すことが決定
12月『ザ・ビートルズ』初輸入盤@銀座ヤマハ

1969

3月 貝塚中学の謝恩会で寸劇&ギターで歌う（中川君とフォーク・クルセダーズ）
4月 福岡西南学院高校入学1年C組
ビートルズ「ゲット・バック」シングル
夏休み 東京で、ニッポン放送『ヴァイタリス・フォーク・ヴィレッジ』見学、RCサクセション、ブレバタを観る
9月『アビー・ロード』
2学期、バンド「パリサイ人」結成
KBCラジオ『歌え若者』にたびたび出演、PPMスタイル
地元グループ、初期チューリップを知る

	Album, Single	Live, Event	Experience	Regular Program
1970			姫野達也さん、安部俊幸さんと知り合う 2年G組でスクエア伊東たけしと同じクラスになる（13年後に判明） 『レット・イット・ビー』でビートルズ解散を実感 CSNY『デジャ・ヴ』『エミット・ローズ』 『はっぴいえんど』『ハリー・ニルソンの肖像』『レッド・ツェッペリンⅠ～Ⅲ』、ボブ・ディラン『ナッシュビル・スカイライン』等を聴きまくる	
1971			ジェームス・テイラー『マッド・スライド・スリム』、キャロル・キング『つづれおり』、ポール『ラム』、CSN&Y『4ウェイ・ストリート』、はっぴいえんど『風街ろまん』、小坂忠『ありがとう』等を聴きまくる 福岡KBCのライブイベントにパリサイ人出演	
1972			3月　西南学院高校卒業謝恩会で劇「家具屋姫」発案制作 4月　慶應義塾大学工学部入学 「リアル・マッコイズ」に入部、自己紹介曲は「Fire and Rain」 先輩バンド、ピープルに入団、JT、キャロル・キング、エルトン・ジョンをコピー 麻雀に明け暮れるも1年生時は真面目に授業を受ける、ランディ・ニューマン、ラズベリーズをよく聴く	
1973			4月　横浜西谷に下宿するが1か月で引越し～高井戸の平松さんの部屋へ 平松さん渡米により村上茂さんとオリジナル路線に転換オリジナル「待ちぼうけ」「バイバイ」etc ウイングス『レッド・ローズ・スピードウェイ』、ニルソン『夜のシュミルソン』、ギルバート・オサリバン、レオン・ラッセル、スティーリー・ダン、スティービー・ワンダーなどを聴きまくる	
			2回目の2年生	

1974	1975	1976	1977	1978
			3/25 『Mari & Red Stripes』 シングル「思い出の渦」	2/25 『Swingy』
			9/19 デビューコンサート@青山タワーホール、ゲスト南佳孝 レッド・ストライプスでライブ、高田馬場ピープル等	3/2 ひな祭りイヴコンサート@多摩川区民会館 4/4 レッド・ストライプス@日立ローディープラザ
4月 竹内まりやリアル・マッコイズに入部 まりやピープルにオルガン・コーラスで参加 9/7 ポプコン第9回関東甲信越大会「踊りに行こう」、佐野元春と遭遇、その夜飲み会でマー坊（田上正和）を紹介される 9月 BIG BOXコンテスト、川原伸司が審査員 12/7 ヤマハＪコンテスト作曲賞 10cc、パイロット、クイーンなど英国バンド中心に聴く	3回目の2年生 「Tonight」作曲 吉祥寺で時間を過ごすことが多くなる、ジャズ・バー「Sometime」や「スクラッチ」「西海岸」等の店 ジェームス・テイラー『ゴリラ』、ウイングス『ヴィーナス・アンド・マーズ』、ELOを聴いて過ごす 初海外、グアム島に慶應学生一団と共にリアル・マッコイズで行く	4回目の2年生 銀座ヤマハでDemo「バイ・バイ・ウサギ君」「早く君を抱きたい」 吉祥寺千歳カメラでカセット販売員のバイト 「帰り道」作曲 川原氏からビクターに呼ばれデビュー決定 エルザ「1957」で初コーラス・レコーディング ビクタースタジオでレコーディング開始	3/25 デビュー 奇跡的に3年に進級 夏、軽井沢に合宿	4月 急性髄膜炎で久我山病院に入院、「先生、帝王切開してください」 竹内まりやのデビューが決定、「目覚め」等作曲 退院後、西荻 City Magic 開店、企画盛り上げ役

	Album, Single	Live, Event	Experience	Regular Program
1978			夏、軽井沢でジョン・レノンと遭遇 「ナンパの唄」制作 12月　レイジー「ロックンロールさえやってりゃ」作曲	
1979			箱根ロックウェルでまりや２ｎｄアルバム録音、センチ&清水信之と知り合う 5月　竹内まりや「Hold On」「J-Boy」 森本太郎さんの元Ｄｅｍｏ制作 男性アイドルグループ Flash のバックを任される ＣＭ制作ミスター・ミュージック所属、セブンイレブン他作曲	
1980	5／21 「ライフ・カプセル」 6／21 「Holc On」 7／21 『Song Writer』 10／1 「Catch Your Way」	渋谷ｅｇｇｍａｎでライブ（堀口、高島、信教、藤本） 9／21　ソロライブ 真田広之デビューコンサートで応援挨拶@渋谷公会堂	ソニーから再デビュー、須藤晃ディレクター ホリプロ所属に 山口百恵「想い出のストロベリーフィールズ」松原みき「あいつのブラウンシューズ」須藤薫「Love Again」「Foolish」他　真田広之「風の伝説」ラジ「ラジオと二人」ホスピタル「Live Capsule」「恋の蜜蜂男」 松任谷邸でユーミンと会う、「Esper」コーラスａｒｒ 12／31　帰省中、雪山の岡山で車事故	『4way music street』 『キャンパスで見かけた君』
1981	9／21 「ガラスの恋人」 10／21 「A面で恋をして」	7／24　新宿ルイード、ジャパコン・ライブで「ナイアガラ・トライアングルＶｏｌ．２」発表 9／15　ソロライブ 12／3　ヘッドフォン・コンサート@渋谷公会堂	5／1　五十嵐浩晃「想い出のサマーソング」大瀧さんとコーラス ユーミン「カンナ8号線」コーラス 「ナイアガラ・トライアングルＶｏｌ．２」発表 10月　松田聖子「雨のリゾート」榊原郁恵「メイク・アップ」、ピーターパン関係作曲	『4way music street』
1982	3／21 『ナイアガラ・トライアングルＶｏｌ．２』 5／21 『Overlap』 10／21	6／3　郵貯ライブ（まりや、五十嵐、セイルアウェイ） 8／31〜9／1　Wonderful Moon @渋谷公会堂 9月　学園祭（西南など） 12月　中野サンプラザ、ドリーマーズ結成	2月　伊豆キティ Overlap のＲｅｃ 3／2〜7　ナイアガラ・ハワイ取材旅行 稲垣潤一「ジンで朝まで」 4月　須藤薫『Amazing Toys』 10／26「イエロー・サブマリン音頭」参加 11月　松田聖子「真冬の恋人たち」参加 12月　川島なお美『So Long』プロデュース、箱根ロック	『4way music street』 『シャープ・ポップクルージング』（広島）

	「バカンスはいつも雨《レイン》」		ウェルでRec（大谷、林、今、渡辺、田口）、須藤薫『プラネタリウム』の曲書き	
1983	4/21 『Stargazer』	3/5～4/7 Wonderful Moon ツアー 5月～ Stargazer ツアー 5/4 松田聖子、厚生年金ホール、ゲスト 秋 Show Goes On ツアー「監督物語」	1月 『Stargazer』 Rec 3/21 須藤薫『プラネタリウム』ほぼ全曲作曲 6月 松田聖子「ピーチ・シャーベット」 松本伊代「クレッセント・メモリー」 田島さん、須藤さんとNY、佐野君を訪問～LA～帰りに単独ハワイ	『4way music street』 『シャープ・ポップクルージング』（広島）
1984	4/21 「いとしのテラ」 5/21 『mistone』	6/28～10/15 No Time ツアー 8月 逗子マリーナ藤田ベースで参加 学園祭 11/8 杉真理と仲間たち 12/20 中野サンプラザ	1/21 ハイ・ファイ・セット「素直になりたい」「1999」 3/14 誕生日に「いとしのテラ」録音@六本木セディック～『mistone』 Rec 5月 「プレイボーイ」取材旅行アリゾナへ、中川一省同行 6/1 根岸吉太郎ビデオ『TERRA』、書籍『mistone』、ドリーマーズ野球チーム誠志郎とバッテリーを組む 川島なお美「Goodbye American Dream」「想い出のビッグ・ウェンズデイ」 中村雅俊「君を胸に秘めて」 JIVE「破れたフォトグラフ」 早見優「Born To Be Loved」 松田聖子「Dancing Cafe」 ハイ・ファイ・セット「星化粧ハレー」	『4way music street』 4月 TOKYO FM 『コージーポップフィールド』
1985	4/21 12インチ 「I Don't Like Pops」 6/21 『Symphony #10』	1/5～6 No Time ツアー 7/17～12/25 Symphony #10 ツアー 8/24 観音崎サーフサイド・ライブ 学園祭 11/1 杉真理と仲間たち2@熊本 12月 中野サンプラザ	ラジオのゲストで松尾清憲と出会う Key Station ビデオ 森山良子「Lucky」「夏の恋人」 岡田有希子「二人のブルー・トレイン」 ハイ・ファイ・セット「ひときれの恋」「Boy friend」「恋愛狂時代」 松田聖子「さざなみウェディングロード」	『4way music street』 12月 FMヨコハマ 『マジカルポップツアー』
1986	7/16 『Sabrina』 11/21 「最後のメリー・クリスマス」 11/21 『Winter Lounge』	1/30、31 Let's City Harmony 7/15～11/27 Live for Sabrina ツアー 12月 中野サンプラザ	ドリーマーズ伊豆キティでレコーディング 二名敦子「Wonderland 夕闇 City」 『Winter Lounge』プロデュース、「Yellow Xmas」ビデオ、 須藤薫「Lonely December」 ハイ・ファイ・セット「勝手なバイブル」 森山良子「抱擁」「ひと夏の私生活」他	『4way music street』 FMヨコハマ『マジカルポップツアー』

	Album, Single	Live, Event	Experience	Regular Program
1987	6/3 『Have A Hot Day』 6/11 『Summer Lounge』	1月　渋谷ライブ80' 6/19　アフィニス・ライブトーク（わたせせいぞう） 7/26　観音崎サーフサイドライブ（松尾） 10/5～14　Have A Hot Day ツアー 12/21　アフィニス・ライブトーク（ハイ・ファイ・セット、飯島真理）	3月　LAレコーディング 4月　映画『微熱少年』に「Do You Feel Me 」、アルバム『Summer Lounge』に「Holiday Company」作曲 9月　BOXデモ制作（杉宅） 9/25　『笑っていいとも！』テレフォンショッキング出演 桑田佳祐「悲しい気持ち」コーラス参加 財津和夫「にせ者のシンデレラ」、ハイ・ファイ・セット「誰か踊ってくれませんか」、須藤薫「同い年の恋」	『4way music street』 FMヨコハマ『マジカルポップツアー』
1988	5/5 BOX 『BOX POPS』	BOXツアー	2月　伊豆キティBOXレコーディング ハイ・ファイ・セット「プラトニックしましょ」　木村恵子「シンジラレネーション」　佐倉しおり「風はオーガンディー」　土屋里織「BOY」 初オーストラリア、HABU、ロバート・ハリスを紹介	『4way music street』 ～8月　FMヨコハマ『マジカルポップツアー』
1989	9/2 「Romancing Story」 10/21 『LADIES & GENTLEMAN』	NHKホール、ユニセフ（服部克久、財津和夫、Wink他） 11/5～12/22　LADIES & GENTLEMAN ツアー	3月　京田とプリプロ コーセーCM「恋するクエスト」 4月　HABUとシドニー、リベンジ、顎関節 7月　ロンドンでRec 井上昌己「メリー・ローランの島」、児島未散「Sweetest Joker」	『4way music street』 TOKYO FM『サウンド・アペリティフ』
1990	3/21　BOX 『Journey To Your Heart』 12/21 『Wonderful Life』	2/22　稲垣潤一@苗場 2/24～7/24　BOXツアーパワステに桑田佳祐飛び入り 12/17～26　Wonderful Life ツアー	3月　ポール@東京ドーム鑑賞 SYSスタジオでプリプロ 7/21　野田幹子「8月の砂時計」、ABC番組 TVKスーパーマジックバス ハイ・ファイ・セット「永遠の Sunny Days」	『4way music street』 TOKYO FM『サウンド・アペリティフ』
1991	6/21 『Made In Heaven』	2～6月　パワステ・マンスリーライブ 7/29～8/19　Made In Heaven ツアー 8月　ALWAYS ツアー松尾君と参加 9月　あずさ2号で白馬ライブ 10月　深川座（財津、タケカワ） 12月　Xmasライブ	「ウイスキーが、お好きでしょ」作曲 5/28　息子、未来誕生 8月　アロハ・ブラザース結成6曲制作 スリー・グレイセス「Blue Sky」　詩子「神様のプレゼント」 12月　ジョージ公演@東京ドーム	『4way music street』 TOKYO FM『サウンド・アペリティフ』

	1992	1993	1994	1995	1996
	6/21 『World Of Love』 「夏休みの宿題」 11/21 「Best Of My Love」	5/21 「Love Is Magic」 6/21 『Flowers』			
	5月 Live In Heaven 7/15 ライブ夏休みの宿題（五反田）ｅｔｃ 10/7 ビートルズが夢だった、橋本哲登場	7/21～26 Flowers ツアー 8/8 富良野からＮＨＫ特番に出演 12/1 桑田佳祐主催 Act Against Aids 武道館、（銀次&斎藤誠） 12/7 パワステライブ Winter Flowers	10/29 弦カル@アレーナホール 12/25 ＮＨＫ ＴＶ Ｘｍａｓ鈴木祥子、松尾らとカーペンターズ曲を演奏 12/31 TOKYO FM カウントダウン@ハウステンボス	4/29 Beatle People 12/19 パワステ Stargazer in Xmas	3/16 ＮＨＫ ＦＭ『こんばんは未来ミュージックです』 4/15 ビッグバンで行こう 9/6～8 ピカデリーサーカス アムラックス（姫野）
	2月 観音崎スタジオでＲｅｃ 赤坂のホテルでユリ・ゲラーと会う、堀会長と会食 初バリ島（嶋田、ＨＡＢＵ） ノーランズ「思い出のヒットソング」 伊豆田洋之「夢のふるさと」 橘いずみ「君なら大丈夫だよ」 鈴木ユカリ「ときどき電話して」 ちびまる子ちゃん「B級ダンシング」 ハイ・ファイ・セット「Little May Sick」 10ｃｃ『4way music street』にゲスト出演 TVドラマ『ヴィーナス・ハイツ』主題歌	3月 パースで『Flowers』ＴＤ、ポールのワールドツアー初日を観る、「Pop Music」のジャケ写を撮影、10ｃｃライブ楽屋へ～ライブ盤のライナーを書く 隔週で神戸 Kiss FM へ通う 小林克也&ナンバーワンバンド「今宵踊らん」	『Love Mix』の曲「天使の光」「お泣きメアリー」「Don't Worry YOKO」ｅｔｃ 石岡美紀「歩こう」 日髙のり子「さよならの朝」 友人の司、バリで結婚式「ロータスのほとりで」松尾君と共作	3月 バリ（ハイダウェイ泊）安部俊幸さんらと行く、井上直久さん個展に行き親しくなる 「Hide Away」「Love So Deep」 渡辺満里奈プリプロ「ライムのひとりごと」「クラブ・ロビーナ」「This Magic Moment」他作曲、カズンRｅｃ「彼と彼女の夏」ｅｔｃ、長谷川真奈「土曜日のジュリエット」 長沢有起「めまいの森」 Wink「Merry Little Xmas」 10/25 インスト・アルバム『イバラード』に参加 12/1 金沢信葉『万物創世記』テーマソング「Touch My Heart」プロデュース、作詞 ホリプロを卒業	未来ミュージック設立（杉、嶋田、松尾、小室、安部徹） 3/1 安孫子舞「ペシッ」制作
	『4way music street』	『4way music street』 Kiss FM でレギュラー	『4way music street』 J-WAVE『J's Calling』 『One On One』	『4way music street』 J-WAVE『Across The View』	文化放送『タカヒカ』

	Album, Single	Live, Event	Experience	Regular Program
1996		9／25、26　ピカデリーサーカス名古屋、大阪 12／10　ピカデリーサーカス新宿 12／20　ピュアミュージック川崎	ビートルズイベント司会＆ゲストで全国 西田ひかる曲提供「日曜日の冒険者」ｅｔｃ 内田有紀「キスをした」、ＪＲ西日本ＣＭ木村恭子「今日から旅人」 ピカデリーサーカス結成3曲デモ 金沢ビートルズイベント、ジョージ・マーチンに会う 亀渕昭信さんとミュージシャンしりとり 12／12　Ｎ・Ａ・Ｔ『愛は永遠に』峠恵子 ピカデリーサーカス事務所問題で契約白紙撤回 未来ミュージック解散	
1997	ベストアルバム『Golden J-Pop』 11／21 『Winter Gift Pops』	7／18　ピュアミュージック 8／9　モンキー・フォレスト・バンド＠南青山マンダラ 9／12～14　デビュー20周年ライブ3日間（山本潤子、稲垣、まりや、峠、村田、安部、須藤薫、ピカデリー）＠アムラックス 11／13、15、23　ピカデリー Strikes Back ツアー 12／19　ピュアミュージック 12／22　プラネタリウムで Starlight Concert	峠恵子 Produce 加山雄三作品で森山良子 Produce 光進丸に一泊させてもらう バリ　ファンクラブ・ツアー ピカデリー安部、嶋田が抜け小泉、圭右が加入、ライブに向け新曲をスタジオでまとめる「メリーゴーラウンド」「Never Cry Butterfly」「Dreamer」など1ｓｔのほとんどの曲を作る 「Asian Paradise」作曲 依頼 峠恵子「恋はマジック」「静かなる花」、しらさやえみ「Summer Kiss」「君のそばに」	文化放送『タカヒカ』
1998	8／21 『Paradise in Asia』	2／9～15　ピカデリー大阪、名古屋、渋谷 6／4　ピカデリーパワステ最後の日 12／21　須藤薫、杉Ｘｍａｓライブ＠銀座	ＣＭ「夕焼けレッドで帰りましょう」 3月　バリファンクラブ2 Monkey Forest Band（松尾、東、哲、里村）で活動「One Summer Girl」松尾君と共作 ブロードサイド4 のデモを Produce、中断 Epic でピカデリー決定 6～10月　ピカデリーレコーディング＠一口坂スタジオ 7／23　菊池志穂「丘の上にいこう」 須藤薫ライブ用にチリドッグス結成	ラジオ日本

1999	2000	2001	2002
1/21 ピカデリーサーカス「Baby It's Allright」 2/20 『ピカデリー Circus』 7/21 須藤&杉 「ロマンティック天国」 10/1 「Asian Paradise」	1/1 須藤&杉 「君の物語」「I Wish」「This Magic Moment」「Winter A Go-Go」 7/19 須藤&杉 「最後のデート」「クラブ・ロビーナ」「お聞きローズマリー」	2/21 『POP MUSIC』	5/29 ジョージ・トリビュート「Tax Man」BOX
2/11 ピカデリー雪の渋谷パルコ前でFMT生ライブ 3/1、2、8 ピカデリー名古屋、大阪、渋谷 3/31 須藤&杉渋谷クアトロ 7/9 ピュアミュージック 8/9 須藤&杉ロマンティック天国@On Air East 渋谷 8/22 一里野音楽祭ピカデリー、財津、タケカワ、峠、須藤 10月 国際協力フェス@日比谷野音 12/2 須藤&杉@STB139	1/20 須藤&杉@梅田 Heat Beat 2/1 『開運なんでも鑑定団』に出演、テーマ曲「君の物語」 3/14 ビートルズカレッジ@府中 7/7、8、10 須藤&杉 Pop'n Roll TANABATA 9/24 ソロライブ@吉祥寺スタパ 12/16 須藤&杉 pop'n Roll Xmas @STB139 12/23 ソロライブ The UCHIAGE @吉祥寺スタパ、杉カルテット、BOX登場	3/7、8 ソロライブ POP MUSIC @STB139、HEAT BEAT 5/26 原宿アストロホール 9/14、15、24 Three Cats Night（杉、須藤、松尾）@お台場、大阪 10月 ソロ@小渕沢リゾナーレ杉カルテット 11/2 Three Cats Night@お台場 12/2 BOX@吉祥寺スタパ 12/15 須藤&杉 Winter A Go-Go @STB139	3/23 杉&村田@お台場 5/9 FM愛媛イベント@松山全日空ホテル 7/18 ピュアミュージック 9/23 Love Mix @大阪
1~5月 ピカデリープロモーション CMアリエール「ぼくのOKUSAN」 6月 バリファンクラブ3、ピカデリー 9/15 須藤&杉FM愛媛公開生 市川実和子「四回目の卒業式」 RIZCO「Heaven On Earth」 マレーシア、ベトナム、タイ等からアーティストが来日共演 ゴメス・ザ・ヒットマンの produce ~年末まで	「君の物語」『開運なんでも鑑定団』のテーマソングに ゴメス『コブル・ストーン』EP「Maybe Someday」Produce 「最後のデート」『いい旅夢気分』のテーマに 3/14 数年前にやめたホリプロからお花が自宅に届く 6月 バリ ファンクラブ4 7/20 須藤&杉、FM愛媛夏祭り 松尾清憲「マイ・ルネッサンス」作詞共作 7/21 上田雅利「Daddy は Rock'Roll 中毒」 ソロアルバムに向けSYSでプリプロ サイレン音から「Smiling Face」のイントロ	アルバム『POP MUSIC』各地でインストアライブ 父入院 5月 CMアイスの実、SAYAKA「パラソルと約束」 8月~ スカパー「新鮮音楽市場」スタート 竹内まりや「Dream Seeker」にピカデリーでコーラス 辰田さやか「恋人のように」アイフルCM曲 CM Kit Kat「雨の日はきっと」	4/1 渡辺かおるに騙される 「Pops Go On A Trip!」 アルバム『Love Mix』プロモーション
Nack5 10月~ 『須藤、杉 Pops A Go-Go』	Nack5『須藤、杉 Pops A Go-Go』	スカパー『新鮮音楽市場』	スカパー『新鮮音楽市場』

	Album, Single	Live, Event	Experience	Regular Program
2002	6／21『Love Mix』	9／29 Love Mix＠川崎、須藤薫、松尾、村田、未来、武藤、高橋 10／13 須藤、杉チリドッグス＠軽井沢プリンス 12／14 須藤＆杉 Winter Lounge 2002、誠志郎		
2003	12／10 ピカデリーサーカス 2nd 『Summer Of Love』	2／15 FM愛媛、坂崎＆杉、八幡浜 3／8 Dear BEATLES＠府中 3／21 ピュアミュージック＠大阪 MID 3／28 ソロライブ＠福岡 Drum Logos（姫野） 9／18 ピュアミュージック秋祭り＠クラブチッタ川崎 9／23 ピュアミュージック関西 12月 チッタでインストア ピカデリーサーカス	CM愛媛NTT「幸せなアンサー」 4月 新潟 FM Port『杉真理の Pop'n Roll』スタート。毎土曜日、新潟に通う。毎週2本のコント書き 8／4 ピカデリーレコーディング Start 10月〜 FM Port「Artist Cafe」 CMハウスシチュー ピカデリー「ぼくがシチューを作るわけ」 ピカデリーマスタリング後「ジプシー」という言葉が引っかかり歌を録り直す	FM Port『杉真理の Pop'n Roll』 FM Port『Artist Café』 スカパー『新鮮音楽市場』
2004		1／12 ピカデリーサーカス＠チッタ 2／10 ピカデリーサーカス＠大阪 3／6 Dear BEATLES＠府中 3／14 バースデー・パーティー＠原宿 Blue Jay Way 二部構成（まりや、川原） 3／21 杉＆堂島孝平＠チッタ 6／10 ピュアミュージック＠チッタ 8／12 ピカデリーサーカス＠赤坂プリンス（草野さん、まりや、稲垣観に来る） 12／10 須藤＆杉＠STB139（西本明、西村純）	ピカデリーサーカスのライブとプロモーション 堂島くんと共作「君の Paradise」「Good News」 新潟でのイベント多数、コントに明け暮れる日々 3／14 新潟の居酒屋で金子D、高宮Pらと50歳を迎える 3／14 誕生日パーティー 一部はファンと二部は関係者で、まりや、川原さんと「雨の日のバースデー」を演奏 3／15 シンコー本社で上田さん、松尾くんらとシンコー会長草野さんに会う。「C列車で行こう」の歌詞をもらう 草野さんにピカデリーライブ招待の御礼にと後楽園の海老のお店でご馳走してもらう 10／23 番組直前に新潟県中越地震発生、郡山経由で戻る直後は飛行機で通う。その後新幹線は越後湯沢〜長岡間バス乗り換えが続く	FM Port『杉真理の Pop'n Roll』 スカパー『新鮮音楽市場』
2005	6／1 『風の吹く場所』 9／7 『GOLDEN BEST 杉真理＆フレンズ』	1／28 杉＆銀次「マイルドで行こう」＠相模大野 2／15 杉真理「ひとりのビッグショー」＠新宿スペース107 3／11 Dear BEATLES＠府中 7／1、8 ピュアミュージック夏祭り＠大阪、川崎 8／10、11「マイルドで行こうの逆襲」＠東京プリンス	銀次さんとのバンド、マイルド・ヘブン結成 インスト・アルバム制作「あの夏の少年」「最高の日」「風の吹く場所」「TumbleWeedSerenade」「Shadow& Me」 5月 初めて Mac 購入、即 Garege Band でデモ作り「ロック天国」「Love Portion #9」「My Cherie Amor」「Goodnight Tonight」	FM Port『杉真理の Pop'n Roll』

		（堂島孝平、須藤薫） 9/21 中越PRA@新潟、原宿、長岡 10/7 ジョン・レノン音楽祭2005@武道館（ヨーコ、清志郎、他） 12/16 杉&須藤「Amazing Winter」@STB139	6/12 HABU写真展@渋谷パルコ 9/24 杉真理のPop'n Roll最終回、公開生放送 武道館でヨーコの「雄叫び」を直に体験！ 12/28、29 Year End Party @下田アーネストハウス（BOXその他大勢）クニさんのピアノで「Moon River」	
2006		1/11 新富良野プリンスホテル「チャペルコンサート」（坂本洋） 1/27 杉&銀次「アコギで行こう」@相模大野 3/11 Dear BEATLES@府中 4/23 スギのカルパッチョ@Blue Jay Way 7/16 杉&須藤@STB139 8/3 ピュアミュージック夏祭り@川崎 10/7、8 スギのカルパッチョ@Blue Jay Way 12/15 杉&須藤「Foever Xmas」@STB139 12/21 横浜マリンシャトル船上「FMヨコハマ Xmas Cruising」	「Make Love Not War」ライブで発表 『魔法の領域』の曲Demo作り 6/30 ビートルズがやってきた、水森亜土、萩原健太 8月 まりや「Never Cry Butterfly」ピカデリーでRec 「チャペル・イン・ザ・サン」作曲、RKB TVの特番	
2007	「チャペル・イン・ザ・サン」 ロイ・オービソン「Tribute to Roy」 11/21 須藤&杉『POP'ROUND THE World』	3/10 Dear BEATLES @府中 3/15 Club333 東京タワー（坂本洋） 4/28 ピカデリーサーカス@東京キネマ倶楽部 6/10 カルパッチョス3@舞浜 IKSPIARI 7/7 杉松格@鎌倉歐林洞 8/23 お台場フォーク村（坂崎、大野）「学生街の喫茶店」を歌う 8/24 須藤&杉「ずっとサマーホリデー」@STB139 8/30、9/1、2 ピュアミュージック@川崎、博多、大阪 10/19 白井良明 Folk&Rock @江東区文化センター（ポカスカジャン） 10/20 BOX in BOXX@渋谷BOXX	3/21 「Red Stripes」「Swingy」「ピカデリー Circus」「Summer of Love」紙ジャケ再発 3/25 デビュー30周年 4月 USENラジオ『杉真理の歌の昭和人』スタート ロイ・オービソン「Tribute to Roy」 7/4 チューリップ「Rainbow」作詞 7/20 堀ちえみ「君といる世界」 7/25 「Song Writer」「Overlap」「Stargazer」「mistone」「Symphony#10」「Sabrina」紙ジャケ再発 8/15 「レコー・ドコレクターズ」杉真理大特集 8/21 父逝く、葬儀 8/29 『魔法の領域』Recスタート 8月 プレバタ「Life Style」Rec 9/8 マッコイズ杉30周年 Party@Back InTown 9/13 須藤薫「Forever Young」Rec 11/3 宇宙「マイルドで行こう」Rec	USENラジオ『杉真理の歌の昭和人』
2008	1/23 『魔法の領域』	2/8 須藤&杉ヴァレンタイン・ライブ@STB139 3/8 Dear BEATLES @府中	3/19 「Have A Hot day」「LADIES & GENTLEMEN」「Wonderful Life」「Made in Heaven」「World Of	Cross FM『Field Of Magic』

	2008	2009	2010
Album, Single			4/28 アロハ・ブラザース『世界のアロハ・ブラザース』
Live, Event	3/20 魔法の入り口@横浜 MEZZOLOHAS 3/23 魔法の領域レコ発@STB139 4/24 ピュアミュージック@川崎 4/30 FFAフォークデイズ@大田区民プラザ（松尾、坂崎） 5/23『魔法の中心』@渋谷 O-EAST（要、薫、村田、黒沢、安部、堂島、銀次、松尾、佐野） 6/21 京都酒蔵ライブ@秋田酒造 7/20 杉松格@鎌倉歐林洞 8/29、30、9/5 ピュアミュージック@博多、大阪、川崎 11/24 BOX@横浜 DRAGON CLUB 12/14 須藤&杉@STB139（曾我、誠志郎）	1/16 BOX@渋谷 O-West 1/30 音楽屋台バリハイ@晴れたら空に豆まいて 2/6 ブレバタと共演@上野、東京文化会館 3/7 Dear BEATLES @市川市文化会館 4/11 カルパッチョス@STB139 7/25 ドリーマーズ@横浜赤レンガ倉庫 8/14 BOX@表参道FAB 8/22 ピュアミュージック@川崎 8/28～30 ピュアミュージック@福岡、大阪、名古屋 11/21 風音@福岡ドラムロゴス 12/6 マイルドヘブン@STB139	2/4、6、7、11 ピュアミュージック@川崎、名古屋、大阪、仙台 2/20 Dear BEATLES @市川 3/12 カルパッチョス@渋谷プレジャープレジャー 3/13 バリハイ、MFB&SORMA@渋谷プレジャープレジャー 5/3 アロハ・ブラザーズ@山形県高畠ワイナリー 7/1 呼人の部屋@下北沢440 7/18 杉松格@歐林洞 7/28～ アロハツアー@博多、広島、京都、神戸、名古屋 8/14 アロハ@吉祥寺 SORMA（ガムランとセッション） 9/12 アロハ@STB139
Experience	Love」「Flowers」紙ジャケ再発 3/30 NHK FM「SOUND MUSEUM」杉大特集（大瀧、まりや、銀次、要、ロバート・ハリス） 4月 Cross FM「Field Of Magic」スタート 4/21「iPod Fan」連載 9/10 曾我泰久「同級生」共作 11/19 BOX『BOX POPS』『Journey To Your Heart』、『Winter Lounge』紙ジャケ再発 BOX小室アトリエでDemoを作り始める 12/31～ FM愛媛、年を越す	1/1 音楽誌「ADLIB」で『魔法の領域』国内ポップ/ロック賞 2月～ CM「ウイスキーが、お好きでしょ」ゴスペラーズ 3/13 USENの番組で誕生ケーキ（来生君）@ミッドタウン 4/1 エイプリルフール「初ヌード写真集」 6/22 曾我「同級生」、僕の月面計画」Rec 10月『POP MUSIC』『LOVE MIX』紙ジャケ再発、ボートラ5曲Rec	CM「ウイスキーが、お好きでしょ」竹内まりや 4/1 エイプリルフール「ろいく焼き」お好み焼き屋開店 8/4 アロハ・ブラザース ハワイパパイア親善大使に@自由が丘 渡辺かおる「ライムのひとりごと」
Regular Program	USENラジオ『杉真理の歌の昭和人』	USENラジオ『杉真理の歌の昭和人』	USENラジオ『杉真理の歌の昭和人』

	2011	2012
	iPadのアプリとしてHABU写真とコラボ『風の吹く場所』	3／25 須藤薫『恋愛同盟』テイチク 9／26 BOX『Mighty Rose』
11／5～ アロハ@仙台、郡山、宇都宮、和歌山、広島、奈良、京都、名古屋、神戸 11／28 風音@西南学院大学チャペル 12／3 竹内まりやBOX@武道館 12／22 竹内まりやBOX@大阪城ホール 12／25 BOX@渋谷プレジャープレジャー	1／23 アロハ@吉祥寺スタパ 2／12 モメカル @神戸チキンジョージ 3／5 Dear BEATLES @府中 Bass 村田 3／6 佐野元春30周年@大阪城ホール 3／18～5／21 杉&村田ツアー@京都、奈良、神戸、広島、福岡、和歌山、仙台、郡山、宇都宮、新潟、柏、横浜etc 4／16 モメカル @STB139 6／4 酒蔵（杉&村田）@京都八木酒造 7／21 ドリーマーズ@横浜ブリッツ 7／30 杉松格@歐林洞 8／26～28、9／2 ピュア@福岡、大阪、名古屋、川崎 9／24 アロハ@STB139 11／19 マーチンクラブ（斎藤誠、渡辺香津美）@大阪 11／27 風音@西南学院大学チャペル 12／26 BOX@渋谷プレジャープレジャー	1／2 第1回杉まつり@吉祥寺スタパ 2／4 モメカル杉須藤松尾@神戸チキン 3月 テイチク渋谷レコ発 3／3 Dear BEATLES @府中 4／11 杉&村田@青山円形劇場 4／27、5／4 杉&村田@京都Rag、大阪南港 5／20、21、25 杉、須藤&モメカル@神戸、名古屋、横浜 6／10 Jam BOX@下北沢クラブQue 7／14 杉松格@歐林洞 8／3 杉、須藤チリドッグス@STB139 8／8 モメカル@表参道FAB
	2／18 マスタリング「風の吹く場所」 3／11 東日本大震災 3／31 『ミュージシャンと猫』（佐々木美夏） 4／1 エイプリルフール「ヘアーくろんぼ」理髪店 4／13 小林克也さん古希Party 司会@東京プリンス 4月 CMキャベジン「やさしさにおかえり」 12／15 スカイマーク社長 井出君を石橋凌さんに紹介@銀座 年末は第1回杉まつりのリハ（圭右が腰を痛めたためマー坊）	1／10 ナイアガラDJトライアングル 2月 須藤薫『恋愛同盟』製作開始 3／11 「Dear Angie」作曲 3／20 郷田祐美子「My Old Bicycle」Rec 3／21 ナイアガラトライアングルVol．2、30周年 4／1 エイプリルフール「ライブのお誘い（性転換のお知らせ）」日本性転換ホール 4／23 竹内まりや「Dear Angie」録音 6月～ BOXレコーディング開始@音響、モノグラムst 6／23 富山HABU個展 鈴木聖美「Precious Friend」作曲、Rec 「君を想って」作曲Demo
	USENラジオ『杉真理の歌の昭和人』 4月～ FM世田谷『アフタヌーン・パラダイス』（クーちゃん）	USENラジオ『杉真理の歌の昭和人』 FM世田谷『アフタヌーン・パラダイス』（クーちゃん）

	Album, Single	Live, Event	Experience	Regular Program
2012		9/1、2、5、14 ピュアミュージック@博多、大阪、名古屋、川崎 9/22 須藤薫&モメカル@目黒ブルースアレイ 10/19 BOX@Ground 12/15~16 BOX (uncle Jam) @渋谷プレジャープレジャー、チキンジョージ 12/24 モメカルXmas@二子玉		
2013	9/25 「He's a Cat」猫と音楽の蜜月	1/2 第2回杉まつり（鈴木聖美参加） 3/2 Dear BEATLES @渋公 3/15 杉&モメカル @横浜サムズ 3/30 なりきりBOX@舞浜アンフィシアター（Fab4） 4/7、13 BOX@チキンジョージ、下北沢 Garden 4/27 マーティンクラブ@恵比寿 5/1、2 杉&村田@南港、下北沢音倉 5/24、25~6/2 杉&モメカル @名古屋、神戸、原宿 7/13 杉松格@歐林洞「茶葉が開くまで」 8/12、16『STARGAZER』30周年ライブ@神戸、STB139 9/6、7、8 ピュア@博多、大阪、名古屋 9/16 安部恭弘@STB139「音楽の女神」発表 9/22、23 杉&ストリングス@ KIWA 10/17 BOX@けやきホール 11/1、3、4、9、10 杉&村田@下北沢、松本、上田、柏、横浜 12/21 ドリーマーズ@渋谷プレジャープレジャー	「He's A Cat」作曲 3/3 須藤薫ちゃん逝く、お別れ会「Forever Young」モメカルと演奏 3月 福岡行き飛行機で告井さんと隣席 4/1 エイプリルフール「人間ケダモノ」ナマハゲとして生きる Nami-note「素直になりたい」コーラス、「君なしじゃ笑えない」作曲 「Magic Candle」 山本英美「君に」作曲 12/3 青山純逝く 安部恭弘と共作「音楽の女神」 BOXデモ「上昇気流」「タンポポ」 9月 村田入院のためピュアミュージック川崎中止 BOXお題から「スイーツ」作曲、ライブで公開 手嶌葵、三菱地所ホームCMソング「Home My Home」 12/30 大瀧さん逝く	USENラジオ『杉真理の歌の昭和人』 FM世田谷『アフタヌーン・パラダイス』 (クーちゃん)
2014	5/21 『Strings Of Gold』 11/26 『This Is Pop』	1/3 第3回杉まつり@吉祥寺スタパ大瀧さん&薫追悼 1/24 BOX@STB139「ハートじかけのオレンジ」演奏 2/9、10 杉&モメカル@大阪、名古屋 3/4 お世話になったあの人へ（提供曲ライブ）@吉祥寺 3/15 Dear BEATLES @渋公 (Chay) 村田Bass 3/28 杉&モメカル@横浜サムズアップ 4/5~7/5 感謝還暦ツアー@仙台、郡山、上越高田、長野、上田、奈良、神戸、京都、倉敷、和歌山、大阪、南港、広島、福岡、小樽、札幌、浦和、高知、松山、	「最高の法則」杉まつりで発表 3月~『Strings Of Gold』Rec 3/14 吉祥寺で誕生パーティー、還暦 3/22 WOWWOWポール特集出演 4/1 エイプリルフール「消費税据え置きクーポン」 「君が元気になれば」作曲、Rec 6/15~20 西表島~竹富島~石垣島 6/20 村上茂さん逝く 7/7 安部俊幸さん逝く	FM世田谷『アフタヌーン・パラダイス』 (クーちゃん)

	2015
	4/15 「君が元気になれば」 猫と音楽の休日
香川、下北沢、柏、横浜、静岡、名古屋 5/9 薫ちゃんトリビュートライブ@STB139 6/18 石垣島、アフパラ特番&ライブ（村田） 7/6 還暦～ズ@新宿スペースゼロ 7/13 杉松格@歐林洞「私を茶葉へ連れてって」 8/22、26 『mistone』30周年ライブ@神戸、渋谷 9/5、6、7、11 ピュア@博多、大阪、名古屋、川崎 9/8 中秋の名月@京都植物園、村田 9/28 モメカル@目黒ブルースアレイ 11/9、16 村田&フラリーパッド@大阪、吉祥寺 11/22 風音@西南チャペル 12/26 BOXパーティーはそのままに@クラブQue	1/2 第4回杉まつり 2/13、15、16 モメカル@神戸、京都、名古屋 3/8 Dear BEATLES @渋谷公会堂 3/20 モメカル@横浜サムズ 4/3～7/12 ずっと還暦ツアー@柏、仙台、郡山、上越高田、上田、下北沢、京都、神戸、和歌山、大阪南港、姫路、広島、福岡、奈良、倉敷、旭川、小樽、札幌、香川、松山、高知、金沢、富山、静岡、名古屋、柏、横浜、水戸、南浦和 5/8 BOX@下北沢クラブQue 6/18 ポールナイトBOX（ザバダック吉良、上田） 7/4 告井さんとリバプール@求道会館 7/18 杉松格@歐林洞「茶葉はどこへ行った」 7/20、21 モメカル@大阪、名古屋 7/26 さっちゃナイツ@茅ヶ崎 8/18、24 シンフォニー#10@神戸、渋谷 8/21、22 風街レジェンド@国際フォーラム 8/28、29、30～9/4 ピュアミュージック@博多、大阪、名古屋、川崎 9/5 まほろ座峠祭り（せんだみつお） 9/19～21、23 杉&村田&銀次ライブ@名古屋、京都、神戸、吉祥寺
7月 還暦～ズ（庄野真代、叶高、水越けいこ、白井良明、サントリィ坂本、トンさん、伊藤広規、岡崎倫典） 東郷昌和「You Can Save The World」、郷田祐美子「夏草のタンゴ」、玉城ちはる「お喋りGirl」 9/8 中秋の名月@京都植物園、村田とMr.Moonlight 等 9月～ This is Pop の曲を共作者と制作 野田幹子「泣き顔」 安部恭弘「音楽の女神」 黒沢秀樹「君はクランベリーソース」 遠藤響子「Little Bird」 根本要「ミュージシャン行進曲」 伊藤銀次「We're the Band」 坂崎幸之助「長い休暇をもう一度」 EPO「君なしじゃ笑えない」 サッチャナイツ 結成～練習 12/13 インストアライブ@新宿タワレコ	「君が元気になれば」制作 1/17 小室等さん「音楽夜話」 ルロイ・アンダーソンにハマる 郷田祐美子「夏草のタンゴ」、BOX「Twin Soul」「Think Twice」 4/1 エイプリルフール「宗教始めました」 6/9 まりや&BOX Beatles「No Reply」 『シンフォニー#10』30周年 8/15 オサリバン・ライブ、サインもらう「I Like Your CD」 9/16 『アフパラ』EPOと笑いのツボ、放送事故レベル 9/25 川島なお美ちゃん逝く 10/12 夢の島でサッチャナイツ 神父の衣装で「ミッション・インポッシブル」披露 10/24 スタックリッジのライブ鑑賞@吉祥寺 「Your Kiss」作曲、なかの綾「エピソード1」、ココナツカップス「最後の恋かもしれない」 12/15 ニッポン放送 Beatles 12/29 TBSラジオ、佐野、銀次、爆笑問題
FM世田谷『アフタヌーン・パラダイス』（クーちゃん）	

	Album, Single	Live, Event	Experience	Regular Program
2015		10／3　風音@西南チャペル（梅津和時） 10／12　さっちゃナイツ@夢の島 12／3〜5　モメカル@神戸、岡山 12／9　杉カルパッチョス@渋谷（サッチャナイツ、ＥＰＯ、根本要）		
2016	2／24 『Masamichi Sugi Works』	1／2　第5回杉まつり（なかの綾、トカト、種ともこ） 1／13　安部ソロ@渋谷 1／20　長江健次カフェ@神戸 2／13、14　Just 4 Rythm @歐林洞 3／4　Dear BEATLES @人見記念講堂 3／8　川久保秀一　杉様ソングス@南青山曼荼羅 3／26〜9／11　ずっとピーカン@仙台、郡山、柏、水戸、京都、神戸、大阪、下北沢、南浦和、博多、広島、三島、香川、高知、松山、和歌山、奈良、横浜、渋谷、静岡、名古屋 4／29　サッチャナイツ@築地 5／14　西南１００周年イベント 5／31　村田追悼ライブ@吉祥寺スタパ 6／10、11　Just 4 Rythm @歐林洞 6／18　BOX On The Run@下北クラブＱｕｅ 7／16　杉松格『茶葉まで待てない』@歐林洞 7／31　サッチャナイツ@茅ヶ崎 8／13　サッチャナイツ@柏 8／22、29　『SABRINA』30周年ライブ@神戸、渋谷 9／2〜4、9　ピュア@博多、大阪、名古屋、川崎 9／17、18　Just 4 Rythm @鎌倉歐林洞 10／22、23　峠祭「ウイスギーがお杉でしょ」 10／28　風音@西南チャペル、山口洋、石橋凌 11／12〜27　トライアングルの軌跡ツアー@仙台、京都、広島、福岡、名古屋、横浜、吉祥 12／8　ゴメス・ザ・ヒットマン@恵比寿 12／10　サッチャナイツＸｍａｓ@横浜 12／17　杉真理Ｘｍａｓ@渋谷、誠志郎 12／25　銀次 Winter meeting	由紀さおり「人生という旅」 2／22　村田逝く 3／4　DEAR Beatles ステージ袖で北山修さんに挨拶 3／11　星加ルミ子さんとイベントでお会いする 4／1　エイプリルフール「オレオレ杉」女子シンクロ選手 4／3　松尾ライブで橋口&さえこさん&僕3月14日トリオ 4／8　上越高田でインフル発症 4月　村田との予定だったツアーを敢行 4／20　岡山アパラ出張〜小島〜岡山城 4／23　京都都雅都雅で安藤芳彦さんと初対面 5／14　西南１００周年@マリンメッセ、伊東たけしと共演、陣内孝則、井上芳雄、財津さん 「平和な人へ」作曲 6／25　ピアニスト邦さんライブ飛び入り Moon River 7／31　サッチャナイツ @茅ヶ崎ビーチで最後に大きな虹 9／10　根本要君静岡まで来てくれる 12／5　幸矢「Happy Go Lucky」コーラス 12／18　松尾ライブ、橋口君の代打	ＦＭ世田谷『アフタヌーン・パラダイス』（クーちゃん）

2018	2017
1/2 第7回杉まつり（トイレッツ、星野みちる） 1/26 ギターマン@EggMan（伊藤広規、難波弘之、岡井大二、小池秀彦） 1/27 長江健次カフェ@神戸（野村義男etc） 2/25 Dear BEATLES @人見記念講堂（和田唱） 4/14 遊佐未森@草月ホール 4/27 鈴木聖美@赤坂 Blitz 5/2～3 紅茶キノコ@大阪南港 5/5 吉祥寺音楽祭 5/6 サッチャナイツ @福岡 Gates7 5/12～18 モメカル@大阪、神戸、名古屋、目黒 6/16 ライトメロウ@新宿	1/2 第6回杉まつり（村田追悼、綾&銀次&松尾、別れても好きな人） 1/22 BOX@クラブQue 1/28 長江健次カフェ@神戸 2/5 モメカル@目黒ブルースアレイ 3/7 タケカワユキヒデ@盛岡 3/12 Dear BEATLES@水道橋（ダイアモンド☆ユカイ） 4/22、23 鈴木茂ツアー@別府、広島 5/3 大阪南港ATC 5/6 吉祥寺音楽祭 7/17 杉松格@歓林洞「茶葉こそはすべて」 8/6、8 Have A Hot Day 30周年ライブ@神戸、@渋谷 8/9 Overlap 全曲ライブ@渋谷 9/3 お世話Vol．2（提供曲ライブ）@吉祥寺 9/8～10、15 ピュア@福岡、大阪、名古屋、川崎 9/14 センチメンタル・シティ・ロマンス@吉祥寺 9/23 峠祭@まほろ座（ピカデリー、誠志郎） 9/27 モメカル@ブルースアレイ 10/14 風音@西南（石橋凌、鮎川誠、CHAR） 11/3、10～12/4、5、16、22 トライアングル（銀次さんとのツアー）@柏、横浜、神戸、渋谷、京都 12/25 伊藤銀次 Winter meeting @吉祥寺スタパ
「Beautiful Days」「ともしび」「スナック鯉」「コロンブス」杉まつりで初披露 オネスト社歌「Imagination」 富山トラック社歌「We Were Born To Run」 3/28 小林克也古希パーティー乾杯の発声 4/1 エイプリルフール「NHK大河ドラマ性豪どん」 難波玲里ちゃん、コーラスRec 4/23 『ドピーカン』Rec開始 6/26 『Music Life』Rec開始 11/30 『Music Life』最終TD CM「マニュライフ生命」Huruna Crystal、友成 12/18 『Music Life』ジャケ撮影@田島オフィス	1月 良性突発性頭位めまい症 BOX椅子で演奏、ソロでは立つ 「This Life」「君といた夏」「翼と風」「コロンブス」作曲、なかの綾「スナック鯉」星野みちる「Unstable Girl」 2/25 風祭東ソロ、ゲスト@吉祥寺 3/30 『アフパラ』クーちゃん卒業 4/1 エイプリルフール「名前が変わりました」天地真理に 4/6 『アフパラ』マーナちゃん登場 4/15 ギルバート・オサリバン@ビルボード東京 4/27 ポール@東京ドーム、ゴメス山田君と観る 5/15 スニーカー送りあった田中さんと近所で遭遇 7/1 まりや&BOX「Drive My Car」Rec 9/6 トークショー、中野区長、星加ルミ子さん 9/24 マッコイズ杉40周年パーティー@Back In Town「ナンパの歌」演奏
FM世田谷『アフタヌーン・パラダイス』（マーナちゃん）	FM世田谷『アフタヌーン・パラダイス』（クーちゃん～マーナちゃん）

	Album, Single	Live, Event	Experience	Regular Program
2018		7/2〜4 ドピーカン発売ライブ@神戸、京都、吉祥寺 7/16 杉松格@歐林洞「茶葉の数だけ抱きしめて」 7/31〜8/2、7 All Time Best @福岡、神戸、渋谷 8/8 BOX30周年ライブ@渋谷 9/7〜9、14 ピュア@福岡、大阪、名古屋、川崎 10/2 モメカル@ブルースアレイ、松尾 10/8 風音ライブ（手嶌葵、宮田和弥） 10/13〜16 モメカル@大阪、神戸、名古屋 12/9 マイカXmasライブ（松任谷正隆） 12/12、15 トライアングル@神戸、渋谷 12/24 銀次 Winter meeting @吉祥寺、桑田靖子 12/28 いざ鎌倉@歐林洞		
2019	2/27 『Music Life』	1/2 第8回杉まつり 1/21 長江健次カフェ、曾我泰久 1/26 松尾サーカス@福岡、ゴーグルズと共演 2/2、3、5 モメカル@京都、神戸、名古屋 3/10 Dear BEATLES @昭和記念 4/29 大人音楽園@さくらホール 5/3 大阪南港〜グーノート 5/5 吉祥寺音楽祭 5/28、31 MUSIC LIFE @神戸、渋谷 7/15 杉松格「茶葉色の人生」@鎌倉 7/22、23〜8/9 More MUSIC LIFE@名古屋、大阪クアトロ、渋谷 9/6〜8、13 ピュアミュージック@博多、大阪、名古屋、川崎 10/11 MUSIC LIFE 増刊号@博多 10/27 ビルボード東京（鈴木茂、岡沢章、中西康晴、島村英二、松本圭司） 12/14 MUSIC LIFE 年末特大号@渋谷、ブラス隊 12/28 いざ鎌倉、幸矢さん@鎌倉 EPO、鈴木茂	1/23 クリス松村さんTV °C -want you!「On The Beach」コーラス なかの綾「楽園の Moon Bar」、ふくい舞に2曲書く、小野ひとみ「だって」長江健次「恐怖のミステリーガール」 3/14 バースデーパーティー@吉祥寺 4/1 エイプリルフール「元号が変わりました」江露に 8/24 MIEライブ@ブルースアレイ、田口とライブ用に曲を提供「彼女はマッシュルームカット」 11/2〜13 バリ島 12/11 ニッポン放送系列ビートルズ特番、藤本国彦さん 12/17 お台場フォーク村、松本隆さん特集「真冬の恋人たち」を中島愛さんと歌う	FM『世田谷アフタヌーン・パラダイス』（マーナちゃん）
		1/3 第9回杉まつり（ブラス隊飛び入り） 1/18 モーションブルー横浜（Just 4 Rythm +松本）	2/8 二子玉 Gemini 杉田裕さん番組にゲスト	

2020	2021	2022
	6/23 シティポップ名作選Vol.1『マリ&レッドストライプス』 10/21 シティポップ名作選Vol.2『SWINGY』	3/21『ナイアガラトライアングル40th』BOX
1/18 新星堂ライブ@六本木バードランド 1/27 長江健次カフェ@チキンジョージ 2/11 サッチャナイツ @横浜パラダイスカフェ 3/19 青山音楽倶楽部@南青山マンダラ 9/11 ピュアミュージック配信@チッタ 9/21 鈴木茂&ハックルバック@横浜1000CLUB 12/26 伊藤銀次 Winter meeting @吉祥寺スタパ 誠志郎 12/28 サブマリンドッグ@下北沢 BASEMENT BAR	1/18、20 ソロ New Standard @大阪、渋谷 1/23 長江健次カフェ@町田 1/24 タケカワユキヒデ@江東区文化センター 3/14 KIZUNA Station サッチャナイツ 配信 4/25 鈴木孝彦@エムズ「自由のワルツ」作曲 5/15 杉&松尾ソングブック@渋谷プレジャープレジャー 7/5 福岡イムズ音楽祭、根本要、佐橋佳幸 8/6、10/13 サマーセレクション@渋谷、神戸 11/2 One Man Parade @渋谷クアトロ 11/6 風街オデッセイ2021@武道館 11/21 第一回吉祥寺フォークジャンボリー 12/17 ウインターソング・セレクション@渋谷 12/26 伊藤銀次 Winter meeting @吉祥寺スタパ	1/15 杉真理 Best Song Selection @渋谷プレジャープレジャー 1/29 国府弘子@吉祥寺サムタイム 3/4 Dear BEATLES @新宿文化センター
「亭主にラブソングを2」「腰のフラメンコ」「馴れ馴れしい奴」「美しき緑の星」サッチャナイツ曲作曲 2/27 お台場フォーク村出演 DEAR Beatles 中止、コロナで世の中自粛 4/1 エイプリルフール「亭主にラブソングを2」を延期 4/3 庄野真代「名前のない国」Rec 4/5 NHK『ディスカバー・ビートルズ』開始 YouTube チャンネル始める 『アービン・バーリン・カバーズ』自宅Demo制作 「エスコートソング」等Demo制作 8/19 お台場フォーク村 出演 11/21 日経、大和田俊之リモート対談 11/24 TV東京出演 ピカデリー中止 、ピュアミュージック、ツアー中止 12/29『ジョンが求めた真実』藤本国彦、民放AM14局	自宅Demoで「Human Distance」など多数の作品を作曲 あいら=もえか「I'm Your Singer」しおこうじ「歌はどこへ行ったの」なかの綾「My Baby」 2/22「美しき緑の星」コーラス 3/22『ディスカバー・ビートルズ』NHK編成局長賞 4/1 エイプリルフール『自祝警察』一人胴上げ 7/17 東北放送、山寺宏一さんと初 7/26 濃厚接触者～東京オリンピック観戦 11/4 アプパラ、わたせせいぞうさんゲスト 11/27 映画『Get Back』を鑑賞、松尾&小室&哲 12月『ビートルズ解散の真実』藤本国彦、民放AM11局	2/24 フジテレビ NEXT お台場フォーク村出演 3/19 BSフジ、CITY POP スペシャル、井上鑑 ナイアガラトライアングル40th特集、レコードコレクターズ ステレオサウンドetc
FM世田谷『アフタヌーン・パラダイス』(マーナちゃん) NHK FM『ディスカバー・ビートルズ』	FM世田谷『アフタヌーン・パラダイス』(マーナちゃん) NHK FM『ディスカバー・ビートルズ』～3月	FM世田谷『アフタヌーン・パラダイス』(マーナちゃん)

	Album, Single	Live, Event	Experience	Regular Program
2022	11／23 『Mr. Melody ～ 杉真理 提供曲集』	3／13 ケネディハウス@銀座 5／1 トライアングルソングス、佐野、銀次@ビルボード東京 5／3 キチオン・スパーステージ@吉祥寺野外特設ステージ 5／4 Go!Go!トラ祭、サッチャナイツ @江ノ島 5／21 五十嵐浩晃42thライブ@銀座 5／27、28、29～6／3 ピュアミュージック「夏まで待てずに」@福岡、大阪、名古屋、川崎 6／10 松尾清憲@月見ル君想フ 8／26、30 杉真理 Late Summer Show @神戸、渋谷 9／11 鈴木茂・音楽研究所Vol．5@町田まほろ座 9／19 杉松格「いい日茶葉立ち」@吉祥寺スタパ 9／25 ライトメロウVol．5、EPO、今井優子、ジャンクフジヤマ@新宿スペースゼロ 10／2 鈴木聖美35th@所沢ミューズアークホール 10／12 鈴木雄大「僕の好きな先輩」南佳孝 11／16 鈴木聖美@ビルボード大阪 11／27 ケネディハウス「オータムコレクション」 12／10 Gig Me Do @横浜ランドマークホール 12／17 杉真理「Mr.Melody の Happy Holiday」伊豆田洋之、鈴木聖美、松尾清憲@渋谷プレジャープレジャー 12／25 伊藤銀次 Winter meeting @吉祥寺スタパ	3／25 デビュー45周年お祝い@川原邸 3／29 江口寿史さん初、個展@渋谷 4／1 エイプリルフール・メール「某大統領を宇宙ステーションに」 4／22 村松邦男さんと対談 4／24 ギルバート・オサリバン@新宿 5／23 鈴木康博フォークソングメモリーズ 「パフ」 7／21 GRIM SPANKY @アフパラ 8／2 サブマリンドッグ「エメラルド・シンフォニー」コーラス 提供曲集制作、選曲～全曲解説～マスタリング 10／9 マッコイズ、杉45thパーティー@赤坂 11／9 富山ビートルズ大学、須藤晃さんと会う 12／5 HABU逝く 10月～ Mr.Melody プロモーション、鈴木聖美「奇跡のような日」野田幹子「Are You Really happy」作曲 自伝取材スタート 11／28 お台場フォーク村、代打司会、坂崎君コロナのため～幕張 BayFM へ	

杉真理（すぎ まさみち）
シンガーソングライター
1954年3月14日福岡市生まれ。小学校5年生の時にビートルズに出会い衝撃を受け、中学生でギターを持ち作曲を始める。1977年3月25日、慶應義塾大学在学中にシングル「思い出の渦」でデビュー。ソロ名義活動の他、BOX、ピカデリーサーカス等のバンド活動や『ナイアガラトライアングル Vol.2』等のコラボレーションへも多数参加。作曲家として故・須藤薫やハイ・ファイ・セット、竹内まりや、松田聖子、山口百恵など様々なシンガーに提供した楽曲は300曲を超える。CMソングも多数手掛け、「ウイスキーが、お好きでしょ」は多くのアーティストにカバーされている。またラジオ・パーソナリティーとしても活躍中。

佐々木美夏（ささき みか）
1962年生。神奈川県平塚市出身。明治大学文学部文学科英米文学専攻卒。
在学中からライター業に片足を突っ込み、そのまま現在に至る。
著書に『GIRLY★WAVE』『ミュージシャンと猫』『14歳』シリーズなど。

魔法を信じるかい
ミスターメロディ・杉真理の全軌跡

初版発行　2023年6月1日

著　杉真理

構成　佐々木美夏
デザイン　高橋力・布谷チエ（m.b.llc.）
編集　筒井奈々（DU BOOKS）

発行者　広畑雅彦
発行元　DU BOOKS
発売元　株式会社ディスクユニオン
東京都千代田区九段南3-9-14
編集　TEL 03-3511-9970　FAX 03-3511-9938
営業　TEL 03-3511-2722　FAX 03-3511-9941
https://diskunion.net/dubooks/

印刷・製本　大日本印刷

JASRAC出　230-2421-301

ISBN 978-4-86647-202-7
Printed in Japan

本書の感想をメールにて
お聞かせください。
dubooks@diskunion.co.jp

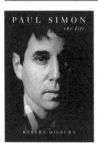

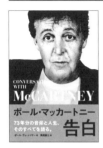

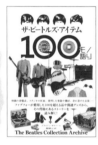

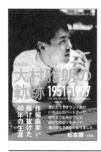